**10
18**

12, AVENUE D'ITALIE. PARIS XIIIe

Sur l'auteur

Liza Ward est née à New York. Diplômée des universités du Montana et de Middlebury, elle y débuta ses recherches sur les meurtres des deux adolescents tueurs, Charlie Starkweather et Caril Ann Fugate, dont ses grands-parents furent victimes. *Outside Valentine* est son premier roman. Liza Ward vit aujourd'hui dans le Massachusetts.

LIZA WARD

OUTSIDE
VALENTINE

Traduit de l'américain
par Françoise JAOUËN

**10
18**

« *Domaine étranger* »
dirigé par Jean-Claude Zylberstein

BUCHET CHASTEL

De nombreux événements racontés dans *Outside Valentine* sont inspirés de la vie de personnages réels et des circonstances entourant les meurtres commis par Charles Starkweather dans le Nebraska en 1958.

Ce livre a paru précédemment aux éditions Buchet Chastel sous le titre *À bout de fuite*.

Titre original :
Outside Valentine

À mes parents

Chapitre premier

1991

Dans mon rêve, la neige tombait partout dans mon bon vieux Nebraska. Le pasteur était venu m'annoncer ce qui était arrivé à mes parents. Une tache apparut sur son col, puis une autre, et je sentis sa main froide à travers le drap.

Juste avant d'ouvrir les yeux, j'étais redevenu petit garçon, j'étais couché dans mon lit, avec la peinture du canard accrochée au-dessus, et ma mère appelait dans l'escalier. J'avais éprouvé un immense soulagement en entendant sa voix, mais en revenant à mon existence présente, le vide me donna presque envie de crier. Tout était comme je l'avais laissé la veille au soir ; le verre vide, le livre sur le naufrage d'un navire romain, les épais rideaux accrochés de part et d'autre de la fenêtre comme deux jupes bouffantes emprisonnées le temps d'une danse dans une étreinte un peu guindée.

Je remontai lentement le couloir dans la pâle lumière du petit jour, un adulte en pyjama tendant l'oreille pour entendre la voix de sa mère. Mais dans l'appartement silencieux, toutes les portes m'étaient fermées, protégeant Susan et les enfants. Je posai la main sur la poignée, tenté d'ouvrir la porte de la chambre pour voir à quoi ressemblait ma femme profondément endormie, ses cheveux épars sur l'oreiller, son masque posé sur les yeux. Autrefois, j'éprouvais du réconfort à me réveiller dans notre lit et à passer la main dans le creux laissé par son corps, en sachant qu'elle n'était pas loin. Mais nous ne vivions plus ainsi. Tom Osborne, notre chat roux, me lança un regard méfiant du haut de la bibliothèque.

Je partis alors que le soleil se levait sur l'East River, et je passai toute la matinée caché dans mon bureau, les yeux dans le vide, tout en sachant pertinemment que j'avais des choses à faire. Mais j'avais du mal à me rappeler lesquelles, et lorsque Francesca, ma secrétaire, entrait dans la pièce, je souriais, j'ouvrais rapidement un livre, ou bien je fronçais les sourcils en contemplant une pile de papiers que j'arrivais à peine à identifier. L'agenda était vierge de tout rendez-vous, mais cela ne voulait peut-être pas dire grand-chose ; nous avions tendance, Francesca et moi, à prendre des notes sur des enveloppes ou des bouts de papier qui finissaient toujours par disparaître. Il n'était pas rare de nous voir tous les deux, munis de gants de caoutchouc rose, fouiller les corbeilles à la recherche de numéros de téléphone ou de rendez-vous égarés.

« Allons-y ! » s'écriait-elle lorsqu'il fallait entamer une nouvelle chasse effrénée, comme si elle m'entraînait sur la piste de danse. À vrai dire, j'adorais ces recherches éperdues. Elles étaient alors la seule véritable source d'animation au bureau. Le téléphone ne sonnait pas souvent, les rendez-vous étaient rares, et la plupart du temps, il aurait été facile de disparaître, d'aller à pied jusqu'au musée, ou bien de rendre tout simplement visite à Jon Mondratti qui, invariablement, donnerait le signal des libations. Malheureusement, il y avait toujours le risque de s'enticher de quelque chose chez Mondratti, où il était facile de s'oublier dans les salles rouges en haut du sombre escalier. J'aimais caresser les vieux tapis de Tabriz qui avaient traversé les océans roulés en énormes ballots, ou bien déambuler entre les fauteuils hollandais rococo et les tableaux du XIXe siècle sortis d'époques lointaines et bien plus belles.

Chez Mondratti, j'avais immédiatement été subjugué par une ébauche à l'huile de Delacroix représentant un tigre. L'animal semblait paresser à l'ombre d'un surplomb rocheux, ses rayures sensuelles animées par des reflets de lumière. Il y avait quelque chose de réellement humain dans ses yeux. Il m'arrivait de rester assis là une heure, complètement absorbé, cherchant un moyen de me l'offrir. Peu importaient alors mes déboires, ou les obligations que je n'avais pas remplies. Parfois, seule comptait mon envie du tableau, et j'aurais tout sacrifié pour l'obtenir. Il faut vous dire qu'on ne pouvait plus me faire confiance lorsque j'étais en présence de belles choses, et ma faiblesse se voyait. Tout le monde avait soudain pris conscience qu'il me manquait quelque chose.

Après le départ de Francesca, je me glissai dans la galerie et m'allongeai au centre de la pièce. Je sentais le marbre froid à travers ma veste. L'humidificateur ronronnait, et les bus descendaient la Cinquième Avenue en faisant crisser leurs pneus. Je sentais l'odeur du passé qui se dégageait de toutes mes œuvres d'art, comme si elle circulait à travers les grandes vitrines. Certaines pièces étaient restées enfouies pendant des siècles, d'autres avaient orné des tombes oubliées. Je devrais un jour me défaire de tous ces objets. C'était le côté déchirant de ma profession. Je tenais l'histoire entre mes mains un bref instant et j'essayais de la mettre hors de prix. Je ne supportais pas l'idée de m'en séparer un jour.

Le téléphone sonna. C'était Susan.

« Tu es encore là, Lowell, dit-elle. Quand rentres-tu à la maison ?

— Dans une minute, répondis-je, en étouffant un gémissement, luttant contre l'envie de disparaître. Je suis avec un client. »

L'appartement était plongé dans l'obscurité. La soirée commençait à peine, mais Susan avait déjà mis sa robe de chambre et se tenait au bout du couloir. Ma femme a le chic d'aller se coucher dès qu'elle est contrariée, un talent rare. Profondément endormie, elle rêve d'histoires extraordinaires. Quand nous étions plus jeunes, du temps où nous vivions toute l'année du côté de Port Saugus, elle me les racontait si je lui apportais du thé et si je lui massais les pieds. La maison qu'elle avait héritée de son oncle était un endroit calme. La brume qui montait du fleuve adoucissait tout.

« Qu'est-ce que tu as vendu ? » demanda Susan en mettant les mains sur ses hanches.

Je haussai les épaules sans répondre tandis qu'elle s'avançait dans l'entrée en dépliant une feuille de papier qu'elle me tendit. Le logo figurant en haut de la page me disait quelque chose.

« Ça t'était adressé, me dit-elle, mais je l'ai quand même ouverte parce que je voyais bien que c'était une facture, et c'est moi qui m'en occupe, au cas où tu n'aurais pas remarqué. Il faut bien que quelqu'un essaie de prendre les choses en main dans cette maison. »

Je ne fis aucun commentaire, et passai directement au salon pour me servir un verre. En me retournant, je vis qu'elle était restée debout près de la porte d'entrée, l'air blessé.

« Tu ne peux pas faire comme si de rien n'était, dit-elle comme s'il s'agissait de l'annonce d'un cancer. C'est un relevé d'une banque près de Port Saugus concernant un coffre. On leur doit trois mille dollars. Ce qui représente des années de location impayées. »

Elle s'assit sur le sofa et posa les coudes sur ses genoux, tenant la facture du bout des doigts.

« Qu'est-ce qu'il y a à l'intérieur, Lowell ? »

Je me contentai de secouer la tête. Je n'arrivais pas à me rappeler ce que j'avais mis dans ce coffre des années auparavant. Je voulais depuis si longtemps voir disparaître toute cette affaire, le passé, en fin de compte.

Ma femme fit semblant d'examiner la facture en détail, comme si elle avait pu en extraire une vérité quelconque. Puis, rassemblant son courage, elle se mit finalement à parler.

« C'est moi qui m'occupe de tout ici. Et je commence à en avoir assez. »

Assise en robe de chambre blanche au milieu des coussins de velours sombre, Susan paraissait moins robuste que d'habitude. On aurait dit qu'elle se noyait dans toute cette douceur, comme un objet qui aurait eu besoin d'une grande restauration.

Le spectacle de ma femme se liquéfiant dans sa robe de chambre n'était guère plaisant. Je vidai mon verre et le posai sur la table. Nous avions soudain pris un coup de vieux, tous les deux. Dernièrement, j'avais remarqué que ses épaules se courbaient comme celles des vieilles femmes que je voyais autrefois à l'église à Lincoln. La vie défilait maintenant sous nos yeux. Notre fils, Hank, allait partir faire ses études, et Mary semblait sur le point de quitter la maison elle aussi. Susan et moi étions ensemble depuis une vingtaine d'années, et je n'avais jamais été entièrement sûr de vouloir l'épouser, ni de vouloir m'engager sur le plan affectif. Mais elle avait sa manière de s'immiscer, et moi, de me laisser faire. J'empoignai la facture.

« C'est inimaginable. Je ne sais même pas si on pourra payer, dit ma femme en se prenant la tête d'une main.

— Je ne vois pas à quoi ça servirait, de toute façon.

— Quelle que soit notre situation, je ne vendrai jamais Port Saugus », répliqua Susan. Elle essaya d'attirer mon regard, mais je gardai les yeux baissés.

« Il pourrait s'agir de quelque chose de valeur, tu sais, dit-elle. Une chose à laquelle tu tiens.

— Pourquoi y attaches-tu autant d'importance ?

— Parce que toi, Lowe, répondit-elle doucement, tu sembles y attacher beaucoup d'importance. »

Je me servis un autre verre, observant le reflet de ma femme dans le miroir derrière le bar tandis que le bourbon ondulait sur les glaçons.

« Écoute-moi bien, lui dis-je. Il n'y a absolument rien dans ce foutu coffre. »

Chapitre 2

1957

Quand je suis à moitié endormie et que tout est plongé dans l'obscurité, des fantômes se lèvent dans les champs et viennent flotter devant mes yeux. La fille se traîne dans l'escalier de la cave, elle a des morceaux de verre dans les genoux. Elle me jette un regard en serrant les poings. Elle crie : « Caril Ann, où est mon livre de maths ? » Il ne sert à rien de dire en pensée à cette fille où sont passés ces bouquins de classe, leurs pages agitées par le vent, au bord d'une route à Bennet, dans le Nebraska. Et bien entendu, Roe Street est toujours debout à la porte des latrines, sa ceinture à la main, et un trou dans la tête, me rendant responsable de tout ce que Charlie avait fait.

Je ne peux pas dire que ce sont des *rêves*, car les rêves, on souhaite qu'ils se réalisent. Et tout le monde sait que je n'ai jamais rien souhaité de tout ça. Ça n'a jamais été ma faute, depuis le début, même quand j'ai séché l'école. Les gens se comportent d'une certaine façon lorsqu'on les traite mal, et j'avais déjà fait une fois ma quatrième. Roe avait tort de vouloir m'obliger à redoubler.

Dès le premier jour où j'ai vu Charlie derrière notre nouvelle maison, sa carabine à la main, on pressentait déjà ce qui allait se passer. Je n'étais pas censée me cacher dans les arbres pour pleurer sur tout ce qui avait mal tourné. J'étais censée être au lycée, les jambes repliées sous la même vieille table, le visage écarlate parce que je ne connaissais pas les réponses aux questions que me posait Mrs. Kramer exprès parce qu'elle savait que je ne saurais pas y répondre. Je pleurais parce que Roe m'avait chassée de la maison sous prétexte que je n'écoutais pas ce qu'il disait. Il savait que je me cachais, mais il devait partir travailler et il n'y pouvait rien. Le règlement, c'est moi qui le faisais ; Roe l'avait bien cherché. Je lui avais montré. Je lui renvoyais son règlement à la figure.

Avant d'épouser Roe et d'avoir Betty Sue, ma mère me laissait passer toute la journée sur le sofa à manger des sucreries, si ça me faisait plaisir. Maintenant, je devais ranger ma chambre, aller au lycée, et il fallait que je fasse attention à Roe pour tout. C'était pas juste. La vie, c'est donnant, donnant, et moi, je n'en avais rien tiré. On avait déménagé, et j'avais une chambre plus grande, c'est vrai, mais la maison était tout de même délabrée, avec des latrines à l'arrière, de la terre en tas devant, et les mauvaises herbes montaient jusqu'à la véranda et la recouvraient presque.

Lorsque Roe est entré dans ma chambre pour voir si j'étais prête à partir au lycée, je n'avais sur le dos que mon kimono rose avec un dessin de femmes chinoises en train de danser et ma petite culotte en dessous. Je me peignais les cheveux à grands coups de brosse. Le kimono était un cadeau que mon père avait envoyé à ma mère de Kansas City après la fin des guerres de Corée. Ça la rendait malade de le porter, alors elle me l'avait donné. Elle aurait voulu que mon père ait été tué, mort dans un fossé. C'est ce qu'elle avait dit en ouvrant la boîte. À penser des horreurs pareilles, elle ne méritait pas ses cadeaux, et c'est ce que je lui avais dit. Elle m'avait regardée, ses yeux tout rétrécis, en secouant la tête. « Qu'est-ce que ça peut te faire, Caril Ann ? avait-elle dit. Je vois rien pour *toi* dans cette boîte. »

Je me brossais les cheveux, en prenant tout mon temps, lorsque la porte s'est ouverte en claquant. Roe était là, sa chemise Watson Brothers bien rentrée dans son pantalon, prêt à partir.

Mon peignoir était entrouvert. Roe avait le regard dur et en colère. Il me regardait des pieds à la tête, comme s'il n'arrivait pas à croire qu'une fille n'aurait pas envie de redoubler sa foutue quatrième. Je ne m'étais même pas retournée, mais je voyais tout, derrière le reflet de mon visage dans le miroir, et Betty Sue dans l'encadrement de la porte, vautrée par terre dans sa couche à moitié défaite, mâchouillant le coin d'une boîte en carton sous la table de la cuisine. Je n'ai même pas posé la brosse à cheveux. Je ne voulais pas qu'il sache que ça me faisait quelque chose de le voir là. J'ai simplement continué à brosser, comme je l'avais appris dans un magazine. Pour moi, il était juste un vieux avec qui ma mère s'était remariée.

« Tu n'es pas prête, a dit Roe, comme si c'était nécessaire.

— Ah ! » j'ai répondu. J'ai lissé mes cheveux derrière mes oreilles comme si tout allait de soi. « Je reste là. » J'avais le cœur qui battait, et une brise tiède qui soufflait de la fenêtre ouverte venait me caresser les oreilles.

Roe a donné un coup de poing dans le mur, en faisant gicler des écailles d'enduit et de peinture jaune par terre. Je me suis retournée pour lui faire face.

« Nom d'un chien ! a-t-il dit. File dans la voiture de suite, Caril Ann. »

Je n'avais aucune intention de faire un seul pas dans sa direction, ni de monter dans sa voiture. C'était une vieille Ford cabossée avec des sièges crevés qui sentaient le chien. Je n'ai pas bougé du miroir.

Ma mère est apparue derrière lui, le visage encadré par l'épaule et la tête de Roe. Je lui ai jeté un regard implorant, comme si Roe n'était pas là, comme s'il n'y avait qu'elle et moi dans cette chambre, comme si tout était redevenu comme avant que Roe n'arrive chez nous avec ses gros sabots en jouant les durs à cuire. J'ai dit à ma mère : « Je ne veux pas aller avec lui. » Mais ça n'a servi à rien. Elle avait le regard las et déchiré. Elle a posé une main sur l'épaule de Roe, l'autre sur sa hanche en secouant la tête.

« Qu'est-ce que j'ai fait au bon Dieu ? a-t-elle dit.

— Rien, ai-je répliqué en plissant les yeux en direction de Roe. C'est lui qui nous cause tous ces problèmes. »

Le visage de ma mère a pris une expression méchante. Elle s'est mise à secouer son doigt dans ma direction.

« Réfléchis bien, Caril Ann, a-t-elle dit. Ne va pas cracher dans la soupe.

— Je m'occupe d'elle », a continué Roe en fermant la porte au nez de ma mère.

Betty Sue pleurait dans la cuisine, comme d'habitude. Je veux dire par là qu'elle pleurait tout le temps, comme si on avait besoin de ça dans cette maison à la sortie de la ville. Elle pleurait quand on la laissait seule trop longtemps. Elle pleurait quand elle faisait une bêtise que personne ne pouvait réparer, comme avec mon poster de Frankie Avalon, qu'elle avait barbouillé de stylo rouge, et personne n'avait rien dit. Je veux dire par là que c'est moi qui aurais dû pleurer avec tous mes embêtements.

Roe était debout devant moi, il m'empêchait presque de respirer. Il faisait chaud. Le soleil faisait des carrés par terre. Ils se déplaçaient et dansaient avec l'ombre des feuilles. J'avais renversé du soda que je n'avais pas pris la peine d'essuyer et le plancher collait sous mes pieds. Roe Street a défait sa ceinture comme s'il allait me battre ; mais il ne l'avait encore jamais fait et je n'avais pas peur.

Roe s'est approché ; la ceinture s'agitait dans sa main comme un serpent.

« Caril Ann », a-t-il dit, comme s'il allait se foutre en rogne comme jamais auparavant, même lorsque j'avais vraiment fait des bêtises. Je voyais le rouge lui monter lentement au front sous ses cheveux en brosse.

« J'irai nulle part habillée comme ça », j'ai dit, en mettant les mains sur les hanches et en montrant un peu le genou entre les plis de soie. Une vraie lady au milieu d'un beau gâchis.

« Fais ce que je te dis, Caril Ann ; écoute-moi bien et fais ce que je te dis.

— Oui, Roe », ai-je répondu. J'ai rejeté mes cheveux en arrière pour qu'il se rende bien compte que je ne bougerais pas ; il s'est précipité sur moi, m'a agrippé le bras parce que j'avais un drôle de culot, et m'a fait valser autour de la chambre. Il me tenait par l'épaule, les doigts s'enfonçant dans la chair, et il me secouait. Il continuait à me tenir comme ça, mais il ne s'est pas servi de sa ceinture. Je sentais sa sueur et l'odeur du savon qu'utilisait ma mère pour laver ses chemises. Ses joues étaient marbrées de rouge et je ne savais pas quoi faire pour emporter la partie sans prendre une correction.

J'ai essayé de me dégager, le dos au mur, mais ça ne servait à rien. Roe a tiré sur le col de mon kimono, empoignant le tissu de soie. Je ne voulais pas bouger de peur de déchirer le tissu. Ce genre de peignoir n'était pas facile à remplacer, alors j'ai passé le doigt sous la ceinture et j'ai tiré un peu. J'ai senti la soie qui glissait en me chatouillant et ma peau blanche s'est hérissée. Le kimono m'est tombé le long du corps. Je me suis retrouvée dans ma petite culotte usée qui bâillait à la ceinture. Je n'arrivais pas à y croire. Je l'ai regardé droit dans les yeux un moment.

« Regarde ce que tu as fait, Roe », lui ai-je dit.

Roe a lâché mon bras en renonçant à la correction. La ceinture est tombée par terre, comme un serpent qui aurait reçu une balle dans la tête.

« Couvre-toi et prépare-toi pour l'école, a-t-il dit. Tu vas y aller. » Mais sa voix manquait de conviction. Il a refermé la porte tout doucement, comme si tout d'un coup la situation était redevenue normale.

Je suis restée là un moment, pétrifiée comme une statue de sel. Il faisait si chaud dans la chambre que je ne pouvais pas respirer. Dehors, l'arbre près de la fenêtre s'est calmé tout d'un coup, comme si on avait enlevé la brise. Ses branches avaient gratté toute la nuit contre la moustiquaire, et moi, raide comme un piquet dans mon lit, je me demandais ce qui allait se passer.

Je me suis mise à pleurer en serrant le kimono de mon père autour de moi. Je ne sais pas pourquoi je pleurais, puisque c'est moi qui avais gagné. Je ne sais toujours pas, mais parfois je ne comprends pas pourquoi je fais certaines choses. C'est le grand mystère de mon indépendance. C'était peut-être parce que je ne voulais plus jamais retourner au lycée. C'était peut-être parce que je ne voulais pas faire partie de cet univers où des gens comme Roe me disent ce que je dois faire sans tenir compte de ce que je pense. Dans cet univers-là, tout le monde se retrouve derrière les barreaux.

J'ai ramassé mon carnet à dessin et mes crayons qui étaient tombés dans les interstices du plancher, et je les ai remis un à un dans la boîte. Puis j'ai enlevé la moustiquaire, j'ai balancé les jambes sur le rebord de la fenêtre et j'ai sauté, atterrissant pieds nus dans la poussière.

J'ai filé comme un coup de trique dans le jardin, laissant derrière moi l'odeur fétide que dégageaient les latrines dans la chaleur de la fin de l'été. Ce n'était pas la première fois que je désobéissais, mais j'avais le cœur qui battait plus que d'habitude. Le soleil écrasait la pelouse jaunie comme si la pluie ne devait jamais plus revenir. Juste au-delà, une maigre lisière d'arbres délimitait le champ de maïs.

Je courais, et j'entendais Nig, énervé par mon odeur, se détendre comme un fouet au bout de sa chaîne. Ma mère venait de se rendre compte que j'étais partie, et je l'entendais sur la véranda. « Caril Ann ! » hurlait-elle. Mais j'ai continué à courir.

Chapitre 3

1959

J'avais dix ans et j'habitais Chicago quand j'ai entendu parler pour la première fois des meurtres de Starkweather. J'étais dans le bureau à l'étage, assise près de la radio, une barre de chocolat à la main. Le reportage me rappelait certains feuilletons. Les forces de l'ordre quadrillaient le Nebraska. Des amoureux intrépides étaient en fuite. La jeune Fugate était-elle victime ou complice ? À quoi ressemblait Starkweather lorsqu'il était enfant ? « Vous souvenez-vous de lui avant cette tragédie ? » demandait la radio. « On se moquait de lui à la maternelle », disait l'un de ses frères. « Ils l'appelaient Little Red. » Ce qui me le rendait plutôt sympathique. Pendant quelque temps, j'ai été du côté de Charlie.

Et puis on a déménagé à Lincoln. Ma mère est devenue fébrile. Les choses ont commencé à changer. Et quand j'ai entendu parler du gamin à quelques rues de là qui était devenu orphelin à cause de Starkweather, j'ai cessé d'éprouver de la compassion pour Little Red. Je n'arrivais pas à m'enlever ce garçon de la tête. Je l'imaginais constamment en train d'errer tout seul. Tous les enfants ont peur de se retrouver seuls, non ? Ça a toujours été mon cas, même avant que ma mère ne commence à devenir agitée. J'ai toujours su que je finirais par me retrouver sans elle.

On était fin juin 1959, à la veille de l'électrocution de Starkweather, lorsque ma mère partit acheter la Studebaker Golden Hawk. Des adolescents s'étaient rassemblés devant la prison de l'État du Nebraska, attendant que l'éclairage faiblisse et que la décharge bleue de 2 200 volts aille fracasser le corps de l'assassin. Bien au chaud dans le salon, je regardais à la télévision les gamins parader devant les caméras. Ils grimpaient avec insolence sur le capot des voitures en sifflant des bières, les yeux rivés sur la prison, guettant un signe du décès de Starkweather.

J'entendis Lucille, la femme de ménage, crier mon nom, et je me précipitai dans le hall, craignant d'avoir raté l'exécution. Debout près de la fenêtre dans la cuisine vert pomme, Lucille s'essuyait les mains sur son tablier et observait une voiture couleur or remonter l'allée du garage. Ma mère était au volant et klaxonnait en faisant signe de la main, son écharpe soulevée par le vent. Je sentis la chaleur des mains de Lucille sur mes épaules.

« Dieu tout-puissant, qu'est-ce que ta maman a bien pu imaginer cette fois-ci ? Ton papa va nous faire une crise. »

Je voyais déjà mon père, le visage empourpré, taper du poing sur le bureau qui avait appartenu à son père, ou bien défaisant sa cravate d'un geste brusque. Je ne pouvais guère concevoir d'autre crise de la part de mon père, seul dans la pièce, à l'abri du regard de ma mère.

Ma mère ouvrit brutalement la porte qui menait au garage et entra en coup de vent dans la cuisine, en faisant tournoyer les clés autour de son doigt. Ses ongles étaient rouge vif. Je ne l'avais jamais vue porter du vernis auparavant. La cuisine était pleine de l'odeur des brownies à la menthe qu'elle aimait par-dessus tout, mais elle ne semblait pas l'avoir remarqué. Elle était sur une autre planète, et nous n'étions que de vagues traces laissées dans son sillage.

« Allez les filles, venez par ici », dit-elle. Elle nous tira vers la porte, nous entraînant dans la fraîcheur du garage. La voiture toute neuve était garée à côté de la Chevrolet poussiéreuse qui nous avait emmenés de Chicago à Lincoln l'été précédent, lorsque mon grand-père était mort brusquement, léguant les aciéries Capital Steel et la maison à mon père. On entendait le bruit du moteur qui refroidissait.

Ma mère ouvrit la portière côté conducteur.

« Je vous présente la Studebaker Golden Hawk 400, 1957, production limitée, dit-elle. Même pas une égratignure. »

La voiture était couleur or, avec un carénage crème, et les sièges étaient en cuir blanc. Ma mère mit sa main sur le capot encore chaud et regarda Lucille droit dans les yeux.

« Alors, qu'est-ce que vous en dites ? »

Lucille secoua la tête.

« Il vaut mieux ne pas me demander mon avis, Mrs. Hurst.

— Bien sûr que si, répliqua ma mère. Je veux toujours connaître votre avis, Lucille. J'y tiens beaucoup. »

Ma mère parlait toujours comme ça. Je crois qu'elle citait des répliques de théâtre. Chaque fois qu'elle achetait des vêtements chez Miller & Payne avec la carte de crédit de mon père, elle entraînait

Lucille en haut de l'escalier recouvert de moquette rose. Je la regardais plaquer les robes encore munies de leurs étiquettes contre Lucille, l'exhibant fièrement devant le miroir. « Vous avez l'air adorable ! » s'écriait-elle. Ou bien : « Cette couleur rehausse tellement bien votre teint foncé. Je n'en veux plus. Gardez-la ! »

Lucille ne semblait jamais s'en offusquer. Mais ensuite, elle venait s'asseoir dans ma chambre pour me brosser les cheveux pendant que je faisais claquer mon chewing-gum en écoutant le feuilleton à la radio, et on riait ensemble. Tout ce que faisait ma mère semblait un peu irréel.

Nous étions donc là toutes les trois, debout autour de la voiture couleur or, comme si c'était une sorte de comète enflammée tombée du ciel.

« Les gens vont jaser, dit prudemment Lucille en faisant le tour de la Studebaker. Vous ne faites pas les choses à moitié, vous.

— Bien sûr que non, dit ma mère en serrant les poings. Je l'ai vue en plein soleil au bord de la route. J'ai tout de suite voulu l'acheter. Jamais je n'ai eu autant envie de quelque chose.

— Moi, je l'adore, lançai-je. Je la trouve magnifique. »

Ma mère se tourna vers moi, mais sans vraiment me regarder.

« Eh bien, monte donc, Bouchon, dit-elle. On va faire une balade. »

Je fis vite le tour et ouvris la portière côté passager. Ma mère s'installa lentement, les yeux rivés sur moi : soudain elle fit un geste dans ma direction et je me figeai, la main sur la poignée chromée.

« Enlève tes chaussures, s'il te plaît, dit-elle. Dieu seul sait où tu as bien pu aller. »

En petite fille obéissante, je me débarrassai de mes mocassins, et je m'installai à côté d'elle. Le soleil de la fin juin avait chauffé le cuir blanc, qui était doux comme de la nacre. Ma mère ajusta son foulard dans le rétroviseur. Elle tourna la clé de contact, ranimant le moteur dans un vrombissement, et sortit lentement du garage en marche arrière. Un rayon de soleil se refléta dans le verre de sa montre et vint éclabousser le tableau de bord. Ma mère était petite et soignée, elle avait les cheveux noirs et la peau douce et mate. Son nez retroussé, si disgracieux sur mon visage, lui donnait un petit air alerte et charmant.

Je cachai avec mon bras le bourrelet de chair qui débordait de la ceinture de ma jupe en essayant de rentrer le ventre tandis que ma mère écrasait l'accélérateur. La voiture fit un bond. Je vis Lucille porter les mains à son visage et j'entendis quelqu'un klaxonner. Je me retournai. Mon père s'était engagé dans l'allée, mais ma mère ne l'avait pas vu, et l'arrière de la Studebaker Golden Hawk s'encastra dans le pare-chocs avant de la Packard.

Mon père sortit en claquant la portière, et alla inspecter son phare brisé sans dire un mot. Il s'approcha lentement de la fenêtre du côté de ma mère comme s'il piégeait une bête sauvage, puis se pencha dans la voiture et jeta un regard à l'intérieur.

« Que se passe-t-il, ma puce ? »

Il essayait d'avoir l'air calme et disposé à tout entendre. Ses yeux bleus étaient écarquillés et il avait levé les sourcils. J'avais envie de rire. La sueur perlait à ses tempes.

« Qu'est-ce que tu crois ? J'ai acheté une voiture, dit ma mère en regardant droit devant elle. Il m'en fallait une. »

Mon père hocha la tête, l'air effaré. Il avait appuyé les coudes sur la portière.

« Qu'est-ce qui t'a pris de faire une chose pareille ?

— J'en ai assez d'être entourée des affaires de ton père. C'est mort, tout ça. Je veux mes affaires à moi. »

Le visage de mon père s'empourpra.

« Je ne comprends pas pourquoi tu as fait ça sans m'en parler. »

Il marqua une pause.

« On dirait que tu agis derrière mon dos. Pourquoi as-tu fait une chose pareille ?

— La ville entière est prête à exploser, dit ma mère en haussant les épaules. Ça me démangeait.

— Ce n'est pas croyable, dit mon père en se passant le mouchoir sur le front. Tout ceci serait très amusant si tu n'étais pas ma femme. Tu crois que l'argent pousse sur les arbres, Ann ? dit-il en donnant un coup de poing sur le flanc de la voiture. C'est ce que tu crois ? »

Mon père pencha la tête à l'intérieur de la voiture.

« Dis-moi combien t'a coûté cette bagnole. »

Ma mère fulminait. Les articulations de ses doigts étaient devenues blanches et ses yeux enflammés jetaient un mauvais regard.

« Dis-moi combien ! s'écria mon père, exaspéré. Ce n'est même pas une familiale, bon Dieu ! »

Sa cravate avait glissé par-dessus la portière. Ma mère l'empoigna et tira dessus d'un coup sec. La tête de mon père fit un bond en avant.

« Tu gâches tout, lança-t-elle sèchement. Tu n'es jamais content. »

Sous le choc, les traits de mon père se déformèrent, puis son visage devint impassible. Il releva la tête, ajusta sa cravate et rentra dans la maison se servir un verre.

Avant le dîner, j'entendis mon père parler de l'exécution avec quelqu'un au téléphone. « Et comment va ce pauvre garçon qui a perdu ses parents ? » Quand il raccrocha, je voulais demander à mon père ce qu'il avait appris sur le garçon, mais je voyais bien à son visage qu'il n'était pas d'humeur à perdre son temps avec moi.

Ma mère était allongée par terre dans le salon, ses pieds nus posés sur l'accoudoir du sofa, un verre de vin à la main, les cheveux épars sur le tapis d'Orient. Même au dîner, après le départ de Lucille, mes parents ne se parlèrent pas vraiment. Ils se contentèrent de faire semblant de se mettre à table, et avant que j'aie commencé à manger, ils étaient déjà repartis sur le patio pour se mettre à boire dans le silence inconfortable partagé ce soir-là par tous les habitants de Lincoln. Dans chaque maison, on retenait son souffle et on attendait que les lumières faiblissent – ce qui n'arriverait pas, nous assurait mon père, alors que tout le monde disait que l'électrocution produirait cet effet. Je voulais savoir ce qui se passait, mais mon père m'empêchait d'écouter le bulletin à la radio.

« Il n'y a pas de quoi s'exciter, dit-il en émergeant dans l'encadrement de la porte-fenêtre du salon plongé dans l'obscurité, un autre verre à la main. Il faut bien comprendre ça, Bouchon. Ce n'est pas un spectacle de foire. »

Mon père me tapota la tête. J'adorais qu'il fasse ça, mais je détestais le surnom qu'ils m'avaient donné. J'avais l'impression d'être la grosse tante en

28

visite chez le couple chic. Je n'avais jamais bien compris comment j'étais devenue leur enfant.

Il s'affala sur sa chaise. Les bougies se consumaient sur la table en ardoise, et les lucioles me faisaient signe en clignotant dans le massif obscur de rhododendrons.

« C'est le moment d'avoir une pensée pour ceux qui ont disparu », dit mon père en faisant tournoyer les glaçons dans son verre. Il regarda au fond de son whisky et but une longue gorgée.

« C'est le moment de se féliciter de l'efficacité de la justice américaine. »

J'imaginais la décharge bleutée courant le long des fils électriques dans le sous-sol de la prison, alors que le garçon, lui, était assis dans son salon, attendant que quelqu'un revienne à la maison.

Ma mère poussa un grognement dédaigneux et se resservit un verre de vin.

« Tu ne connaissais même pas les victimes, dit-elle à mon père. Ne fais pas semblant d'être concerné. »

La bouteille était presque vide. Son regard était humide et ses yeux lançaient des éclairs, brillants de vie. Au-dehors, les feuilles bruissaient d'excitation dans les vieux arbres plantés le long de Van Dorn Street.

Mon père n'était pas disposé à en rester là.

« Nous sommes tous concernés. Nos amis connaissaient ces gens-là, mon père les connaissait, dit-il. Ces meurtres n'avaient aucun sens. »

Il baissa les yeux pour regarder ses mains qui enveloppaient son verre. La chevelure de ma mère luisait sur ses épaules. Elle secoua la tête dangereusement près de la flamme et regarda mon père. Il rapprocha la bougie de lui, hors de portée. Elle laissa une tache de cire que je me mis à gratter.

« Allumons toutes les lumières dans cette vieille maison sinistre et voyons un peu ce qui se passe, dit ma mère, soudain transformée. Faisons quelque chose, je veux fêter quelque chose. »

Elle avait la voix lourde et épaisse. Elle se dirigea vers la porte-fenêtre en trébuchant dans l'obscurité. Mon père, bien entendu, était prêt. Il la saisit par la taille, la souleva et la porta dans le salon. Je restai debout près de la bibliothèque, les observant dans le noir.

« Allume ! » dit ma mère. Elle balança violemment les jambes. Son talon heurta l'une des grenouilles en porcelaine sur l'une des petites tables du salon. La grenouille tomba et vola en éclats. Mon père tint ma mère serrée contre lui jusqu'à ce qu'elle cesse de se débattre.

« Je suis désolée, finit-elle par dire en se mettant à pleurer.

— Elle ne me plaisait pas beaucoup », souffla mon père. Il n'était plus en colère. Il posa un baiser sur son oreille.

« Allume, s'il te plaît, sanglota-t-elle.

— Je ne peux pas allumer, dit-il. Je risque de te faire tomber. Et alors tu partiras et je me retrouverai seul. »

La tête de ma mère reposait dans le creux de son bras. Il enjamba les morceaux de porcelaine, et emporta ma mère à l'étage dans l'obscurité. Personne ne me dit d'aller me coucher cette nuit-là. Tout était silencieux. Je restai un long moment à la fenêtre à regarder l'éclairage de Van Dorn Street, reniflant le bouchon de la bouteille de vin de ma mère. J'imaginais que j'avais perdu mes parents. J'imaginais que j'avais tout perdu. Je déambulai dans la maison dans le noir. À la télé, il n'y avait plus que de la friture. Je me cognais dans les meubles, et je songeais au fantôme de mon grand-père, à la façon dont Lucille l'avait découvert dans le fauteuil du salon, mort d'une crise cardiaque, le journal soigneusement replié sur son genou, le glaçon encore intact dans son verre. Les lourdes tentures avaient gardé l'odeur de ses cigarettes. Je plongeai la tête entre leurs plis pour les sentir, espérant en tirer un secret, un chuchotement peut-être, venu du monde où Starkweather s'apprêtait à partir.

Le lendemain matin, j'étais assise à la table de la cuisine et comptais la monnaie que Lucille m'avait donnée pour l'avoir aidée à faire le ménage. J'empilais les pièces en petites colonnes brillantes, calculant la quantité de bonbons que je pourrais acheter. Lucille nettoyait le four. Debout près de la paillasse, le *Lincoln Journal Star* ouvert devant elle, ma mère lisait à haute voix les détails de l'exécution. Elle me tournait le dos. Charles Starkweather avait été électrocuté à 0 h 4 dans la nuit. On creusait deux tombes : l'une au cimetière de Wyuka pour l'assassin, et une pour le médecin qui avait constaté son décès, juste avant de mourir lui-même d'une crise cardiaque en plein milieu de la chambre d'exécution. Je me demandais si Starkweather avait emporté ses pouvoirs dans la tombe.

« Vous vous rendez compte ! dit ma mère. Vous ne trouvez pas que le monde est plein de ces étranges ironies du sort, Lucille ?

— Oh, je ne sais pas ! répondit Lucille en plongeant le bras dans le four et en se mettant à frotter. Tout ce que je sais, c'est que cette maison a tout l'air d'avoir été électrocutée la nuit dernière. »

Je me mis à glousser. C'était plus fort que moi.

Ma mère se retourna. Elle jeta un regard soupçonneux sur la monnaie qui se trouvait sur la table, et, d'un geste, fit glisser les pièces dans le creux de sa main.

« On est en été, me dit-elle. Trouve donc une occupation, Bouchon. Pourquoi ne sors-tu pas ? Tu commences à avoir le teint pâlichon. Tu pourrais aller nager au Country Club. L'endroit est épouvantable, mais au moins tu ferais un peu d'exercice. Tu ne vas tout de même pas rester enfermée toute la journée à manger des bonbons. »

La vision de bras et de jambes hâlés s'ébattant dans l'eau turquoise juste au coin de la rue flotta dans ma tête. Des parasols fleuris agités par la brise, le bruit des balles de tennis renvoyées prestement par les raquettes.

« Je crois bien qu'un peu de sang mystérieux coule dans nos veines, déclara ma mère. On voit ça à mon teint. Tu en tiendras compte la prochaine fois que tu iras au Country Club. »

Puis elle se replongea dans la lecture du journal, et m'oublia complètement. Je plissai les yeux et lui tirai la langue, mais bien entendu elle ne pouvait pas me voir. Son visage était dissimulé par la photo de la une : la chaise électrique en planches de chêne contre un mur nu, aussi anodine qu'un meuble de jardin. C'est la manchette qui attira mon regard. Je tentai de la lire à l'envers. LE MEURTRIER A ÉTÉ EXÉCUTÉ. LE NEBRASKA L'EMPORTE. Je me demandai si l'article disait quelque chose du garçon. On lui avait peut-être demandé ce qu'il ressentait. Ou bien quelqu'un avait pris la précaution de le tenir à l'écart de tout cela.

Lorsque ma mère partit dans la Studebaker, j'attrapai un brownie à la menthe et le journal et montai dans ma chambre. Une abeille vint heurter la moustiquaire. La douce lumière matinale semblait encore toute neuve. J'étalai les pages par terre. Parfois, ma mère était vraiment envahissante. Je mordis dans le brownie, essuyant les miettes qui étaient tombées sur le journal. En page dix, il y avait un article retraçant l'historique de *l'équipée sanglante* de Starkweather et Caril Ann Fugate à travers le Nebraska, avec des photos de tous ceux qu'ils avaient tués. Ils m'observaient depuis les pages du journal, comme ces acteurs représentés dans le programme de théâtre que j'avais trouvé sur la table du hall au retour d'une soirée de mes parents, lorsque nous étions encore à Chicago. *Maison de poupée.* Ces gens avaient l'air si heureux, si sûrs de l'avenir. On avait peine à croire qu'ils étaient morts.

Charlie et Caril Ann étaient assis sur le sofa de quelqu'un, et ils avaient l'air encore plus heureux que les autres. Il avait passé le bras autour des épaules de Caril Ann, et sa tête penchait d'un côté. Les jolis cheveux de la jeune fille étaient rejetés sur une épaule, et ses yeux brillaient comme si elle venait de rire. Ils paraissaient enchevêtrés l'un dans l'autre. Je me demandais si j'arriverais à trouver un jour quelqu'un à aimer. Moi, j'étais enchevêtrée toute seule avec moi-même.

Chapitre 4

1991

Cette nuit-là, je me réveillai dans la chambre d'amis, étonné de découvrir ma femme allongée à côté de moi ; elle m'observait à l'autre extrémité du matelas, les mains jointes sous une joue, les yeux luisants dans la clarté nocturne.

« Depuis combien de temps es-tu là ? » lui demandai-je. Je ressentais comme une violation le fait qu'elle ait pu se faufiler dans la pièce sans que je m'en rende compte.

« Il est arrivé quelque chose, répondit-elle.

— Quoi ? » Je secouai la tête pour finir de me réveiller et tendis le bras vers son épaule, mais Susan se tourna sur le côté, le nez contre le mur. Elle s'était mise à pleurer.

« Qu'est-ce qui s'est passé ? » demandai-je. J'étais fatigué, peut-être encore un peu soûl, mais j'étais prêt à l'écouter. En plissant les yeux, je distinguais la courbe de ses épaules blanches se découpant sur les lumières ambrées de la ville. Je songeai à Hank et à Mary, qui n'étaient plus guère des enfants. Je songeai à la galerie et à tous les objets précieux que j'avais accumulés.

« Susan. » Je caressai du doigt sa colonne vertébrale, en essayant de me préparer à un de ces affreux
épisodes de minuit, parce que les mauvaises nouvelles existent, même si on passe son temps à tenter de
convaincre ses enfants que tout ira bien.

« Pourquoi me touches-tu comme si j'étais un cac-
tus ? » Ma femme se retourna de nouveau, et me
regarda, les joues luisantes de larmes. Je retirai ma
main et me redressai contre la tête de lit.

« Je veux juste savoir ce qui ne va pas. Est-ce qu'il
est arrivé quelque chose, Susan ? » J'essayais d'agir
avec douceur, comme pour parler à un enfant.

« Oui, dans ma tête, dit-elle. J'étais allongée là,
toute seule, et tout s'est effondré. Je n'ai personne à
qui parler. Hank va me manquer. Et puis elle s'en ira
elle aussi. »

J'allumai la lumière et plissai les yeux pour la
regarder.

« Quel est le problème, exactement ? »

Ses yeux étaient rougis et tristes, et elle me jeta un
regard comme si elle attendait quelque chose.

« Ma mère ne savait même pas qu'elle était
enceinte de moi avant que mon père ne remarque
son gros ventre pendant qu'elle jouait avec le sys-
tème d'arrosage. » Susan fit une pause. « Tu ne
trouves pas ça horrible ? Ça ne lui était même pas
venu à l'idée. C'était une bonne plaisanterie entre
eux, le fait qu'elle ne savait pas. Tu connaissais
cette histoire ?

— Bon Dieu, Susan, fis-je en écartant les couvertures du pied. C'est tout ? » J'étais en colère, j'avais
l'impression d'être manipulé, mais je fis semblant
d'en rire. J'avais déjà entendu ce genre de tirade.

« Tu ne me prends pas au sérieux, dit-elle. Tu ne
fais même pas semblant de t'intéresser. Tu penses

que je te harcèle parce que je te demande de t'occuper de certaines choses. Comme ce coffre.

— Ça suffit avec ce coffre, dis-je en me levant. Tu ne peux tout de même pas faire irruption en plein milieu de la nuit en me demandant de m'accommoder de tes sautes d'humeur. »

Je sortis de la pièce en fermant la porte derrière moi. Dans le salon, les coudes appuyés sur la cheminée, je me frottai les yeux pour chasser les dernières traces de sommeil. Il aurait été facile de retourner me coucher, d'écouter Susan, de la rassurer en lui disant que je l'aimais, de faire ce que les autres font, apparemment avec succès. Des années auparavant, à l'église, ceux chargés de la cérémonie nous avaient demandé de nous accepter l'un l'autre en dépit de nos faiblesses, de nous aimer l'un l'autre pour le meilleur et pour le pire, et il m'avait alors semblé normal de promettre tout cela. Je ne savais pas qui j'étais. Elle m'offrait une direction à suivre.

Un peu plus tard, je retournai à la porte de la chambre, en sachant qu'il me suffisait de tourner la poignée. Je l'entendais pleurer, et pourtant quelque chose en moi m'interdisait de faire un geste. J'avais l'impression d'avoir de nouveau douze ans, le jour où la femme de ménage m'avait surpris en train de tirer sur des écureuils avec un fusil à pompe. Quelques années plus tard, à l'enterrement de Moira, j'étais resté un long moment à songer à la façon dont cette femme m'avait regardé, comme si j'avais été responsable de toute la douleur et la souffrance du monde.

Au bout du couloir, j'entendais le bruit étouffé de la stéréo de Mary. J'étais irrité ; elle aurait dû dormir. J'avais le sentiment gênant qu'elle avait écouté ma dispute avec Susan à travers le mur. Je retournai au salon, et passai le reste de la nuit debout, en pyjama, à raccrocher les tableaux, en essayant de me dire que mon mariage n'avait pas toujours été ainsi.

Le mois d'août où nous avons déménagé à Port Saugus, ma femme dormait nue, toutes fenêtres ouvertes. Une nuit où il faisait très chaud, elle s'était réveillée en sursaut, et s'était levée, la peau blafarde dans la lueur de la lune. Je l'observais, debout près de la fenêtre, le visage trahissant peu à peu l'inquiétude. Bucky et Binx, nos nouveaux beagles, avaient réussi à creuser un trou sous le grillage de leur chenil, et elle avait aperçu la silhouette des chiots se déplaçant maladroitement dans le jardin éclairé par la lune. Avant que je puisse faire un geste, Susan s'était pré- cipitée dehors. Toujours nue, elle avait poursuivi les chiots sur la pelouse, jusqu'à la lisière de la propriété voisine, les fesses tremblotant dans sa course, ses longs cheveux au vent comme une hippie. Les lumiè- res du voisin s'étaient brusquement allumées, éclai- rant son corps magnifique, au moment où elle plon- geait au sol à quatre pattes pour agripper une patte minuscule. Elle parvint à les récupérer tous les deux, et retraversa fièrement la pelouse, les petits corps pommelés coincés sous sa poitrine généreuse. Cette nuit-là, j'étais resté près de la fenêtre en riant, à moi- tié estomaqué par l'intuition de ma femme, sa déter- mination, son manque absolu de pudeur. Mais toutes ces années après, tandis que je me déplaçais d'un pas lourd pour raccrocher les aquarelles du Capitaine Yardley, j'aurais voulu tout simplement l'effacer de mon esprit. Je chérissais le calme du milieu de la nuit, le sentiment que tout New York était endormi. Je songeai à Binx et à Bucky enterrés au pied d'un chêne, à leurs corps transformés en squelettes, et à mes parents, dans leur tombe depuis plus de trente ans maintenant. C'est à peine si j'arrivais à me souvenir de l'endroit.

Lorsque arriva le moment de conduire Hank à l'université trois jours plus tard, je promis à ma femme que je passerais à la banque près de Port Saugus pour régler cette facture extravagante et retirer ce qui se trouvait dans ce coffre ridicule. J'avais tenté de la convaincre qu'il n'y avait rien dedans, mais elle ne voulait pas en démordre, et moi, je voulais mettre fin à la dispute. Elle replia mes doigts autour de la clé qu'elle avait placée dans ma paume en disant : « Elle était sur ton vieux porte-clés dans le tiroir. Je ne vois pas à quoi d'autre elle pourrait servir.

— Eh bien, on va essayer, dis-je.

— Merci, fit-elle, en caressant mes articulations. Je sais que ce n'est pas facile. »

J'étais en colère, mais je me penchai pour poser un baiser sur ses lèvres. « Je sais que ce n'est pas facile » est sans doute la phrase que je déteste le plus. Mais elle avait l'air infiniment triste, et dans un sens, je la comprenais. À une époque, nous avions eu nos rêves, mais maintenant, tout semblait différent, comme si nous n'avions plus rien de bon à attendre.

Le concierge nous aida à charger la voiture. Susan et Mary patientaient au bord du trottoir, et je me rendis compte que j'avais complètement oublié la clé.

« Fais signe à ta mère », fis-je rapidement à Hank, comme si ça aurait pu changer quelque chose.

J'aurais sans doute pu remonter chercher la clé, mais je me persuadai que la banque accepterait d'ouvrir le coffre et n'y trouverait rien à saisir ni matière à nous créer des ennuis. Quoi qu'il en soit, je jouais mon rôle, accomplissant mon devoir de père, m'occupant du déménagement de Hank dans l'espoir de faciliter un peu la vie de Susan. Sur l'autoroute, je laissai Hank choisir la station qu'il voulait, et lorsqu'il conduisait trop vite, je m'abstenais de faire des remarques. La musique ne me plaisait pas trop, mais elle dissimulait le fait que nous n'avions pas grand-chose à nous dire.

Dans un bar au beau milieu de l'État de New York, j'offris une bière à mon fils ; nous décortiquions des cacahuètes, en jetant les épluchures sur le sol.

« Vous êtes heureux, maman et toi ? demanda Hank.

— Tu sais, Hank, ta mère est parfois difficile, mais ça n'enlève rien à son charme. »

Il me regarda comme si je n'allais pas bien et murmura : « Maman n'est pas si difficile que ça. »

Arrivé à l'université, je transportai ses lampes, ses skis et ses livres le long de couloirs en parpaings jusqu'au quatrième étage. Je tâchai de l'aider à aménager la chambre, mais il avait ses idées là-dessus, et semblait attendre que je m'en aille. Avant de me remettre en route, je lui donnai le cadeau que j'avais mis de côté, emballé dans de vieux tissus dans le coffre de la voiture. C'était une massue de cérémonie zouloue, un symbole de passage à l'âge adulte. Il la regarda d'un air dubitatif et je lui glissai un billet de cinquante dollars en espérant nous sortir tous deux d'embarras. Puis le fond d'un carton que j'avais négligé de renforcer lâcha, un carton plein d'objets que sa mère avait jugés utiles : une boîte de Kleenex, des serre-livres en céramique qu'il avait faits lui-même à l'école primaire, et une photo de Hank et Mary tenant chacun un chiot en train de se débattre, debout côte à côte sous le chêne à Port

Saugus. Le verre s'était brisé, mais j'enlevai la photo avec précaution, la mis dans la poche de ma veste en promettant de lui trouver un autre cadre, plus beau, et même peut-être de le faire graver. Hank haussa les épaules. J'entrevis alors brièvement ce que Susan voyait en moi, et je fus pris d'un accès de honte.

Il était tard lorsque j'arrivai chez moi, et Susan était déjà couchée. Je partis tôt, avant qu'elle ne se lève, griffonnant une note brève qu'elle trouverait sur la table de la cuisine. Rien dans le coffre, écrivais-je. Jamais je n'avais menti de façon aussi éhontée à Susan, mais je me disais qu'il n'y avait pas de mal. Ça faciliterait les choses pour tout le monde. Je me glissai hors de l'appartement alors que les premières lueurs du jour apparaissaient à la fenêtre, et fis bien attention de fermer doucement le verrou de la porte ; je m'efforçais de me montrer prévenant, comme toujours.

À la galerie, Francesca renversa son café et laissa échapper une kyrielle de jurons italiens en voyant le facteur jeter sur son bureau une nouvelle pile de factures. Chaque fois que le téléphone sonnait, j'étais soulagé de découvrir que ce n'était pas Susan. Mais je savais bien qu'elle attendait, et je ne savais vraiment pas quoi lui dire.

Ce soir-là, en descendant la Cinquième Avenue, je vis que le ciel se dégageait. On aurait dit un présage. Le soleil couchant trouait les feuilles, déposant un halo émeraude sur le trottoir. Des lumières douces s'allumaient une à une dans les bâtiments autour de moi, et des étrangers, heureux en ménage, se laissaient porter par leur vie. Je songeai alors à l'époque où Susan et moi dormions encore côte à côte, et me demandai si on ne pourrait pas essayer de nouveau.

Un an auparavant, après notre dernier voyage en famille à Port Saugus, avant que je ne m'installe dans la chambre d'amis, j'avais pris le pli d'aller m'y réfugier le soir. La chambre devint une sorte de sanctuaire ; personne ne venait jamais frapper à la porte ni ne tentait de me déranger. D'ordinaire, je passais mon temps à lire, jetant parfois un coup d'œil en direction des fenêtres de l'autre côté de la rue. Mes voisins et leurs tranquilles occupations, leurs habitudes en apparence rassurantes, avaient toujours eu un étrange effet apaisant.

Un soir que j'étais assis à mon poste d'observation, la chambre du petit garçon juste en face s'alluma, et une femme s'avança vers une affiche représentant un énorme crayon vert. Elle portait son fils dans ses bras. Il avait la tête posée sur l'épaule de sa mère, le pied ballant juste au-dessous de sa hanche. Il s'était peut-être endormi sur le sofa ou avait piqué du nez au restaurant. Ses parents avaient peut-être décidé de le laisser continuer ses rêves. Je n'avais pas pu détourner mon regard, bien que le visage de la mère, brouillé par la pluie, fût resté un mystère.

J'aurais juré qu'il y avait eu un moment de complicité entre nous, même si elle ne pouvait sans doute pas me voir assis dans l'obscurité. C'était la façon dont elle avait pris ses coudes dans les mains après avoir mis l'enfant au lit, puis frotté ses paumes le long de ses bras contre la fraîcheur du soir ; je la sentais aussi et je tendis brusquement le bras pour tirer les rideaux.

« C'est comme ça que tu passes tes soirées ? »

Je me retournai et découvris Susan derrière moi, adossée au chambranle, blanche comme un fantôme dans sa chemise de nuit.

« Ce n'est pas ce que tu penses.

— Comment peux-tu savoir ce que je pense ? Tu ne poses jamais de questions.

— Je regardais l'orage. »

J'aurais pu trouver une meilleure explication, lui dire que quelque chose dans le spectacle du petit garçon endormi m'avait donné envie de revenir en arrière, à l'époque où nos enfants étaient petits et nous faisaient toute confiance, avant qu'ils ne commencent à tout remettre en question. Mais ce genre de tentative sonnait toujours faux. C'était épuisant ; Susan exigeait toujours des explications. On aurait dit qu'elle voulait pénétrer en moi et fouiller à l'intérieur.

« Je pensais que tu étais probablement en train de rêver à une vie meilleure », dit-elle d'un ton amer. Puis elle referma la porte derrière elle, verrouillant une serrure invisible qui nous confinait chacun dans notre propre existence. Après cet épisode, je ne retournai plus dans notre chambre, et elle ne me le demanda pas.

Nous n'abordâmes jamais la question des lits, et lorsque les enfants nous interrogeaient, Susan invoquait des raisons concrètes : mes ronflements, le fait que je l'empêchais de dormir en frottant les pieds l'un contre l'autre comme une sauterelle. Au fil du temps, nous avions commencé nous-mêmes à y croire.

« Tu m'embrasses, Susan ? » dis-je en rentrant dans l'appartement.

Elle était dans le couloir, les bras croisés sur la poitrine comme si elle m'attendait, avec aux pieds les chaussons à tête de cochon que les enfants lui avaient une fois offerts pour Noël, avec de petits yeux ronds et des oreilles. Elle les avait enfilés immédiatement, et on avait tous piqué une crise de fou rire à s'en faire mal aux côtes.

« Alors, c'était la bonne clé ? » demanda-t-elle.

Je hochai la tête d'un air las.

« Et le coffre était vide ?

— Comme je te l'avais dit.

— Tu es bien certain, parce que si ce n'est pas le cas, c'est le moment de parler. »

Je regardai le bout de mes chaussures.

« Tu n'y es même pas allé, reprit ma femme en desserrant le poing pour me montrer la clé. Tu ne t'es même pas donné la peine.

— J'ai oublié.

— Tu parles ! Tu avais décidé d'oublier, et ensuite tu m'as *menti*.

— Arrête, Susan. Calme-toi, veux-tu ? C'est juste un coffre. »

Je me dirigeai vers la chambre d'amis, posai mon attaché-case sur le lit et allai me passer de l'eau sur le visage. Puis je retournai au salon pour me servir un verre. Un grand, avec une généreuse quantité de bourbon.

« Ah, bonne idée ! Est-ce que ça rend les choses plus faciles ? » dit ma femme. Elle s'enfonça dans le sofa et posa les pieds sur le pouf, les petits yeux de cochon fixés sur moi. « Il n'y a pas de surprise avec toi.

— Susan ! dis-je en éclatant de rire. Je ne vais pas payer trois mille dollars pour un foutu coffre qui ne contient absolument rien.

— Lowe, je crois que tu sais ce qu'il y a dans ce coffre. Avoue-le.

— Je t'ai déjà dit que je n'en savais rien.

— Tu ne sais jamais rien. Tu oublies tout. Tu ne sais même plus où sont tes pieds. Il faut toujours que je répare les pots cassés, et tu oublies même que j'existe.

— Je ne vais pas écouter ces âneries », dis-je, en m'asseyant malgré tout.

Susan sortit un paquet de cigarettes froissé de la poche de son peignoir et en alluma une.

« Quand as-tu recommencé ? demandai-je.

— Aujourd'hui. J'étais tellement déprimée par ton mensonge que je suis allée voir le Dr Davis. Il m'a dit de faire quelque chose qui me ferait du bien, qui me ferait plaisir, et j'ai toujours eu plaisir à fumer, à vrai dire. Il m'a dit d'être franche avec moi-même. Et franchement, les meilleures années de ma vie, je les ai passées à fumer.

— J'aimerais autant que tu ne fumes pas dans l'appartement. »

J'aurais même préféré qu'elle ne fume pas du tout. La cigarette allait la tuer. Je m'imaginais au pied de son lit, ponctionnant ses poumons à l'aide d'un mystérieux soufflet mécanique, les enfants se faufilant dans la pénombre, refermant les portes plus doucement que les enfants ne devraient le faire. Sauf qu'ils étaient presque adultes.

« Il y a plusieurs choses que j'aimerais autant que tu ne fasses pas », répliqua ma femme d'une voix glaciale. Elle tira une grande bouffée de sa cigarette, et laissa échapper une longue écharpe de fumée.

« Où est Mary ? demandai-je.

— Chez Jack, répondit ma femme.

— Son petit ami ?

— Un ami. »

Elle me regarda tristement et secoua la tête.

« Tu ne sais rien de nous, n'est-ce pas ? Tu ne t'es jamais vraiment donné la peine. »

Peut-être que je ne voulais rien savoir. Depuis quelque temps, je pensais beaucoup à Francesca, à la façon dont elle ne faisait jamais de remarques. Elle acceptait mes excentricités, les trouvait même amusantes.

« Tu sais, fis-je, depuis des années, je dis à Francesca de ne pas ouvrir mon courrier. Elle fait attention à ce que je dis parce qu'elle me respecte.

— C'est ce que tu veux ? Quelqu'un qui fait attention à tout ce que tu dis ? demanda ma femme en plissant les yeux, le regard fixé sur moi, le coude posé sur le genou, la fumée s'enroulant en volutes autour de sa tête. Parce que tu ne dis jamais grand-chose. Tu ne fais que répéter les mêmes phrases sans arrêt, comme si j'étais quelqu'un que tu rencontres une fois l'an dans un cocktail.

— Personne ne me respecte, dis-je. C'est tout ce que je demande.

— Et moi, tu me respectes ? »

Ma femme attendait une réponse.

« Enlève ces chaussons, d'accord ? »

C'est tout ce que j'avais trouvé à dire.

« J'ai tellement essayé de te faire sortir de ta coquille, de te rendre heureux. Tout tournait autour de toi, comme on dit », continua-t-elle en écrasant sa cigarette d'un geste violent.

Je sentis le bourbon remonter dans mon œsophage en me brûlant la gorge, et je fis une grimace.

« Mais qu'est-ce que tu insinues ? » lançai-je.

Ma femme se calma brusquement ; la colère qui empourprait ses joues s'effaça, et elle devint si pâle qu'elle ressemblait à la jeune fille que j'avais vue dans ce jardin enneigé. La revoir ainsi, telle qu'elle était des années auparavant, était presque insupportable.

« Je voulais m'occuper de toi parce que tu étais si seul, et j'étais seule moi aussi. Je n'ai jamais songé à mes propres besoins. Et maintenant, j'attends quelque chose en échange.

— Qu'est-ce qui te fait croire que j'étais seul ? » demandai-je.

Elle baissa la tête en regardant ses mains, et se mordit la lèvre, ce qui signifiait qu'elle pensait mieux me connaître que je ne l'aurais pu moi-même.

« De quoi as-tu besoin, exactement ?

— Je te l'ai dit tellement souvent que ça ne vaut pas la peine de le répéter. »

Elle se leva du canapé et se dirigea vers l'entrée. Je savais qu'elle allait se coucher.

Elle s'arrêta à la porte, se retourna et resta là à me regarder tandis qu'un dernier rayon de soleil venait traverser la pièce.

« J'ai toujours été une bonne partenaire pour toi. Contrairement à ce que tu crois, j'ai toujours essayé de trouver les meilleures solutions. Il faut aller de l'avant maintenant. Il le faut. »

J'entendis le bruit de ses chaussons qui s'éloignait, puis le grincement de la porte de sa chambre.

À l'étage au-dessus, Butterfield, le petit chien des Dempsey, faisait le va-et-vient sur le plancher. Je m'approchai de la baie vitrée pour regarder Central Park, les feuilles des arbres dans le crépuscule, me figurant les voir jaunir, en me demandant si nous

serions encore dans cet appartement à la même époque l'année suivante. J'essayais de me projeter dans
un autre endroit, n'importe où, ailleurs que dans cette
boîte. Malgré l'obscurité naissante, j'arrivais à distinguer le parc à travers les feuilles, jusqu'au zoo où je
savais que les ours polaires nageaient lentement dans
leur bassin d'eau verdâtre tandis que la ville s'agitait
autour d'eux.

Je restai debout très tard, à penser à mon fils, à me
demander si, finalement, il n'était pas mieux sans
nous. Parfois, semble-t-il, c'est en partant de chez soi
qu'on trouvait son salut. Tout était parfois compliqué
chez soi. Je dînai de poulet froid tout droit sorti du
réfrigérateur, sans assiette, mordant à même la
viande. Je me plongeai dans *Das Wrack*, emprunté à
la bibliothèque de l'Institut des beaux-arts, et laissai
des taches de graisse sur la couverture. Devrais-je
payer une amende ? Est-ce que ça se faisait encore ?
Au fil de la soirée, je bus plus que de raison, et Susan
ne se montra pas.

Plusieurs heures plus tard, alors que je sortais de la
salle de bains, j'aperçus ma fille appuyée contre le
chambranle de la porte du salon, le chat dans les bras.
Il me fallut un instant pour la reconnaître. Je ne
reconnaissais plus rien. J'étais sidéré.

« Tu m'as fait peur », dis-je en agrippant la porte
de la salle de bains pour cacher le verre posé sur le
lavabo. Ça se passait toujours comme ça entre nous.
Elle paraissait souvent préoccupée, mais dès que
j'essayais de la faire parler de ce qui n'allait pas, elle
claquait la porte ou me répondait qu'il n'y avait
aucun problème.

« Qu'est-ce que tu fais, papa ? » glissa Mary dans
un souffle qui ressemblait plus à une accusation qu'à
un signe de complicité. Sa silhouette se découpait sur

la pénombre du couloir, et elle ressemblait à un Vélasquez, avec ses mèches s'échappant de sa tresse, la queue orange de Tom Osborne ondulant sous son menton. Je ne savais pas du tout depuis combien de temps elle était là.

« Je t'attendais, répondis-je en fermant la porte de la salle de bains derrière moi. Tu devrais être rentrée depuis longtemps.

— Tu étais en train de boire, là-dedans ? » dit ma fille en posant Tom par terre. Elle plissa les yeux et enroula sa tresse autour de son doigt.

« Non, répliquai-je. Ne détourne pas la conversation. À seize ans, tu es bien trop jeune pour être dehors avec un garçon après minuit. »

Ma fille me jeta un long regard.

« Je faisais quoi, à ton avis ?

— Je n'en ai pas la moindre idée, répondis-je en haussant les épaules. Très franchement, je n'ai pas la moindre idée de ce que vous faites les uns et les autres. Vous les femmes, vous aimez bien les secrets, et vous ne pensez qu'à vous-mêmes.

— Qu'est-ce que tu veux dire par là ? »

J'observai le chat qui enroulait la queue autour de la jambe de Mary.

« Ne grandis pas trop vite, c'est tout.

— Je n'attends que ça, grandir, dit-elle. Je n'attends qu'une chose : foutre le camp !

— Explique-moi pourquoi », dis-je en essayant de saisir son bras. Mais elle se dégagea. « Je veux savoir pourquoi.

— Tu as bu, dit-elle en disparaissant dans les ténèbres du couloir, Tom Osborne sur ses talons. C'est lamentable ! »

Malgré ma colère, je voulais la suivre, m'asseoir sur le bord du petit lit et prendre la main que j'avais contribué à créer. Mais qu'est-ce que j'aurais bien pu dire ? *Ne nous abandonne pas* ?

Dans la chambre d'amis, je m'assis dans le fauteuil et fermai les yeux, à l'affût du moindre bruit en provenance de la chambre de ma femme. J'essayais d'imaginer ce qu'elle rêvait, aussi clairement que je pouvais le faire autrefois à Port Saugus, quand nous paressions au lit le matin, avant que les enfants ne se réveillent, et qu'elle me décrivait toutes les images saisissantes et toutes les sensations qui avaient défilé dans sa tête au cours de la nuit. *Elle marchait le long de la rivière et avait senti le froid sous ses pieds. Le monde entier était recouvert de neige. Les océans avaient gelé. Sa mère avait traversé le détroit de Béring en voiture.* Les histoires qu'elle me racontait dissipaient toujours les fragments de souvenirs qui me venaient pendant la nuit. À l'époque, je ne rêvais jamais du pasteur ni de mes parents.

Je joignis les mains devant mon visage en faisant une sorte de clocher, et je posai les coudes sur mes genoux. Quelque chose d'humide glissa le long de mon pouce, et lorsque j'écartai les mains de mon visage, je me rendis compte que je pleurais.

Je voulais partir de bonne heure, avant que Susan ne se lève. Je mis la clé du coffre dans ma poche. Je m'en servirais peut-être. Je la jetterais peut-être dans le fleuve. En fait, je ne savais pas trop ce qui allait se passer. Mais Susan me rattrapa dans l'entrée alors que je déverrouillais la porte. Elle était en chemise de nuit, l'ourlet balayant le tapis d'Orient. Elle se tenait là, l'air si jeune et innocente, n'ayant pas la moindre idée de mes intentions.

« Où vas-tu ? » demanda-t-elle, sans le plus petit soupçon. Elle se frotta les yeux dans la lueur grise.

Je jetai la valise dans le couloir de l'étage en disant : « Je vais ouvrir le coffre, comme tu voulais.

— Tu sais, Lowe, être marié, ça signifie en partie faire ce que l'autre demande, répliqua-t-elle en mettant la main devant la bouche pour dissimuler un bâillement. La vie, c'est donnant, donnant. »

Chapitre 5

1957

J'ai filé entre les épis de maïs qui jaunissaient par manque de pluie. J'ai couru entre les rangées, mes genoux écartant le tissu de soie, la sueur ruisselant le long de mon dos. Les feuilles sèches me piquaient et griffaient la peau de mes bras, mais j'ai continué à courir le plus vite possible, abritée par les longues tiges.

Je me dirigeais vers la lisière du champ et l'ombre fraîche des peupliers aux troncs tordus, grisés par le soleil. Leurs feuilles dansaient comme des pièces jaunes entre de petits doigts avides. J'entendais ma mère hurler sur la véranda et Betty Sue s'était mise à pleurer. Je courais vers les arbres comme si j'avais su que j'y trouverais quelque chose. On aurait dit que je savais déjà que la cabane dans les arbres serait là. Peut-être une ombre au fond de mes pensées, une main qui se tendait.

Des bouts de bois avaient été installés dans le plus grand des arbres pour faire une sorte de plancher avec un toit par-dessus. Le soleil se faufilait dans les interstices, comme un clin d'œil m'invitant à monter. Comme je m'y attendais, j'ai vu une échelle en

51

mauvais état : une planche clouée au-dessus d'une autre, tout le long du tronc. J'ai posé les pieds sur les barreaux, comme si j'avais su qu'ils supporteraient mon poids, sans craindre de tomber, malgré le fait qu'à chaque fois que je posais le pied, la planche pliait et déchirait l'écorce. Le carnet à dessin était calé sous mon bras, ce qui compliquait l'escalade, et mon peignoir s'est relâché un peu. Mais l'arbre n'était pas si haut. Les planches se sont mises à remuer en grinçant lorsque je me suis jetée entre ses branches, en m'affalant sur le sol, les jambes dans le vide. J'ai posé mes pieds sur une branche pour reprendre mon souffle. J'ai baissé la tête pour regarder l'ombre projetée par les feuilles sur mes orteils. J'avais l'impression qu'ils ne faisaient plus partie de mon corps. Mes pieds étaient pleins de poussière et saignaient aux endroits où le maïs les avait égratignés. Au loin, je voyais Nig à côté de son arbre, une petite tache noire, remuant la terre avec sa queue et tirant sur sa chaîne. J'ai entendu claquer la porte de la maison. La voiture de Roe a démarré et j'ai senti mon cœur se soulever. Tout s'est resserré autour de moi, même si je savais qu'il avait laissé tomber. Tout le monde laisse tomber dès qu'il s'agit de moi.

Allongée sur les planches, les mains sous la tête, j'observais un triangle bleuté à travers les interstices du toit. J'avais passé la matinée à dessiner de mémoire dans mon carnet : la petite tête pointue de Nig avec son oreille repliée, juste à l'endroit où le morceau dur s'était cassé, et où j'avais essayé de mettre un pansement ; une poignée de fleurs bleues ; ma main toute maigre contre le bois, avec un liseré ensanglanté tout autour de l'ongle du pouce.

J'ai entendu craquer une brindille au sol et je me suis redressée brusquement. J'ai ramené mes jambes sous mon peignoir en essayant de me faire toute petite contre le tronc de l'arbre. J'écoutais tous les sons. J'imaginais que Roe était rentré de bonne heure de son travail, la ceinture à la main, ou bien que ma mère avait appelé la police et qu'elle fouillait les alentours à ma recherche. Elle le regretterait plus tard, quand tout le monde saurait combien je me conduisais mal. Elle s'en voudrait d'avoir épousé Roe et d'avoir donné son cœur pour pas grand-chose. Je retenais mon souffle. Je sentais qu'il allait se passer quelque chose. Je n'étais pas effrayée. Autour de moi, tout était immobile.

Après avoir attendu un petit moment, je n'y tenais plus ; il fallait que je bouge. J'ai jeté un coup d'œil dans le vide, très doucement pour ne pas faire de bruit. Mes jambes étaient étendues derrière moi. Mes mains agrippaient le plancher.

C'est alors que j'ai vu Charlie au-dessous, l'ombre des feuilles dessinant des quartiers sur ses cheveux roux. Mon visiteur se croyait seul et approchait dans l'ombre des peupliers. Je l'avais vu la première, à travers les branches, mais il ne m'avait pas remarquée. Je ne savais pas du tout depuis combien de temps il était là à se faufiler entre les troncs de nos arbres, avec sa carabine prête à tirer, guettant les bruits dans les fourrés. Il n'avait fait aucun bruit. Mon cœur faillit s'arrêter.

Les rayons du soleil rebondissaient sur le canon métallique de la carabine qui était pointée vers les fourrés où les faisans avaient leur nid et mangeaient le maïs. La lumière se répercutait partout et donnait un aspect dur aux choses. Charlie était petit, sec et nerveux comme un chien de troupeau, et il avait les oreilles décollées. De là où j'étais allongée, il m'avait l'air jeune, pas tout à fait adulte, un adolescent, debout au pied de l'arbre, partant à la chasse, jouant à faire l'homme. Je n'avais pas peur. Jamais je n'aurais pu imaginer qu'il allait bouleverser toute mon existence.

J'étais secrètement excitée de savoir que le garçon ignorait qu'il était observé. Ça me donnait du pouvoir. J'imaginais tous les animaux épiant le chasseur, et combien il devait leur paraître idiot à se balader avec sa carabine alors qu'eux étaient enfoncés bien en sécurité dans le noir avec leurs petits yeux, immobiles comme les pierres. Mais lorsqu'il m'a entendue respirer, Charlie a détourné sa carabine d'un geste pour la pointer vers mon visage en ajustant son tir. Je n'ai pas reculé pour me cacher, je ne me suis pas plaquée contre le tronc. J'ai continué à observer à travers les feuilles son visage tourné vers moi, sans respirer, sans bouger un muscle. Il avait les traits anguleux. Son regard était terriblement distant. Tout à coup, j'ai eu l'impression qu'il avait pris le dessus. Alors, j'ai essayé de lui montrer que je n'étais qu'une fille qui ne faisait rien de mal, qui était juste assise dans l'arbre. J'ai essayé de sourire. Mais son regard n'avait rien de sympathique. Il était là, le canon levé. Il n'a pas détourné sa carabine. Il n'a pas bougé.

Brusquement, tout ça n'avait plus aucune importance. Je me fichais de ce que ma vie pouvait devenir. Comme dans un éclair, j'ai su à quel point rien n'avait d'importance. Je me fichais complètement de voir ma vie s'arrêter là parce qu'un cinglé allait me tirer dessus dans un peuplier juste derrière ma maison. Tout le monde serait désolé, désolé de m'avoir chassée et forcée à redoubler ma quatrième.

Je me suis redressée en balançant les jambes dans le vide. J'ai serré le poing en le brandissant à hauteur de mon visage et je l'ai agité dans sa direction.

Il ne semblait pas prêt à tirer. J'ai serré le kimono autour de mes cuisses en le regardant fixement.

« Vas-y, lui ai-je dit. Tire-moi dessus, tu en as tellement envie, espèce de crétin demeuré. Je m'en fiche. »

J'ai relevé le tissu de soie pour lui montrer ma culotte.

Charlie a écarté la carabine de son visage. Il a rougi comme si je lui avais donné une gifle. Il a abaissé sa carabine en secouant la tête. Il est resté là, la tête levée. Il m'examinait comme s'il avait du mal à y croire. À ce moment-là, j'ai eu honte de la façon dont j'étais habillée.

« Arrête de jouer les putes », a-t-il fini par dire.

J'ai refermé le kimono, je me sentais idiote de me retrouver dans cette situation. Je me suis assise par terre en me rajustant pour cacher mon corps, de sorte qu'il ne puisse pas voir quel genre de fille j'étais.

Tout était silencieux. Je ne savais pas quoi dire.

« Ça ne va pas, de pointer ce truc sur moi ? » lui ai-je lancé.

Je ne voulais pas le regarder. J'essayais de parler avec assurance, comme si je n'avais pas fait la bêtise de lui montrer ma culotte, vieille et usée.

Charlie ne disait pas un mot. Il était peut-être parti. Ça me faisait paniquer un peu.

J'ai jeté un coup d'œil en bas. Il était là, la tête en l'air. J'ai essayé de prendre un air agressif.

« Tu es sur une propriété privée, ai-je fait.

— C'est le contraire. »

Charlie parlait sur un ton tranchant, mais son visage n'avait pas l'air en colère.

« C'est ma cabane. C'est moi qui l'ai construite. »

Il hochait la tête comme pour montrer qu'il avait remarqué ma surprise, comme s'il avait remarqué que j'avais honte de lui avoir montré ce que je lui avais montré. Puis son expression est devenue gentille, tout d'un coup. La carabine pendait le long de sa jambe. J'étais incapable de dire un mot. Je suis restée là, la bouche ouverte. Je me sentais peut-être seule, là-haut dans cet arbre.

« Eh bien, tu aurais pu faire mieux, lui ai-je dit. C'est tout de travers et ça se casse la figure là-haut. »

Je me suis mise debout. Les planches remuaient sous mes pieds. J'ai croisé les bras sur la poitrine, mais je ne pouvais pas m'empêcher de sourire. Les yeux de Charlie étaient d'un vert profond. On aurait dit qu'ils scintillaient en m'envoyant des petits secrets. Son visage était à moitié dans l'ombre.

Il avait la tête levée vers moi, et me regardait, debout dans mon kimono.

« Qui tu es, toi ? a-t-il dit en riant. Une Japonaise givrée ? »

Je n'ai pas pu m'empêcher de rire moi aussi. Je riais si fort que j'en avais les larmes aux yeux. C'était un tel soulagement pour mon cœur fatigué ! Je n'avais pas un seul mot à offrir à Charlie, seulement mon rire. C'était suffisant. On avait compris tous les deux que l'univers entier s'était ligué pour cette rencontre. Le soleil n'en était que plus brillant. Le toit de ma maison était inondé d'or. Le ciel semblait plus bleu qu'on n'aurait jamais pu l'imaginer.

Chapitre 6

1962

On habitait le côté sud de Lincoln, dans un quartier
où les rues étaient plantées de grands arbres feuillus,
et où les maisons, anciennes et magnifiques, abri-
taient leurs secrets derrière des rideaux lisses et
impeccables. Les voitures devant les garages étaient
toujours reluisantes. Des femmes portant un tablier
balayaient les marches de l'entrée, et au coucher du
soleil, on sentait les odeurs du dîner. Grâce à Lucille,
la maison de mon grand-père était comme toutes les
autres : impeccable et astiquée, mais la femme de
ménage ne faisait guère illusion. Tout le monde
savait que ma mère ne tenait pas en place et avait des
manières brusques. Mon père se rendait souvent seul
à des soirées, et il était le premier à partir. Il ne voulait pas rester éloigné d'elle trop longtemps. Mais elle
semblait se désintéresser de sa présence. Elle s'installait derrière des romans de mille pages, se réfugiant
dans des endroits où sa vie perdait consistance, et où
mon père et moi faisions partie de l'illusion.

Au lycée, les murs étaient clairs, et le soleil
rasant se glissait à travers les grandes baies vitrées.
Les filles qui avaient des amis riaient sous cape et

marchaient bras dessus, bras dessous, mais le fantôme de Starkweather nous hantait. Quand il avait quatorze ans, comme moi, il était lui aussi élève à Irving. Il avait métamorphosé l'endroit. Parfois, j'avais l'impression étrange d'être assise à la table où il s'était lui-même assis, et d'attendre que quelqu'un me prenne par la main pour m'entraîner ailleurs, quelque part où tout avait un peu plus d'importance. À cause de Starkweather, les professeurs nous traitaient avec beaucoup d'égards. Ils étaient plus attentifs à nos besoins, à l'affût de signaux d'alerte, prompts à donner l'alarme dès que quelqu'un faisait mine d'avoir un tempérament violent. Tout le monde marchait sur des œufs, sauf miss Winter, notre professeur d'éducation physique. Dans son cours de gymnastique, c'était la loi du plus fort, et je n'entrais pas du tout dans cette catégorie.

Elle se tenait près de nous avec son sifflet, et nous forçait à faire des abdominaux en couple tandis que les garçons montaient à la corde et jouaient à la balle au prisonnier de l'autre côté du rideau du gymnase. Je tombais toujours sur Cora Lessing. Pendant que je lui tenais les pieds, elle poussait des grognements et se projetait vers moi comme un animal marin échoué, ses cheveux roux étalés dans tous les sens sur le tapis. Elle avait les yeux bleus, d'une couleur éteinte et désespérée, comme les bouteilles échouées que je ramassais autrefois sur les rives du lac Michigan. Je faisais de mon mieux pour l'éviter. Je ne voulais pas que quelqu'un croie qu'on était amies. Au lycée, j'étais une pièce rapportée de Chicago, un drôle d'oiseau dont la mère s'était rapidement fait une réputation avec son comportement peu digne d'une dame. Enfin, c'est ce que je me disais. J'essayais d'être indifférente au fait que personne ne m'adressait la parole, nulle part, à vrai dire. Lorsque Cora et moi faisions équipe, je prenais une expression renfrognée, d'un air de dire qu'une destinée meilleure m'attendait.

Les autres filles, toutes du Nebraska, étaient élancées, culottées, avec un sourire carnassier, et, à l'âge de quatorze ans, elles en paraissaient facilement dix-huit. Ma mère, qui trouvait des noms pour tout, avait baptisé ce genre de femmes de Lincoln « les épis », à cause de leurs cheveux blonds et de leurs longues dents qui semblaient faites exprès pour grignoter le maïs. « Des épis, se plaignait-elle à mon père en revenant du Country Club, les rares fois où elle y allait. Rien que des épis. Tu as vu comment elles me regardaient ? Ha !

— Elles te trouvaient belle, c'est tout », disait mon père.

Mais il se trompait. Tout le monde savait que nous n'étions pas une famille normale, et j'en avais assez.

Un jour que nous devions jouer au volley, j'étais arrivée en avance au gymnase. J'essayais toujours de me changer avant que les autres filles n'arrivent. Je ne voulais pas me trouver nue devant elles. Je savais bien ce qui n'allait pas avec mon physique.

Je croyais être seule dans le vestiaire, mais tout à coup j'entendis le bruit d'une chasse d'eau, et Cora Lessing sortit des toilettes en se frottant les mains sur son short comme si elle estimait que c'était bien suffisant. Je me mis à fouiller dans mon casier, en faisant semblant de chercher mon autre chaussure de tennis. Elle s'assit sur le banc et je sentis qu'elle m'observait.

« On sera sans doute choisies en dernier pour former les équipes, comme d'habitude », finit-elle par dire.

Son ton désespéré me donna une énergie nouvelle. J'eus envie de la gifler.

Au lieu de ça, je me retournai pour la dévisager, mais elle resta là, les mains posées sur ses genoux roses, levant sur moi ses grands yeux liquides, et j'eus l'impression qu'il fallait absolument que je me dissocie d'elle, que tout l'avenir en dépendait. Mon cœur faisait des bonds.

« Non, Cora, c'est toi qui seras choisie en dernier », lui dis-je en claquant la porte de mon casier. Je la laissai seule, assise sur le banc.

Au dîner ce soir-là, il y avait des pivoines fraîches sur la table, les fleurs préférées de ma mère. Lucille avait mis des fleurs partout dans la maison toute la semaine, et ma mère s'était servie dans les vases pour décorer ses cheveux. J'étais triste de penser à toutes ces fleurs gâchées dans les cheveux de ma mère, leurs pétales s'affaissant tandis qu'elle montait et descendait l'escalier comme une Miss Hawaï.

Mon père resservit avec soin du vin à ma mère, pendant qu'elle jouait avec son assiette.

« Il faut qu'on parle », lui dit-il tout à coup.

Je me ranimai, anticipant la possibilité d'une conversation plus intéressante que d'habitude. On allait peut-être parler de moi, de mes ennuis, du problème que je promettais de devenir. Ma mère posa sa fourchette et prit une fleur dans le vase. Elle me lança un regard, mais je ne levai pas les yeux vers elle. Je savais ce qui allait se passer. Elle allait nous offrir son dernier numéro de cinglée, de façon à concentrer l'attention sur elle.

« Ollie m'a appelé au bureau, dit mon père, l'air si innocent que j'avais envie de pleurer. Il dit que les ormes sur le devant doivent être abattus avant l'arrivée des grands froids. »

J'avais envie de balancer quelque chose, pour mettre fin à cet ennui.

« Pourquoi ? demanda ma mère.

— Parce qu'ils sont malades, Ann.

— Ça ne se voit pas, dit-elle en lui jetant un regard blessé qui me parut peu convaincant.

— Il t'en a parlé il y a plusieurs mois.

— Je ne m'en souviens pas. »

Ma mère croisa les bras et s'appuya sur la table. Elle mentait, bien entendu. Elle mentait en permanence, refusant d'admettre les choses. Mon oncle m'avait dit qu'elle avait parfois des difficultés avec la vérité, et je croyais tout ce qu'il me disait sur elle. C'est lui qui m'avait parlé de son premier mariage. « Tu sais, tout le monde cache certaines choses. Ta mère n'est pas parfaite », avait-il dit un jour. Puis il avait froncé les sourcils, comme s'il avait été plus particulièrement troublé par l'idée de son imperfection. Apparemment, lorsqu'elle avait vingt ans, elle s'était enfuie avec un dénommé Nils qui avait dilapidé au jeu tout l'argent dont elle avait hérité. Le mariage avait duré deux mois. Mon oncle l'avait retrouvée dans un hôtel à la sortie d'Erie, en Pennsylvanie. Elle était assise à l'envers sur le lit dans sa combinaison, le regard fixe, examinant la tête de lit comme si c'était un planisphère. Quand il me raconta l'histoire, je savais exactement quelle expression elle avait. C'est l'air qu'elle prenait quand il se passait quelque chose que le scénario n'avait pas prévu, dans les seuls moments où on pouvait vraiment croire qu'elle ne faisait pas semblant.

« Ollie m'a dit que vous êtes allés ensemble examiner les feuilles au mois de mai, dit mon père. Il t'a montré les endroits où elles jaunissaient.

— Moi, je n'ai rien vu, répondit ma mère. De plus, on est en automne et tout a jauni.

— Il faut vraiment les abattre ? demandai-je.

— Non, Bouchon, sans doute que non. Il faut juste qu'il s'occupe de tout, dit-elle. Ton père veut toujours donner l'impression qu'il contrôle tout. »

Depuis des mois, on abattait des arbres partout dans Lincoln. On avait entendu le vrombissement des tronçonneuses tout l'été, et tous les bâtiments avaient un air égaré, comme s'ils souffraient d'amnésie. Mon père poussa un soupir.

« Ce n'est pas que je veuille les faire abattre, expliqua-t-il.

— Si quelqu'un essaie, je m'enchaînerai aux racines, je hurlerai comme une possédée, dit ma mère.

— Ce n'est pas exactement ce que j'attends de toi.

— Qu'est-ce que tu attends, alors ? demanda ma mère en levant le sourcil.

— Que tu les laisses faire, répondit mon père en attaquant sa viande.

— Non, Thatcher, je parle sérieusement. Qu'est-ce que tu veux vraiment ? Qu'est-ce que tu *désires* ? »

Ma mère plongea son regard sombre dans les yeux bleus de mon père.

« J'ai parfois l'impression que tu n'en as pas la moindre idée. Parfois je me dis que c'est ce qui ne va pas ici. Tout le monde fait semblant d'être heureux, mais les gens font ce qu'on attend d'eux depuis si longtemps qu'ils n'arrivent pas à se rappeler ce qu'ils voulaient vraiment. »

62

Je me disais qu'elle essayait de lui faire oublier les arbres, mais j'étais convaincue qu'il entrerait dans son jeu pour que ce soit elle qui les oublie. Ainsi, chacun croirait que l'autre avait gagné. Mais les choses cessèrent bientôt d'être un jeu.

Mon père plia sa serviette et la glissa sous le rebord de son assiette.

« Je vais te dire une chose, Ann. Je veux te rendre heureuse. Ça fait déjà un bon moment que j'essaie. »

Ma mère resta interdite un instant.

« Tu sais, finit-elle par dire, en laissant échapper une sorte de rire. On pourrait avoir une discussion intellectuelle. Tu pourrais lire *L'Amant de lady Chatterley*. »

Je ne me souvenais pas d'avoir vu mon père lire autre chose que le journal.

« C'est l'histoire d'une femme qui s'ennuie et commet une indiscrétion avec le garde-chasse parce qu'il a plus de consistance et plus de simplicité que son mari si respectable, et qui n'éprouve aucun désir. »

Mon père semblait ahuri.

« Moi, je sais ce que je veux, lançai-je, pour leur rappeler que je me trouvais juste à côté d'eux.

— Quoi donc, Bouchon ? dit mon père.

— Reprendre des pommes de terre.

— Ah ça, au moins, je peux comprendre », répliqua-t-il.

Il allait prendre mon assiette, mais ma mère posa la main sur son bras.

« Il ne restera plus rien pour Lucille, dit-elle. Et puis tu as assez mangé, Bouchon. Je sais combien de brownies tu as avalés avant le dîner. Lucille ne devrait pas te laisser faire. Tu manges trop de choses sucrées, et ensuite tu oublies de te brosser les dents. Je m'étonne même que tu arrives encore à mâcher. »

Des paroles insensées s'agitaient sur le bout de ma langue, mais je ne les laissai pas échapper. Par moments, il me venait des idées folles, j'avais envie de me lever et de me mettre à hurler, ou bien de me déshabiller et de me précipiter dans la rue pour embrasser à pleine bouche le premier venu.

« Ça suffit », dit mon père.

Mais j'étais déjà partie, grimpant quatre à quatre l'escalier. Je les entendais en bas, en train de se chamailler. Ils n'allaient pas tarder à éclater de rire, comme si tout allait bien. J'imaginais mes parents en train de se pourchasser autour de la table de la salle à manger, comme des planètes en orbite autour du soleil, mutuellement attirés par une force inexplicable. Je me brossai trois fois les dents et ressortis l'article sur les meurtres de Starkweather que j'avais gardé caché si longtemps. Je tournai les pages usées pour examiner l'attitude de Charlie, un bras protecteur passé autour des épaules de Caril Ann. Leurs corps se penchaient l'un vers l'autre. Ils étaient radieux. Pas le moindre signe que l'amour vrai allait les rendre fous.

Le lendemain, je fis semblant d'être malade, ce qui n'était jamais bien difficile. Je descendis dans les toilettes du rez-de-chaussée pour cracher de l'eau. Mon père me dirait de retourner au lit, et ma mère dirait quelque chose du genre : « Pourquoi est-ce qu'on ne reste pas tous au lit ? Ça ne ferait pas grande différence. »

Mais cette fois-ci, Lucille entra dans les toilettes, posa la main sur mon épaule et me força à me retourner.

« Je ne te sens pas malade.

— Si, je suis malade », répliquai-je en regardant le bout de mes pieds.

Lucille secoua la tête.

« Ça m'étonnerait.

— Je ne peux pas aller au lycée.

— Susan, ce n'est pas parce que tu détestes le lycée que tu as le droit de laisser tomber.

— Juste cette fois-ci ? implorai-je. Ne dis rien à papa. »

Les yeux marron de Lucille se remplirent de tristesse. Je compris qu'elle ne dirait rien.

J'étais dans ma chambre à écouter une chanson de Sam Cooke en mangeant de la guimauve que Lucille avait mise de côté pour moi lorsque j'entendis des bruits. Je tendis le bras pour baisser la radio. Ma mère hurlait comme si on lui arrachait les ongles. Je sortis de mon lit, et me glissai en silence dans le couloir jusqu'à la porte ouverte de la chambre de mes parents. Il y avait des vêtements épars sur la moquette rose pâle, des bas étaient jetés en travers de la coiffeuse. Ma mère était en train de tout sortir du dressing et des tiroirs de la commode.

Lucille était debout près de la fenêtre, les bras croisés sur son tablier amidonné, secouant la tête. À l'extérieur, le chêne frissonnait, chatouillant la vitre avec ses feuilles. Ma mère posa la main sur la coiffeuse. J'observai son visage, ses cheveux noirs ondulés abritant ses traits anguleux comme si elle les avait arrangés pour ça.

« C'est tout de même inouï ! sanglota ma mère.

— Je suis désolée, Mrs. Hurst, dit Lucille, sans bouger de la fenêtre.

— Qu'est-ce qui se passe ? demandai-je.

— Pose-lui la question ! »

Ma mère pointa Lucille du doigt.

« Elle déménage à Detroit ! Elle m'abandonne ! »

Je gardai le silence. Saisissant l'occasion de devenir le centre de l'attention, ma mère s'affaissa sur le lit, les pieds ballants, et se couvrit le visage d'un oreiller, comme elle l'avait fait le Noël précédent, en se plaignant que mon père ne lui avait rien offert de vraiment personnel.

« Pourquoi pars-tu ? » demandai-je à Lucille en m'avançant dans la chambre. Ma mère gardait le silence sous son oreiller.

« Je suis de là-bas, dit Lucille. Ma fille vit à Detroit. Elle vient d'avoir un bébé. »

Ma mère écarta l'oreiller et fixa le plafond d'un regard vide.

« C'est ici que vous vivez, Lucille. Ne prétendez pas le contraire. Quand on reste suffisamment longtemps quelque part, c'est de là qu'on est, et vous n'y pouvez rien. Moi aussi je commence à être d'ici, et tant pis si je hais cet endroit. Le *Nebraska*, qui aurait pu imaginer ? Qui aurait pu imaginer que je deviendrais *terne* ? »

Une combinaison en soie glissa de la commode et tomba doucement à terre.

« Je ne dirais pas ça, intervint Lucille en secouant la tête.

— Ne me dites pas ce que je suis à moins d'être prête à entendre ce que vous êtes, vous. »

Ma mère se redressa et se couvrit la bouche, comme si elle voulait retenir des paroles qu'elle savait inacceptables. Je me demandais pourquoi elle n'éprouvait jamais le besoin de se contrôler quand il s'agissait de moi.

66

Lucille soupira et se pencha pour ramasser les vêtements, les pliant lentement contre son tablier. Quand sa peau se desséchait, ses articulations marron prenaient une couleur de craie, comme les mèches de ses cheveux. Ses mains s'accrochaient dans la soie, dans la nappe, même dans ma chemise de nuit en coton quand elle me frottait le dos en me racontant à voix basse tous les petits détails qu'elle se rappelait à propos de mon grand-père. Les mots de Lucille étaient comme des photographies. Parfois, je pouvais sentir son souffle, l'odeur de sa cigarette juste de l'autre côté du mur. Je m'asseyais dans le fauteuil du salon, là où il était mort d'une crise cardiaque, et je fermais les yeux, la tête appuyée sur le côté en essayant d'imaginer ce que c'était de mourir. « Tu es folle, avait dit un jour Lucille venue faire la poussière. Tu ne devrais pas t'amuser à faire semblant d'être morte. On ne donne pas de médaille pour ça, tu sais. »

Ma mère se releva du lit en gigotant. Un vent d'automne battait contre la maison.

« Je croyais que nous étions amies, dit-elle à Lucille.

— C'est ce que je croyais aussi, dit Lucille.

— Vous avez perdu le droit de dire cela.

— C'est bien dommage, dit Lucille en secouant la tête.

— Tu reviendras nous voir ? demandai-je, mais ma mère ne laissa pas à Lucille le temps de répondre.

— Bien sûr que non. Une fois parti, personne ne revient jamais ici. »

Je songeai à tous les enfants que j'avais connus quand nous habitions Chicago. À une époque, je n'aurais jamais pu imaginer ne *pas* les connaître. Maintenant, je ne savais pas du tout à quoi pouvaient ressembler ces gamines ni le genre de personnes qu'elles étaient devenues. Il arrivait que le monde soit transformé parce qu'une seule personne avait décidé d'agir, mais j'avais le sentiment que je ne serais jamais à même de décider quoi que ce soit.

Charles Starkweather avait décidé de tuer Mr. et Mrs. Bowman quatre ans auparavant, car, avait-il dit, sa petite amie voulait qu'il le fasse. Désormais, les gens cadenassaient leurs portes et se demandaient si leurs propres enfants n'allaient pas devenir des monstres. Désormais, le fils des Bowman n'avait plus de parents. Il habitait toujours dans la maison blanche de South 24th Street où c'était arrivé, pas très loin de chez nous. Des membres de sa famille étaient venus vivre là pour s'occuper de lui.

Je m'imaginai ma mère mourante, je pensai aux pivoines, aux paroles de réconfort que les gens offriraient, et je voulais m'agenouiller auprès d'elle, mettre ma tête sur ses genoux et lui dire que je l'aimais, même si je n'en étais pas du tout sûre. Mais elle se leva soudain et se tourna vers Lucille.

« Regardez-moi ce chantier. Je n'avais pas l'intention d'être aussi affreuse. Je suis désolée, j'ai juste le cœur brisé. »

Elle s'avança vers moi, les yeux toujours rivés au sol. Elle passa devant moi dans l'encadrement de la porte. J'effleurai son bras de mes doigts, mais elle n'y fit pas attention.

La semaine suivante, Lucille s'en alla, et ma mère resta dans sa chambre sans faire le moindre bruit. Dehors, des hommes en veste verte abattaient les ormes, qui étaient magnifiques et très vieux, et qui donnaient leur caractère aux rues du quartier. Avec ses moignons d'arbres de part et d'autre, l'allée du garage avait un air effaré. La maison semblait désemparée, sa peinture écaillée lui donnait un visage jauni et fatigué. Il n'y avait plus de gâteaux dans la cuisine, et je me couchais dans un lit laissé défait depuis le matin. J'avais la nostalgie des guimauves que Lucille cachait à mon intention sous la jupe du lit. Brusquement, je n'avais plus de vêtements propres. Parfois, je rentrais du lycée en m'attendant presque à trouver Lucille passant la serpillière dans la cuisine ou bien debout au pied de l'escalier, les mains sur les hanches, secouant la tête parce que tout partait à vau-l'eau. Elle aurait ri de voir à quel point nous étions désemparés, et tout à coup la situation aurait paru moins désespérée.

Un après-midi, je décidai d'aller regarder la télévision dans le salon. Tous les rideaux gisaient en grands tas beiges sur la moquette comme des animaux abattus. Il n'y avait pas un bruit dans la maison. Des particules de poussière dansaient dans le soleil pâle. Je pouvais entendre ma respiration. Je ne montai pas dans la chambre de ma mère pour lui demander ce qui s'était passé. J'observai mon reflet dans le grand miroir doré, une silhouette distante en mouvement entraperçue par l'œil de quelqu'un. Je pouvais traverser une pièce sans rien modifier, même pas l'air. J'attendis que mon père rentre du travail. Je m'assis au bas de l'escalier et restai là sans bouger tandis que le soleil se couchait et que l'obscurité envahissait peu à peu la maison.

« Regarde un peu ce qu'elle a fait », dis-je en voyant mon père franchir la porte.

Mais il se contenta de pousser un soupir. Il se servit un verre sans dire un mot. Puis il sortit l'escabeau et je lui tendis les lourdes tentures, pour qu'il puisse renfiler les anneaux en laiton sur la tringle.

J'entendis mes parents en discuter un peu plus tard. Ils étaient dans la cuisine. Je faisais mes devoirs sur la table de la salle à manger, en essayant de me souvenir du théorème de Pythagore.

« Qu'est-ce qui t'a pris ? » demanda mon père avec insistance.

Les rideaux ne lui plaisaient pas. Ils lui donnaient l'impression d'être prisonnière. J'en avais tellement assez de l'entendre parler d'elle-même sans arrêt. Le bouquet sur la petite table s'était fané et avait pris une couleur marron. J'attrapai mon crayon entre le pouce et l'index et je fis tomber le vase en le poussant avec le bout rose de la gomme. Toute l'eau s'était évaporée. Une pluie de pétales desséchés s'éparpilla sur le tapis. Les fleurs semblaient résumer la métamorphose qu'avait subie notre existence. Après le départ de Lucille. Avant l'arrivée de la neige.

Je montai dans ma chambre et ressortis le vieil article de journal. Je dépliai la page à la lueur douce de la lampe à l'abat-jour rose que j'avais depuis une éternité pour scruter le visage des victimes. Je ne sais pas ce que je cherchais – un insigne de lycée, un bijou quelconque, un petit détail qui dirait : C'était moi, le genre de personne que j'étais. Mais les photos ne révélèrent rien de nouveau. Caril Ann faisait un large sourire, et Starkweather avait l'air fier. Ces photos étaient insuffisantes.

En rentrant du lycée le lendemain, je ne pris pas à droite dans Van Dorn. Je dépassai notre rue et continuai dans South 24th Street où les Bowman et leur employée avaient été assassinés. Je voulais voir à quoi ressemblait la maison après tout ce temps. J'étais un détective, le seul qui n'avait pas laissé tomber l'affaire. Je jetai un coup d'œil en catimini pardessus la palissade sur les fenêtres immaculées, la peinture blanche impeccable, les arbustes soigneusement taillés de chaque côté de la porte d'entrée. Je me sentais exclue, et je mourais d'envie de me glisser à l'intérieur.

Si j'avais été là à l'époque, au beau milieu de l'affaire, j'aurais pu comprendre cette douleur. J'aurais voulu habiter à Lincoln lorsque Starkweather et sa petite amie sillonnaient la région en voiture en assassinant tout le monde. J'essayais d'imaginer l'atmosphère, les habitants qui formaient des groupes d'auto-défense, les torches qui brûlaient toute la nuit. C'est un moment qui aurait mérité d'être gardé en mémoire pour toujours.

Des feuilles écarlates balayaient le trottoir. J'essayai de voir à travers les murs, de pénétrer au cœur de cet affreux mystère. J'imaginais le tableau que faisaient Mr. et Mrs. Bowman, allongés morts dans les bras l'un de l'autre, tout en sachant que leurs corps n'avaient pas été découverts ainsi. Lui se trouvait en travers de la porte. Elle avait été attachée quelque part. Je n'avais jamais vu le fils des Bowman, mais je voulais lui demander ce que ça faisait de perdre ses parents et de se retrouver à la tête d'une maison comme ça, brutalement, de s'asseoir dans les chaises à dossier dur avec le sentiment d'être abandonné, désespéré, et d'être à l'affût des fantômes. Peut-être que le fils des Bowman buvait et se bouchait les oreilles tous les soirs pour bannir le passé, de la façon dont ma mère essayait de bannir certaines choses. Je me disais qu'il serait le genre de personne à qui j'aurais des choses à dire, quelqu'un qui avait besoin qu'on s'occupe de lui.

Alors que je me retournais pour m'en aller, je découvris Cora Lessing qui me fixait, la main sur la barrière du voisin. Je ne savais pas depuis combien de temps elle était là à m'observer. Je fis semblant de ne pas être surprise de la trouver là, comme si j'étais allée quelque part et que je rentrais chez moi. Ses cheveux soulevés par le vent balayaient son grand visage pâle. Elle avait un air presque sauvage, au milieu des feuilles tombantes. Elle me détestait depuis ce fameux jour où je l'avais blessée au lycée. Je le voyais à la façon dont elle se tenait. Je ne pouvais pas lui en vouloir.

« Je sais ce que tu es en train de faire ! dit-elle d'un ton aigre.

— Je ne fais rien du tout. »

Je tenais mon sac en toile serré contre moi.

« Ils n'aiment pas qu'on les espionne. C'est ce que tu es en train de faire.

— Comment tu le sais ? lui dis-je.

— J'habite la maison à côté. »

Je me retournai pour jeter un coup d'œil. C'était une maison en bois gris, avec une grande véranda sur le devant. Elle était parfaitement ordinaire, et pourtant très particulière, étant située si près du lieu de la tragédie. Je me demandais ce que Cora savait de la journée où elle s'était déroulée. Il était de mon devoir de le découvrir. J'étais en mission secrète, sous une fausse identité. Je lui fis un sourire.

Cora regarda le bout de ses pieds. Elle ouvrit la barrière, la referma derrière elle et se mit à remonter l'allée.

« Attends, il faut que je te demande quelque chose », lui dis-je en cherchant vainement une question. Il était trop tard. Elle poursuivit son chemin sans se retourner. Le vent se leva et plaqua ma jupe contre mes genoux, et je me sentis étrangement coupable de la façon dont je l'avais traitée. Les bras serrés sur la poitrine, je pris le chemin de la maison, et en arrivant dans notre rue, je me mis à marcher doucement, comme si j'avais pu ainsi surprendre un secret sur le point d'être révélé.

Ma mère était debout près de la fenêtre, juste à côté de la porte d'entrée, les mains sur les hanches. Elle avait dû m'observer avançant avec précaution dans l'allée. Lorsque je mis la clé dans la serrure, elle me tira brusquement à l'intérieur et claqua la porte derrière moi, comme si l'air froid l'avait mordue. Elle portait sa robe bleue avec les boutons en laiton, ses escarpins blancs et son rouge à lèvres écarlate.

« Où vas-tu ? lui demandai-je.

— Nulle part. »

Dehors, il commençait à faire nuit. Toutes les lumières de la maison étaient éteintes. Ma mère agrippa la manche de laine de mon manteau marin et m'entraîna jusqu'au salon plongé dans le silence et qui sentait le renfermé. Une ombre épaisse enveloppait les meubles.

« Comment s'est passée l'école ? demanda ma mère.

— Comme d'habitude, lui dis-je.

— Regarde comme tu es coiffée, ajouta-t-elle en me prenant par les épaules et en me tenant à distance, comme si elle me voyait pour la première fois. Tu sors toujours comme ça ? Tu veux que je les brosse ?

— Non, ce n'est pas la peine, fis-je.

— Pourquoi ? »

Elle fronça les sourcils en repoussant mes cheveux derrière mes oreilles et me regarda droit dans les yeux.

Je ne lui répondis pas.

« On va écouter des disques et arranger le salon, dit ma mère en se dirigeant vers le phonographe. Maintenant que Lucille est partie, on peut faire ce qu'on veut de cette vieille baraque, et j'ai plein d'idées.

— Ça me plaît comme c'est », lui dis-je.

Ma mère mit mon disque de Chubby Checker, ce qui signifiait qu'elle avait fouillé dans ma chambre.

Elle se retourna et posa la main sur le dossier du fauteuil de mon grand-père. Je vis qu'elle avait enlevé son alliance.

« Où as-tu trouvé ce disque ? demandai-je.

— J'essaie simplement de te parler. Ce n'est pas la peine d'être aussi mal élevée, dit-elle en me fixant du regard. Je n'arrête pas de faire des efforts, et personne ne fait attention.

— Pourquoi as-tu enlevé ton alliance ? » lui dis-je.

Ma mère posa les mains sur ses hanches.

« Je change de style. Je danse le twist. »

J'étais près de la bibliothèque. Elle s'approcha de moi, et me saisit par le bras. Je me dégageai. Je regrettai plus tard de ne pas l'avoir suivie, de ne pas avoir dansé le twist avec elle tout autour du salon. C'est un souvenir que j'aurais pu garder.

« Tu sais quoi ? On va casser les vieux meubles par accident, et ton père devra tout racheter à neuf. Comme ça, ce seront nos affaires à nous. » Ses yeux luisaient dans la pénombre.

« Papa ne sera pas content, lui dis-je en secouant la tête.

— Alléluia ! s'écria ma mère. Au moins, je ne serai plus la seule dans cette maison. »

Je songeai au visage de Starkweather dans mon tiroir, à son sourire orgueilleux.

« Moi, je suis en colère », lui dis-je, mais je n'étais pas sûre qu'elle m'ait entendue, car elle s'assit brusquement, posa la main sur son cœur et respira profondément.

« Oh ! » dit-elle en se mettant à pleurer.

J'avais l'impression de voir les larmes tomber sur ses genoux.

« Oh, mon Dieu ! » sanglota-t-elle. Elle leva les yeux vers moi, le front tout plissé, ses beaux yeux de gitane tout rougis. Je ne savais pas quoi faire.

« Est-ce que tu sais qui je suis ? demanda-t-elle. Est-ce que tu en as la moindre idée ?

— Ma mère ? »

Ce qui n'était peut-être même pas vrai. C'était peut-être la raison.

« Parfois je n'ai pas l'impression d'être mère. J'ai l'impression de n'être rien. »

Je n'avais aucune réponse à ça, et je restai donc là, démêlant une mèche de cheveux.

« Je suis tellement seule dans cette maison, ajouta-t-elle, serrant et desserrant le poing. Personne ne me donne jamais ma chance. Pas vraiment. C'est la vérité. »

Elle voulait me montrer que j'étais en partie responsable. Quoi que je fasse, elle se sentirait trahie. J'imaginais mon oncle découvrant ma mère abandonnée dans la chambre d'hôtel à Erie en Pennsylvanie, assise sur le lit en combinaison. J'imaginais qu'il était resté à l'observer de dos, trop secoué pour la toucher ou dire quoi que ce soit, parce qu'il n'arrivait pas à savoir si elle était devenue elle-même dans cette

75

chambre d'hôtel, ou bien le contraire d'elle-même. Il me semblait alors que ma mère était quelqu'un qui serait capable d'aspirer le monde entier dans sa sphère, quelqu'un comme Starkweather. Qu'elle était capable de tout avaler, y compris les gens autour d'elle.

De l'autre côté du jardin, le soleil perça la couverture de nuages, ses rayons traversant le feuillage du seul orme resté debout. Mes pupilles se rétrécirent dans la lumière. Toutes les couleurs sombres devinrent blanches.

« J'ai quelque chose à faire », dis-je en lui tournant le dos. Je montai à l'étage d'un pas décidé, refermai la porte de ma chambre en appuyant l'oreille contre le bois blanc pour écouter. Mais il n'y avait pas un bruit dans la maison. Il n'y avait que les voitures descendant Van Dorn dans un chuchotement vif et doux.

Avant que mon père ne rentre du travail, ma mère monta dans sa chambre, donnant l'impression qu'elle n'en avait pas bougé. Je tentai d'arranger mes cheveux dans un style qui aurait sans doute plu à ma mère, en petit chignon roulé sur la nuque, comme Lucille le faisait. Les mèches s'échappaient de partout. Je n'arrivais à rien. Un peu plus tard, alors que mon père venait de rentrer, j'allai frapper à la porte de ma mère.

« Allez donc au Country Club pour manger un hamburger ou quelque chose, dit-elle à travers la porte. Débrouillez-vous tout seuls. Va le dire à ton père ! »

Je trouvai mon père à son bureau, les coudes posés sur le sous-main taché. Il avait gardé sa cravate et jouait avec un crayon devant son verre en cristal où flottait une rondelle de citron, et qu'il n'avait pas touché. Il n'avait pas changé le moindre détail à la pièce depuis la mort de mon grand-père. Même les dossiers dans le classeur n'avaient pas bougé. Il avait repris les choses exactement là où son père les avait laissées. Quand je le voyais à son bureau comme ça, à ne rien faire, ou sur le banc du jardin, les pieds appuyés contre l'orme dans le crépuscule, je supposais qu'il pensait à ma mère. Il semblait s'intéresser à elle plus qu'à toute autre chose au monde.

Je m'éclaircis la gorge, et mon père leva les yeux en sursaut.

« Rien à faire, on est dans le rouge, dit-il en posant son crayon et en secouant la tête.

— Maman dit d'aller au Club sans elle. Rien que nous deux. Pour manger un hamburger. »

Mon père garda le silence un moment, l'air interloqué.

« Elle déteste le sofa du salon, dit-il. Elle veut le mettre dans le garage et le brûler. Elle m'a appelé en pleine réunion cet après-midi pour me dire qu'elle allait s'en charger, ajouta-t-il en me regardant. J'espère que toi, tu connais la valeur de l'argent. »

Je hochai la tête. J'avais l'impression que mon père me parlait comme à une adulte, attendant que je lui fournisse une solution. Je m'approchai du bureau et je posai les doigts sur la surface lisse. Je gardai un instant le silence.

« Elle ne porte plus son alliance », lui dis-je.

Mon père soupira et desserra sa cravate.

« Oh, elle a repris son petit jeu, c'est tout. »

Mais je voyais bien qu'il n'y croyait pas trop. Son expression me disait que les choses allaient mal, et c'était peut-être le cas. Peut-être qu'elle ne faisait pas semblant, pour attirer l'attention de mon père.

C'était peut-être vrai. Je voyais ma mère pointant un pistolet contre sa tempe, le visage inondé de larmes amères. Le journal publierait sa photo, comme pour les victimes des meurtres. *Oui*, dirais-je, lorsque les gens m'interrogeraient ; *la vie continue*. Je repris mon souffle.

« Elle est en train de perdre les pédales, papa.

— Fais attention à ce que tu dis ! répliqua sèchement mon père en frappant des articulations sur le bureau, me dévisageant, l'air effaré de ce qu'il venait d'entendre. Je ne permettrai pas que tu parles comme ça de ta mère. Le départ de Lucille l'a perturbée. Tu dois bien comprendre ça. Et ta mère et moi, nous faisons équipe. »

Je fermai les yeux, cherchant à retenir les larmes qui me chatouillaient les paupières.

Mon père resta silencieux un moment. Il s'appuya au dossier de son fauteuil, et je l'entendis grincer. Le cuir fit entendre un murmure. J'ouvris les yeux et je vis qu'il m'observait, le front plissé, les bras croisés sur la poitrine.

« Viens ici, Bouchon », dit-il en tapotant sa cuisse.

J'allai m'asseoir sur ses genoux, les pieds touchant le sol. Il me serra dans ses bras et posa un baiser sur mes cheveux. Je n'oublierai jamais le parfum de ce geste : de l'after-shave, et l'odeur moins prononcée des quelques gorgées de gin de son gimlet de fin de journée.

« Elle ne me supporte plus, dit-il. C'est tout. »

À notre retour du Country Club ce soir-là, la maison était plongée dans l'obscurité. Après nous être essuyé les pieds dans l'entrée, et avoir allumé les lampes, nous découvrîmes ma mère qui nous attendait, assise au milieu de l'escalier, dans son peignoir, les mains croisées sur les genoux. J'avais failli ne pas la voir.

Mes parents se regardèrent dans un silence inconfortable.

« Qu'est-ce qui t'arrive ? demanda mon père. Pourquoi es-tu assise dans le noir, Ann ? Tu avais fermé la porte à clé.

— Ne prends pas ce ton-là, Thatcher », répliqua-t-elle sèchement.

Elle pressa un mouchoir en papier contre son nez et enroula son autre main autour de la rampe. Elle caressa les arêtes du merisier du bout des doigts.

« Tu ne m'aimes pas, n'est-ce pas ? » demanda-t-elle.

Je voulais que mon père lui dise que c'était moi qui me sentais délaissée. Je voulais qu'il lui dise qu'elle devrait songer un peu à sa fille. Mais non.

« Tu ne portes plus ton alliance », dit-il.

J'allai accrocher mon manteau dans la penderie.

« Il nous faut de nouveaux meubles. J'étouffe. Tout a l'air encore plus mort sans les arbres. J'ai besoin qu'on m'offre des vacances. Dans une forêt, dit-elle. Tu ne peux pas savoir combien ces arbres me contrarient. »

Il n'y avait qu'elle. Elle ne pensait qu'à ses propres besoins. Il fallait faire tant d'efforts pour l'aimer.

Mon père regarda ses mains.

« Dès que Capital construira un pont.

— Qu'est-ce que tu insinues ? »

Le silence dura un moment, mais ça sentait les problèmes d'argent.

« Est-ce qu'on est pauvres ? » soufflai-je, mais personne ne répondit.

Ma mère plissa les yeux en direction de mon père.

« As-tu demandé à Lucille de partir, Thatcher ? Dis-moi. »

Mon père se taisait.

« Est-ce que tu l'as renvoyée ?

— Non, calme-toi », répondit-il en évitant son regard.

Ma mère se mit à descendre les marches, mais elle avait bu. Elle trébucha, tomba à la renverse et glissa brusquement vers nous. J'avais envie de hurler. Mon cerveau fourmillait en pensant aux os brisés, à la tête de ma mère heurtant la rampe.

Elle atterrit au pied de l'escalier, le peignoir remonté à la ceinture révélant ses dessous. Le temps qu'elle puisse se couvrir, j'avais aperçu les veines zébrant ses cuisses comme des ombres bleues courant sous sa peau sèche. Elle rajusta son peignoir.

Mon père s'approcha pour essayer de l'aider, mais elle ne voulait pas.

Ma mère pleurait. Elle se mit à quatre pattes et se releva en s'agrippant à la rampe.

« Tu as trop bu, dit mon père en lui touchant l'épaule.

— Laisse-moi tranquille ! sanglota ma mère.

— Ann.

— Tu l'as renvoyée, Thatcher.

— Je n'ai renvoyé personne. Pourquoi insistes-tu ?

— Parce que je le sens.

— Nous n'avons pas d'argent. Est-ce que tu as senti ça aussi ?

— Tu l'as renvoyée.

— Jamais je ne l'aurais renvoyée.

— J'ai le sentiment que ça ne va pas du tout.

— Entre nous ?

— Je suis toujours seule. Je pensais que ce serait différent, sanglota-t-elle. Ce n'est pas ce que j'avais imaginé. Rien ne l'est. »

J'allai dans le bureau de mon père. Je m'assis à la table et regardai par la fenêtre la ligne hachée des arbres des voisins. Le ciel était noir. Je pensais au jour où mon père avait garé dans l'allée du garage la Chevrolet bourrée de valises, au jour où ma mère avait refusé de sortir de la voiture. Il faisait chaud, on était en plein mois de juillet, et l'air était lourd. La maison de mon grand-père était calfeutrée et silencieuse, comme pour préserver sa mort derrière les volets. Les roses le long de l'allée avaient perdu leurs pétales sur le gravier poussiéreux. Tout était brûlé. Ma mère était restée là, assise, secouant la tête, tandis que le moteur refroidissait.

« J'en avais gardé un autre souvenir, avait-elle dit à mon père. C'est pire que ce que j'imaginais. »

J'entendis les pas pesants de mon père dans l'escalier au-dessus du bureau. Il y eut une pause sur le palier, puis ils s'éloignèrent et je n'entendis plus un bruit. En revenant dans l'entrée, je vis que ma mère avait approché une chaise de la table du téléphone. Elle me tournait le dos. Elle tenait le combiné blanc à l'oreille. Le fil en colimaçon pendait au-dessus du sol. Un petit cercle de lumière tombait sur ses épaules.

« Tu n'écoutes pas ce que je dis », murmura-t-elle.

Chapitre 7

1957

On a commencé à sortir ensemble, Charlie et moi, et au début, on avait l'impression que ça ne finirait jamais. Il m'avait trouvée dans l'arbre comme un cadeau tout emballé qui l'attendait, et moi, je n'avais pour ainsi dire pas eu le choix.

J'étais sans arrêt en train de penser au monde et à toute cette étendue entre lui et moi. La télévision m'apportait des indices à travers des câbles invisibles, et les photos des gens dans les magazines étaient toujours souriantes. Mais c'était la seule façon pour moi d'approcher de l'endroit où je voulais aller. Le jour où j'ai découvert Charlie, on aurait dit qu'il était le seul objet visible à des kilomètres sur cette plaine desséchée.

En montant dans la cabane, Charlie n'a même pas jeté un regard vers moi. Il n'a pas dit un mot, même pas son nom. Il s'est juste allongé sur le dos, raide comme un piquet, comme un truc électrique débranché, les yeux grands ouverts. J'étais un peu tendue en me demandant ce qui selon lui n'allait pas. Je pensais qu'il était déçu à cause de ma culotte, peut-être, et parce que je lui avais montré qu'elle ne valait rien.

Ma sœur Barbara en avait eu des neuves lorsqu'elle s'était mariée avec Rodney, et un jour elle les avait toutes étalées sur le lit pour me les montrer, en disant que ce genre de petites culottes était la clé du cœur des hommes.

« Désolée, ai-je dit à Charlie.

— Comment ça ? »

J'ai tâché de trouver une raison, mais rien ne venait, rien qui aurait montré que j'avais de la cervelle.

« Je n'ai rien à dire. Je suis pas bavarde », ai-je dit, alors que c'est lui qui aurait dû essayer de lancer la conversation.

Charlie s'est éclairci la gorge, les yeux toujours levés au ciel comme s'il attendait que quelque chose en tombe.

« Une pas-bavarde, hein ? C'est une tribu indienne ? »

Je me suis redressée en montrant du doigt la carabine.

« Et toi, tu es de la tribu des tire-à-vue », ai-je dit sans réfléchir.

Il a fait un large sourire, à cause de ma blague sortie d'on ne sait où. Un de ces coups du hasard qu'on ne prévoit pas, comme quand on arrive à dessiner l'ombre d'un nuage alors qu'on était simplement en train de griffonner avec le bout du crayon.

« J'ai un copain à Pine Ridge, et il n'aimerait pas t'entendre m'appeler comme ça, a dit Charlie, mais je voyais bien qu'il plaisantait.

— Il s'appelle comment, ton copain ? ai-je demandé.

— Johnny Magpie. On se comprend. »

Charlie avait l'air d'un dur à cuire en disant ça, comme un cow-boy ou un fugitif, et je sentais monter l'excitation à me trouver là dans l'arbre à côté de lui, en train de me cacher, comme une fille qu'il aurait enlevée dans une ville de desperados. Il s'est tourné sur le côté pour me regarder droit dans les yeux, les paupières tombantes comme s'il venait de se réveiller. J'ai su plus tard qu'il avait besoin de lunettes, et que ce n'était pas à cause de mon visage rayonnant.

Je lui ai fait un joli sourire et j'ai failli tendre le bras pour le toucher.

« Vous vous comprenez comment ? »

Je ne connaissais même pas encore son nom.

« Tu n'es qu'une gamine, a-t-il dit en secouant la tête. Ce n'est même pas la peine que j'essaie.

— Je ne suis pas une gamine », ai-je protesté, mais le son de ma voix a disparu dans un coup de vent qui a fait frissonner l'arbre. Un nuage est passé devant le soleil, et brusquement, tout a déferlé dans ma tête. J'ai pensé à ma mère et à Roe, qui ne m'écoutaient jamais, aux gens à l'école qui disaient que je n'arriverais jamais à rien. Et j'étais là à me mordre les lèvres, les yeux levés au ciel pour ne pas pleurer.

« Qu'est-ce qui ne va pas ? » a demandé Charlie.

À travers le nuage, je voyais le soleil, qui ressemblait plus à la lune qu'à autre chose. J'avais tout à coup une impression étrange, comme si je pouvais voir de l'autre côté d'un tableau, où tout était à l'envers ou sens dessus dessous.

« Je ne suis pas idiote », lui ai-je dit.

Le regard de Charlie s'est adouci. Il était changeant comme le ciel. Jamais je n'arriverais à dessiner ses yeux. Ils changeaient trop vite.

« Je sais que tu n'es pas idiote. »

Il a tendu la main comme pour me toucher la joue, mais l'a ramenée ensuite derrière son dos.

« Je voulais pas te vexer, a-t-il dit comme s'il regrettait. Je ne veux pas que tu penses du mal de moi.

— Qu'est-ce que ça peut te faire, ce que je pense ? »

Charlie n'a pas répondu. Il s'est redressé, a ôté une feuille jaune détachée par le vent qui s'était posée sur son bras, et s'est mis à la déchirer. Tout allait très vite autour de nous, comme dans un entonnoir.

« Tu as un petit ami ? » a-t-il demandé.

Mon cœur s'est emballé. Il ne portait pas de bague ni de blouson d'équipe, et je me demandais ce qu'il pourrait me donner.

« Pas en ce moment, lui ai-je répondu, comme s'il était tombé sur un bon jour.

— Tu en as déjà eu un ? »

J'ai pensé à Kenny, un garçon très moche, qui avait essayé de me suivre en rentrant du lycée, et qui m'avait sauté dessus un jour derrière le gymnase.

« Une fois, ai-je répondu, mais pas longtemps.

— Eh bien, il me plaît pas, ce type. »

Je n'ai pas pu m'empêcher de sourire. Kenny ne me plaisait pas non plus.

« Raconte-moi comment vous vous comprenez, Johnny Magpie et toi, lui ai-je dit.

— C'est juste que Johnny n'aime pas entendre les Blancs lui dire ce qu'il doit faire, et moi, j'aime pas qu'on me donne des ordres.

— Et si c'était moi qui te disais ce que tu dois faire ? »

J'ai écarté légèrement le kimono de mon genou, mais Charlie n'a pas fait attention.

« Les gens doivent pas dire aux autres comment vivre. C'est pas correct. Johnny et moi, on veut vivre à notre façon.

— Et je suis montée là pour quoi, à ton avis ? Moi aussi, je veux vivre à ma façon. »

Charlie a fait un large sourire et s'est allongé sur le côté, la tête posée sur une main pour continuer à me regarder. Je n'ai pas baissé les yeux.

« Peut-être, a-t-il dit.

— Peut-être quoi ? »

Je me demandais s'il avait envie de m'embrasser, mais il ne m'a même pas touché le petit doigt.

« Peut-être qu'on se comprend, toi et moi », a-t-il dit, et j'ai senti la chaleur envahir ma poitrine, parce que personne ne m'avait jamais dit ça.

Et puis Charlie m'a aussi dit des trucs que j'avais pensés tout du long, mais que je n'étais pas sûre de savoir vraiment. Comme le fait que les règles n'étaient qu'une façon de voir les choses, et que les Blancs avaient chassé les Indiens des grandes plaines, pour ensuite faire semblant d'être gentils en leur rendant les zones merdiques et en les cantonnant là.

« Les Sioux vont se remettre en selle dans pas longtemps, a dit Charlie, et tout le monde aura intérêt à faire gaffe.

— Qui t'a dit ça ?

— À ton avis ? »

Charlie m'a dit qu'on était un peu des rebelles, lui et moi, et aussi des gens comme Johnny Magpie et James Dean, qui n'étaient pas prêts à se laisser faire.

Il parlait de nous comme si nous faisions partie de la même chose.

« C'est tellement facile de tomber amoureux », lui ai-je dit en le regardant droit dans les yeux.

Charlie a éclaté de rire.

« Tu as trouvé ça toute seule ?

— J'aime bien Buddy Holly.

— C'est une couille molle. Il aurait besoin d'une raclée.

— C'est pas mon avis.

— On se fiche bien de ton avis. »

Charlie est resté là à se mordiller les lèvres et à se gratter la tête. Puis il a craché sur sa chemise, prit la carabine et il s'est mis à l'astiquer comme s'il n'y avait plus rien d'autre au monde. Le ciel tout entier s'est effondré avec le soleil. Les branches remuaient comme un sac d'os qu'on secoue, et j'ai serré mes bras autour de ma poitrine pour me réchauffer.

« Te fâche pas, a dit Charlie en posant la carabine, le visage tout rabougri comme s'il le pensait vraiment. Viens ici.

— C'est pas parce que quelqu'un l'a dit avant moi que c'est pas vrai, ai-je dit, mais je n'étais pas vraiment fâchée.

— Viens ici », a répété Charlie en se glissant à côté de moi. Il a passé le bras autour de mes épaules et j'ai appuyé ma tête dans son cou. Je sentais son sang battre, comme un petit animal sauvage.

« Tu es minuscule, a-t-il dit. J'ai peur que le vent t'écrabouille. »

On est restés assis là un moment, aussi immobiles que des statues de sel, comme si on avait eu peur de casser quelque chose en remuant le petit doigt.

Le vent s'était levé et murmurait dans le maïs tandis que je me faufilais entre les tiges ; on aurait dit que tous les épis me chuchotaient de ne pas faire un pas de plus. Mais je n'avais pas le choix ; il fallait prendre le chemin en sens inverse et accepter ce que Roe et ma mère décideraient de me balancer. À ce moment-là, je n'avais rien d'autre qu'un petit espoir d'être aimée de Charlie, comme un petit caillou au milieu d'un champ désert.

Je pensais me faufiler par la fenêtre de la chambre comme j'étais sortie, comme si je n'étais jamais partie, mais quelqu'un avait fermé et bloqué la fenêtre, et j'ai eu beau essayer, je n'ai pas réussi à l'ouvrir. Je n'avais plus le choix ; il fallait passer par-devant. J'ai contourné la maison très lentement et je suis montée sur la véranda. Ma mère était sur le pas de la porte, en train de faire sauter Betty Sue dans ses bras. Betty Sue était trop grande pour être câlinée, ou même portée comme ça par ma mère ; elle allait devenir encore pire. Elle se retrouverait au lycée en couche-culotte, au train où allaient les choses. Non, sans blague, c'était couru d'avance. C'était complètement *crétin*, sans blague.

Ma mère restait bouche bée et me fixait comme si elle n'arrivait pas à croire que je revenais après m'être enfuie comme ça, comme si elle espérait presque ne jamais me revoir. J'ai serré mon carnet à dessin contre moi et j'ai baissé les yeux pour regarder mes pieds que j'avais écorchés en courant. Je ne sentais rien.

« Tu étais passée où ? » a demandé ma mère en se mordant la lèvre.

Je n'ai pas répondu.

« Où, Caril Ann ? Réponds-moi.

— Au lycée.

— Dans cet état ? Arrête de me mentir !

— J'ai essayé de me faire raccompagner en voiture.

— Tu ferais mieux de me dire la vérité !

— C'est la vérité. »

J'ai donné un coup de pied dans un caillou. Mon orteil a encaissé le choc et je me suis détournée pour cacher ma grimace. J'ai plissé les yeux en direction de la route, vers un petit coin de ciel verdâtre au loin qui annonçait l'orage.

« Regarde-moi quand je te parle ! » a hurlé ma mère.

Alors je me suis retournée.

« Je ne sais pas si je dois remercier le ciel ou le maudire », a lancé ma mère.

Puis elle s'est mise à pleurer. Elle tenait la tête de Betty Sue contre son cou, comme pour se prouver que tout irait bien tant qu'elle aurait son bébé chéri près d'elle.

« Ça finira mal pour toi », a-t-elle dit.

J'ai étouffé un éclat de rire, mais c'est un bruit de sanglot qui est sorti de ma gorge. Apparemment, elle avait honte de moi et elle avait l'air d'avoir peur. J'avais l'impression que j'allais faire tout le contraire à l'intérieur, et pourtant j'avais pitié de ma mère, coincée avec un bébé et un vieux qui traînait la patte en se foutant en rogne, alors que c'est moi que tout le monde aurait dû plaindre.

« J'en ai marre d'être ici, lui ai-je dit.

— Tu ne connais pas ton bonheur, a répliqué ma mère.

— Oh, si, je le connais ! »

J'ai filé dans ma chambre en claquant la porte derrière moi, et j'ai coincé une chaise contre la poignée, mais personne n'a fait la moindre tentative d'entrer. Pendant tout le dîner, j'entendais Roe et ma mère dans la cuisine qui parlaient de me ficeler et de me jeter dans le coffre de la voiture s'il le fallait. Mais d'une certaine manière, ça n'avait plus d'importance. Tout me paraissait bien mieux depuis que je pouvais penser à Charlie.

Un peu plus tard, dans mon lit, trop énervée pour dormir, je me suis mise à réfléchir à un magazine que j'avais lu. Quand on fait confiance à quelqu'un, disait l'article, on aime ce quelqu'un. J'ai compris alors que je n'avais jamais fait confiance à Roe ni à ma mère, mais que, pour une raison bizarre, je faisais déjà confiance à Charlie. Ce n'est pas toujours le sang qui crée les liens, et de toute façon, Roe et moi, on n'en avait pas la moindre goutte en commun. J'imaginais l'amour comme des carrés de soie multicolores tenus ensemble par une couture invisible.

Un magicien avait tiré de sa poche un foulard comme ça, à la fête de Lincoln, un bout de temps avant. Il tirait, il tirait, et le foulard continuait à sortir comme une rivière interminable se jetant dans le ciel écarlate. Je savais qu'il y avait un truc. Il devait y avoir une fin quelque part, parce que tout a une fin. J'ai plissé les yeux en direction du magicien et il m'a regardée fixement, puis il m'a fait un clin d'œil pour me dire que je n'étais pas qu'une gourde qui portait des bottes de majorette éculées et qui devait redoubler sa quatrième, mais une personne importante comme lui, qui savait pertinemment comment marchait le monde. Et puis un dernier carré orange est apparu et il a remué les doigts en faisant jaillir un nuage de fumée, et lorsque la fumée s'est dissipée, il était là, les mains vides, les poches béantes, comme si toutes ces couleurs n'avaient jamais existé.

Je me suis réveillée en sursaut au milieu de la nuit en repoussant les couvertures. Je me suis redressée dans le lit, raide comme un piquet, mais tout avait l'air différent. On était peut-être un jour différent, cent ans après ; les Martiens avaient débarqué et tué tous les gens, et j'étais là, dans un monde où tout avait changé autour de moi pendant que je dormais. Les nuages avaient disparu et la lune était si pleine et si brillante dans le ciel qu'elle jetait des ombres et baignait le miroir d'une lueur argentée. Mon carnet était ouvert par terre, et l'image d'un peuplier que j'avais dessiné se dressait dans la pliure. Je tâchais de deviner quelle heure il était, mais il n'y avait pas vraiment moyen de savoir.

Et puis, j'ai entendu un bruit. Mon cœur s'est mis à faire des bonds. *Qui est là ?* Je me suis frotté les yeux. Tout semblait comme dans un rêve, mais je n'étais pas en train de dormir. Et puis j'ai peut-être dit tout haut « Qui est là ? », parce que alors que je le disais dans ma tête, j'ai entendu des coups en guise de réponse. Tap-tap. Ça venait de la fenêtre. Je n'avais pas vraiment peur, j'étais plutôt anxieuse, je n'étais pas prête à affronter ce qui m'attendait. J'avais la bouche pâteuse. Je suis sortie du lit pour aller à la fenêtre. En clignant les yeux dans le noir, j'ai aperçu quelque chose juste là, comme un animal, mais je ne savais pas lequel. Il avait des oreilles et une langue et des yeux brillants, et tout d'un coup, ça m'est revenu. C'était la tête de mon chien m'observant à travers la vitre. Je me suis frotté les yeux pour être sûre que je ne rêvais pas, et une silhouette s'est redressée dans l'obscurité. C'était Charlie, tenant mon chien dans ses bras comme un bébé, secouant sa patte pour lui faire dire bonjour. J'ai étouffé un éclat de rire. J'avais du mal à y croire. Il était allé détacher Nig et je n'avais pas entendu le moindre aboiement. J'ai poussé fort pour entrouvrir la fenêtre. J'ai enlevé une écaille de peinture accrochée à ma manche.

« Qu'est-ce que tu fais là ? ai-je demandé à voix basse, vu que Roe et ma mère dormaient dans la chambre à côté.

— Je sais pas. J'ai fait un rêve et je pouvais pas me rendormir. Faut que je te parle. »

La voix de Charlie était pleine de sous-entendus, prête à éclater.

Nig a remué son collier en penchant la tête en arrière pour lécher le cou de Charlie. Charlie a éclaté de rire.

« Chut ! ai-je murmuré.

— Viens t'amuser avec nous, a dit Chuck.

— S'amuser à quoi ?

— On va faire un petit tour. Hein, le chien ? » a-t-il dit en secouant Nig comme s'il attendait une réponse. Nig n'a pas bougé, et pourtant, il pouvait être drôlement remuant.

« Chut ! ai-je dit.

— Viens, alors.

— Il faut que je réfléchisse », ai-je répondu.

Mais je faisais seulement semblant. J'ai décroché mon kimono de la patère et je l'ai enfilé par-dessus ma chemise de nuit. Charlie a plié un genou en me tendant la main. J'ai balancé les deux jambes par-dessus le rebord de la fenêtre et j'ai posé le pied sur sa cuisse pour descendre, comme dans un film.

« Tu n'as que ça à te mettre ? a-t-il dit à voix basse.

— Arrête de te plaindre.

— Je ne me plains pas. »

Tout avait pris un aspect doux et argenté comme des toiles d'araignées dans un univers de fantômes. Un million d'étoiles se sont mises à clignoter ensemble. Je savais que certaines n'étaient pas des étoiles, mais des trucs plus gros, plus importants, des planètes par exemple.

« Qu'est-ce qui les fait cligner ? Le soleil est une étoile, et il ne cligne pas, ai-je dit en tournant la tête, le nez dans l'oreille de Charlie.

— C'est pas une étoile, bêta. C'est une boule de feu. »

Charlie m'a repoussée contre le poulailler et a appuyé ses lèvres contre les miennes. Sa bouche était chaude et vorace, comme s'il voulait m'avaler ; c'était la première fois que je ressentais quelque chose comme ça. Je voulais m'abandonner complètement, me fondre dans sa peau. Mais Barbara disait qu'il faut faire attendre les garçons, alors juste avant de céder pour de bon, j'ai lâché prise. J'ai filé dans le maïs. C'était juste un jeu. Je ne voulais être nulle part qu'avec Charlie. Mon cœur s'est envolé et je me suis dit qu'on resterait là ensemble pour toujours, Charlie et moi, sous ces mêmes étoiles avec toutes les planètes en rotation.

J'ai pris une direction, puis une autre, jusqu'à ce que je me retrouve derrière Charlie, et je le voyais qui cherchait partout en appelant mon nom. Il était bon chasseur, mais il ne savait pas bien me chasser, moi.

Le collier de Nig a cliqueté tout près dans un joli bruit argenté. Je me suis dit qu'on était libres, tous les trois. C'était si facile ! Il suffisait de sortir par la fenêtre. Je me suis glissée derrière Charlie et j'ai posé mes mains sur ses yeux. Il a sursauté des pieds à la tête comme un petit garçon terrifié.

« C'est moi, ai-je dit.

— Pourquoi tu t'es enfuie ? Je suis allé trop vite ? »

J'ai secoué la tête.

« C'était juste une blague. »

Il m'a agrippée par le bras.

« Je veux te montrer quelque chose. »

On a fait demi-tour pour aller sous les arbres.

« J'ai déjà vu ça, lui ai-je dit.

— Pas de cette façon. »

Charlie avait pris ma main en marchant, et j'ai levé les yeux jusqu'aux branches. On voyait leurs ombres noires se détacher sur le ciel plus clair, toutes tordues comme le poing d'un vieillard. Il y avait des ombres à terre, et quand la brise s'est levée, on aurait dit que le monde tout entier se déplaçait dans un même rêve.

« Comment savais-tu que c'était ma fenêtre, Chuck ? » ai-je demandé.

Il s'est mis à rire en me serrant le bras.

« Parce qu'avant, c'était la mienne.

— Tu vivais ici ?

— Oui. Moi et mes frères, et M'man et Gus.

— Qui est Gus ?

— Mon vieux. On est les Starkweather. »

Starkweather. Ce nom-là était fait pour moi, là, dans les bois, au milieu de la nuit. Je voulais lui dire que je l'aimais, là, tout de suite, mais je ne voulais pas le dire n'importe comment. Alors j'ai continué à marcher à ses côtés.

On voyait de minuscules scintillements apparaître brusquement entre les arbres et bouger tout autour de nous : des yeux de lapins. Les lapins venaient brouter des trucs, de l'herbe peut-être, et quand on approchait, leurs yeux s'allumaient comme des ampoules et ils filaient se cacher dans les hautes herbes. Il y avait toute une famille sous un tas de bois, dit Charlie, et un peu plus loin, il y avait un champ appartenant à quelqu'un d'autre où ils se regroupaient tous la nuit.

« Comment tu sais ça ?

— Je les ai vus.

— Tu les as chassés ?

— Pas ici, dit-il. Si je faisais ça, ils ne reviendraient jamais. »

Tout près, on a entendu le hululement d'une chouette, comme si elle voulait nous avertir. J'ai eu la chair de poule, et j'ai serré les bras autour de moi, mais ce n'était pas parce que j'avais peur. J'avais l'impression que je voyais un endroit très lointain. Charlie et moi, on était des fantômes invisibles aux mains transparentes, flottant à travers le monde sans se préoccuper de ce que faisaient les autres.

« Tu as déjà vu un arbre à chouette ? m'a demandé Chuck.

— Je ne sais pas. »

On est passés devant l'échelle et il m'a entraînée vers l'arbre tout au bout de la palissade. Je voyais qu'il ne restait plus que quelques feuilles saupoudrées sur les branches, ce qui voulait dire que l'arbre était en train de mourir, et je voyais aussi le trou dans le tronc, là où vivait la chouette. Je me demandais ce qu'elle ferait lorsque l'arbre serait trop fatigué pour rester debout tout seul.

On s'est accroupis entre les racines, et Charlie m'a montré tout ce que la chouette avait laissé : les minuscules mâchoires de souris où il restait encore des dents, des bouts de fourrure, le squelette de quelque chose de plus gros, un bébé chien de prairie, et toutes les plumes que la chouette avait perdues en se secouant. Les os étaient blancs. Les plumes brillaient. J'ai pris une mâchoire dans la main pour sentir combien elle était lisse, en essayant de la mémoriser de manière à pouvoir la reproduire plus tard dans mon carnet. C'était fou de penser que tous ces petits morceaux parfaits s'étaient trouvés dans l'estomac d'un oiseau.

« Qu'est-ce qui s'est passé quand ils sont morts ? ai-je demandé.

— Je ne sais pas. Avant, j'étais obnubilé par ça. »

J'ai caressé ses cheveux et j'ai commencé à me demander s'il avait jamais eu peur du noir. On s'est agenouillés parmi les os recrachés et on s'est remis à s'embrasser. Charlie était appuyé contre le tronc de l'arbre et j'étais assise sur ses genoux, les yeux levés vers la lune entre les branches ; elle aussi ressemblait à un bout d'os. J'aurais voulu rester comme ça, avec Charlie sous l'arbre à chouette pour toujours. Mais ça ne pouvait pas durer toujours. Il fallait qu'on rentre. On a récupéré Nig et on s'est faufilés entre les arbres. En me reconduisant à la fenêtre, Charlie a essayé de remonter avec moi.

« C'était ma chambre. Je veux la voir, a-t-il dit à voix basse.

— Juste une minute, alors. Et ne fais pas de bruit. »

Ce n'était pas bien de le laisser entrer aussi vite, mais c'était plus fort que moi ; j'en avais vraiment envie.

En entrant dans la pièce, Charlie n'a même pas jeté un coup d'œil autour de lui. Il s'est mis directement au lit et je me suis allongée à côté de lui. Il m'a caressé la tête, et on est restés serrés l'un contre l'autre dans le noir, en silence, écoutant le bruit de nos cœurs qui battaient ensemble.

« Il faut que tu partes, ai-je dit à voix basse, alors que je ne voulais pas qu'il parte. Je vais avoir des ennuis.

— Qu'est-ce que t'en as à fiche ? »

Il a plaqué sa bouche contre la mienne pour m'empêcher de répondre. Il s'est mis à m'embrasser dans le cou, dans l'oreille, et je tremblais des pieds à la tête en essayant de ne pas bouger. Mon kimono a fini par se défaire, et puis le reste, et je me suis retrouvée toute nue entre ses bras. Ses doigts étaient occupés à fouiller partout, comme des lumières minuscules réveillant des endroits inconnus, et puis tout s'est accéléré. Tout d'un coup, on n'avait plus le choix, il fallait continuer. L'odeur de tout ce qui était caché l'a enveloppé. Tous mes muscles tremblaient tellement je voulais rester immobile. Il était sur moi, poussant à l'intérieur, et soudain tout son corps s'est affolé, comme un oiseau pris dans la main et qui cherche à s'échapper.

Et puis tout est redevenu calme. Charlie a poussé un soupir. J'ai posé la tête contre sa poitrine, écoutant son cœur ralentir après toute cette précipitation.

« Tu l'as déjà fait ? m'a-t-il demandé à voix basse.

— Non.

— Tu as eu mal ?

— Non.

— J'espère que tu aimes ma façon de faire.

— Il vaut mieux que tu partes, lui ai-je dit, même si je n'arrivais pas à l'imaginer dans un autre endroit, jamais.

— Pourquoi ?

— Je vais avoir des ennuis.

— Quel genre ? Ton vieux va te filer une raclée ?

— C'est pas mon vrai père, mais il pense le contraire.

— Il t'a déjà frappée ?

— Pas vraiment », ai-je murmuré, en pensant que j'aurais bien aimé lui dire oui pour lui montrer que

Roe était un salaud. Mais je n'allais pas mentir à Charlie.

Je me suis endormie en moins d'une minute. Au réveil, le ciel était clair, et Charlie était parti, et quelqu'un cognait contre la porte, vu que la chaise était restée coincée contre la poignée. J'ai roulé hors du lit, j'ai enfilé mes vêtements, et je me suis préparée pour aller au lycée, vu que la situation s'était améliorée depuis que Charlie tenait suffisamment à moi pour me sortir de là.

Les choses ont continué comme ça pendant un bout de temps. Je séchais le lycée et je retrouvais Charlie dans la cabane au bout du champ de maïs. C'est là que j'ai dessiné toutes les différentes parties de son corps et que je suis tombée amoureuse de chacune, l'une après l'autre, jusqu'à ce qu'elles forment un tout. J'accrochais mes dessins dans les arbres jusqu'à ce que le vent les emporte. Je me fichais de savoir où ils atterriraient. Je les signais tous. Charlie et moi on s'allongeait dans les branches et on se caressait les cheveux. Et puis un jour, Roe nous a trouvés, et il m'a dit que je ne pouvais plus sortir avec Charlie. Mais ce n'est pas ça qui allait nous arrêter. Je l'ai raconté à Charlie, qui s'est mis à donner des coups de pied dans les pneus de sa Ford en disant que tout le monde pensait qu'il était un bon à rien. J'ai posé la main sur sa nuque gominée en regardant droit dans ses yeux verts comme le silex.

« Moi non plus, Chuck, personne ne sait vraiment qui je suis, à part toi.

— C'est pour ça que je t'adore. »

Et Charlie a posé la tête sur mes genoux en levant les yeux vers moi, mâchouillant un brin d'herbe comme s'il me mâchouillait moi. Il m'a touché les seins.

« Et ces tout petits machins, là, je les adore aussi », a-t-il dit.

Et les feuilles de l'arbre ont commencé à chuchoter dans les branches, comme si elles parlaient toutes en même temps.

Chapitre 8

1962

Je descendis sans bruit au rez-de-chaussée, toujours en chemise de nuit. J'ouvris les rideaux du salon dans la maison silencieuse. Je pris l'atlas relié cuir de mon grand-père et m'assis par terre dans un rond de lumière derrière le sofa où personne ne pourrait me voir. Je tournai les pages, jusqu'à ce que j'arrive à notre pays. Je voulais compter les États qui se trouvaient entre le Nebraska et New York, où vivait mon oncle. Je traçai du doigt la démarcation verte des Grandes Plaines, posai le pouce sur l'étendue bleue du lac Michigan. Je me demandais si c'était lui que ma mère avait appelé, et combien de temps il lui faudrait pour traverser les six États.

Mon grand-père avait tracé des cercles sur la carte aux endroits où Capital avait construit des ponts. Dans une coupure de journal jaunie échappée du livre, je lus qu'à Fort Madison, dans l'Iowa, deux ouvriers de chantier étaient morts en construisant un pont sur le Mississippi. Dans l'atlas, mon grand-père avait marqué l'endroit de croix grisées soigneusement dessinées, et inscrit leurs noms dans la marge, comme s'il avait voulu indiquer qu'il se sentait responsable. C'étaient des noms russes, très longs, avec plusieurs syllabes que je n'arrivais pas à déchiffrer. À Council Bluffs, un pont sur le Missouri reliait l'Iowa au Nebraska. Les cercles couleur de plomb étaient salis par des traces de doigt. J'imaginais l'acier contre l'acier scintillant dans le soleil d'automne tandis que mon oncle filait sur les ponts jetés au-dessus des fleuves d'eau trouble, pour venir arracher ma mère à la détresse sans nom qu'elle semblait éprouver chez nous.

Je sursautai en découvrant ma mère dans la cuisine. Elle regardait fixement par la fenêtre, comme si elle était déjà en train de l'attendre, et je fus prise de panique. Elle ne se retourna pas lorsque j'ouvris la porte du réfrigérateur. Je posai bruyamment la bouteille de lait sur la paillasse et me mis à fouiller les placards à la recherche de la boîte de céréales, tout en sachant qu'il n'y en avait plus.

« Qu'est-ce que tu attends ? » finis-je par dire.

Ma mère se retourna pour me faire face. Elle ne s'était pas maquillée. Elle n'avait pas l'air prête à partir quelque part. Je me demandais si elle était restée debout toute la nuit.

« Je n'attends pas, dit-elle, j'espère.

— Combien de temps faut-il pour venir de New York à Lincoln en voiture ?

— Comment veux-tu que je le sache ? »

Puis elle se retourna et ouvrit la fenêtre. Ma mère resta là, respirant à pleins poumons comme s'il ne faisait pas froid du tout. Elle croisa les bras sur le rebord et pressa le nez contre la moustiquaire. Debout derrière ma mère, je voulais la toucher, appuyer ma tête sur son épaule, mettre un peu de moi à côté d'elle pour lui rappeler que j'étais encore là. Il me semblait que nous aurions dû avoir besoin l'une de l'autre.

Je m'approchai d'elle, devant la fenêtre, et effleurai le col de sa chemise du bout des doigts.

« Maman ? » lui dis-je à voix basse.

Mais elle ne semblait pas faire attention. Elle continuait à regarder à travers la moustiquaire. J'ouvris la bouche pour parler, mais j'avais brusquement oublié ce que j'allais dire. Un courant d'air froid plaquait ma chemise de nuit contre ma peau. J'avais l'impression que mes cheveux étaient des doigts qui me chatouillaient la nuque.

Dehors, je voyais l'allée bordée de massifs de rhododendrons et les souches des ormes. Étant petite, quand nous étions en visite l'été, je sortais par la porte de derrière, suivant à la trace dans l'allée ombragée l'odeur du cigare de mon grand-père. La brise chatouillait les reflets dans l'empreinte laissée par les pneus. Les rosiers étaient toujours en fleur. Je ne sais pas comment, mais le bruissement lourd des insectes et les volutes de la fumée de mon grand-père faisaient que le monde entier me paraissait très vieux et plein de sagesse.

Ma mère passa le week-end à regarder par les fenêtres, attendant que son frère arrive pour l'enlever et la conduire vers un ailleurs plus lumineux. J'en étais sûre. C'était mon secret. Je le gardais à l'intérieur. Mon père passa des heures assis sur le banc du jardin, lisant, malgré le froid de ces journées d'automne. Il mit du cognac dans son café au lieu de lait. Je l'avais vu entrer deux fois dans son bureau sans me regarder, et j'avais entendu le tintement de la carafe en cristal contre sa tasse. Des feuilles écarlates descendaient en tourbillonnant dans la lumière, et il devait sans arrêt les secouer de la pliure de son journal. Il finit par poser le journal et ratissa tout le jardin. Il rassembla les feuilles dans des sacs-poubelle et les chargea dans le coffre de la Chevrolet. Il démarra, et ne revint qu'après un long moment.

Je mourais d'envie de parler à Lucille. J'avais l'impression qu'elle était la seule personne qui m'ait jamais écoutée. Je me dis que j'allais mettre par écrit ce que je lui dirais : *Lucille, Maman a besoin de toi. La situation est tragique. Elle se suicide à l'alcool. Elle a avalé tous les tranquillisants. Elle va s'ouvrir les veines et coller ses poignets sous le robinet. Elle a l'intention de sauter du toit de l'hôtel* Cornhusker. *Si tu as jamais eu la moindre affection pour nous, reviens immédiatement.*

Je me demandais où ma mère avait bien pu mettre le numéro de la fille de Lucille à Detroit. Je me faufilai dans le couloir, mes pieds s'enfonçant dans l'épaisse moquette beige. Je m'arrêtai près de l'escalier pour tendre l'oreille, mais on n'entendait aucun bruit. La porte de la chambre de mes parents était ouverte, et je me glissai à l'intérieur. La pièce était obscure et pleine d'ombres, et je ne l'avais jamais vue à ce point en désordre. Des chemises sales étaient empilées dans un coin, attendant d'être portées au nettoyage. Le lit n'était pas fait. Des bas et des soutiens-gorge jaillissaient des tiroirs de la commode, comme si quelqu'un avait été surpris en train de les vider et avait pris la fuite.

Je m'approchai de la table de chevet de ma mère et ouvris le tiroir. Il y avait un masque pour se protéger du soleil. Un paquet de bouchons d'oreille en cire. Une boîte à pilules pleine d'épingles à cheveux que je n'avais jamais remarquées dans les cheveux de ma mère. Dans sa coiffeuse, je fouillai dans le tiroir à maquillage, parmi les petits pots de rouge marqués Chanel sur le couvercle, la poudre et les pinceaux, les rouges à lèvres, les crayons marron et les crayons noirs, le mascara. Je n'avais pas la moindre idée de ce qu'on pouvait faire de tout ça. La beauté me faisait l'effet d'une maison où personne ne m'avait dit d'entrer. Elle devait être échafaudée avec soin, avec précision, et je me disais que j'étais le genre de personne dont les mains seraient toujours bien trop maladroites pour arriver à quoi que ce soit.

J'ouvris la boîte à bijoux de ma mère, en sortis sa bague de fiançailles et me la passai au doigt, étonnée de découvrir qu'elle m'allait parfaitement. Le doigt tendu vers la lumière, je plongeai les yeux dans le diamant posé comme un œil brillant au milieu d'un délicat carré d'émail noir. Parfois, j'avais l'impression que le cœur de ma mère ressemblait à un diamant. Scintillant et dur, fait pour être admiré.

Le numéro de téléphone était glissé dans le couvercle de l'écrin, griffonné en noir sur un bout de papier à lettres plié. L'indicatif ne me disait rien, mais je savais que j'avais découvert quelque chose de mystérieux et d'important. Il me semblait tout à fait normal que ma mère garde le numéro dans ce genre d'endroit. Elle tenait beaucoup à Lucille. Je m'assis au bord du lit pour composer le numéro, puis je raccrochai rapidement, avant de recommencer. Tandis que la sonnerie retentissait à l'autre bout, je me dis : « Pas de blague, fais ton devoir. »

« Allô ? » fit une voix d'homme endormie.

La surprise m'empêcha de répondre.

« Allô ?

— Qui êtes-vous ?

— Mais vous, qui êtes-vous ?

— Est-ce que Lucille Leopold travaille chez vous ? »

J'avais parlé d'une toute petite voix, sur un ton nerveux.

« Pardon ?

— Oncle…

— Vous avez… »

Je raccrochai le combiné noir et ôtai la bague de ma mère. Ma poitrine palpitait. J'avais bien failli me glisser dans la peau de quelqu'un d'autre. Je fourrai le numéro dans ma poche et sortis silencieusement de la pièce au moment où mon père montait l'escalier, un pan de sa chemise défait, le col déboutonné.

« Ah, c'est toi ! dit-il en respirant fort comme si l'escalier l'avait épuisé. Il fait chaud. On étouffe ici, tu ne trouves pas ? »

Il paraissait tellement perdu, tellement faible, à faire semblant que tout allait bien.

« Peut-être, répondis-je.

— Je vais ouvrir les fenêtres pour faire un peu de courant d'air.

— Tu veux que je t'aide ? » lançai-je dans son dos.

Mais il ne répondit pas. Alors j'allai dans ma chambre et je fermai la porte. Je mis le numéro de téléphone dans le tiroir de ma commode avec l'histoire de Starkweather cachée sous les photos découpées de Frankie Avalon faisant du surf à Venice Beach et de Fabian sur le plateau pendant le tournage de *Cinq semaines en ballon*. C'est comme ça qu'on faisait. On cachait quelque chose de précieux dans un endroit insolite. Mon oncle m'avait raconté que ma grand-mère voyageait partout avec ses bijoux dans un sac en papier, pour que personne ne songe à les voler ; mais elle s'était trompée de sac un jour, dans un train en Italie, et elle avait pris celui qui contenait son sandwich à la place. Et quand elle avait voulu mettre ses émeraudes pour une soirée importante, elle n'avait trouvé que du pain rassis.

Les choses finiraient par s'arranger, j'en étais sûre. C'était obligé. Je me mis à soigner mon apparence avant d'aller au lycée, même si ça ne faisait pas grande différence. Je lissais mes cheveux le long du visage pour cacher mes joues rondes et je rentrais mes chemisiers. Fini de jouer à la petite fille. Je me persuadai que j'avais perdu du poids depuis que Lucille n'était plus là. À l'abri de mon manteau sur le chemin du lycée, j'étais consciente de chaque pas, de chaque mèche balayée en travers de ma figure, de chaque crampe délicate de mon estomac affamé qui me disait que je m'approchais un tout petit peu plus d'un vide sécurisant.

Je picorais à la cafétéria, mais à la fin des cours, la faim me plongeait un couteau dans le ventre, et sur le chemin de la maison, tout se mettait à défiler beaucoup trop vite. Les maisons blanches de Van Dorn Street avaient l'air effaré avec leurs bannières rouges de l'équipe de football des Big Red, et j'avais le plus grand mal à atteindre l'épicerie sans m'évanouir. Je m'effondrais sur un tabouret près de la fontaine à soda, je commandais un milk-shake à la vanille avec les pièces que j'avais trouvées en fouillant les poches de mes parents dans la penderie de l'entrée, et je finissais par un sac entier de bonbons. Après, j'avais vraiment honte, en me disant que je resterais toujours à l'écart de tout.

En rentrant chez moi un après-midi, je fis une chose étrange, à laquelle je pensais depuis un bout de temps. Je remontai South 24th Street avec l'intention de faire à Cora une offre de paix quelconque. J'avais honte de moi et j'avais pitié d'elle. Je me demandais si elle se rendait compte qu'elle aurait facilement pu se retrouver morte dans une mare de sang à la place des Bowman. Partout en ville on disait la même chose : *les Bowman étaient vraiment des gens charmants.*

Je sortis de mes poches tous les bonbons, que Cora adorait, j'en étais sûre, mais au dernier moment, je les déposai dans la boîte aux lettres des Bowman au lieu de la sienne. Mes mains tremblaient. Je n'arrivais pas à croire que j'avais fait ça, mais je les laissai où ils étaient. C'était un message important, un signal secret pour le garçon que j'imaginais seul dans la grande maison où les gens normaux avaient peur de venir en visite.

Je fus très agitée pendant tout le dîner. Le fils Bowman était mon Petit Chose, en plus beau, un magnifique mélange de tous ces visages tristes dans les articles de journaux, des photos de ses parents qui avaient l'air si parfaits et si attentionnés. Je m'étais souvent dit que si Mrs. Bowman avait été ma mère, notre existence n'aurait peut-être pas semblé aussi étrange.

Un peu plus tard, j'attrapai mon manteau et sortis sur la pointe des pieds dans le garage obscur par la porte de la cuisine. Le froid me piquait les narines. J'enfonçai les mains dans mes poches. La lune ressemblait à une assiette posée sur une table en pointes de couteau scintillantes, et des formes étranges fleurissaient dans les massifs de rhododendrons. Je restai là sur notre pelouse gelée à observer la maison. Aucun mouvement, aucune impression de chaleur. Seule la télévision clignotait derrière les rideaux du salon, comme un éclair au loin.

Quelques minutes plus tard, j'étais devant chez les Bowman. La lumière brillait aux fenêtres du rez-de-chaussée. La lumière du perron me faisait signe comme un phare bienvenu. La maison donnait une impression de chaleur et de sécurité. Personne n'aurait pu deviner qu'une chose aussi horrible s'était passée là autrefois. La maison de Cora était dans le noir. Les fenêtres ressemblaient à de grandes bouches béantes.

J'ouvris la boîte aux lettres. Les gonds se mirent à grincer et je retins mon souffle. Je plongeai la main dedans, juste pour vérifier. Rien ; les bonbons avaient disparu. J'avais les doigts raidis par le froid à l'intérieur de mes mitaines. Un chien aboya et me fit sursauter. Il recommença, un aboiement perçant, décidé, déformé par le froid. Je tournai les talons et me dépêchai de rentrer chez moi.

Je fis le tour de la maison ; la lumière était allumée dans la chambre de mes parents. En levant la tête je vis ma mère entre les branches du chêne, les bras croisés sur le rebord de la fenêtre, observant le ciel, comme si elle essayait de découvrir un autre univers. Je me souvins que les carrés de lumière des autres maisons de la rue semblaient dégager de la chaleur, que chaque fenêtre ressemblait à une boîte à trésors en satin, abritant un petit monde en sécurité.

En entrant par la porte de derrière, je découvris mon père debout près de l'évier en train d'essuyer la vaisselle.

« Où étais-tu passée, jeune fille ? » dit-il.

La tête me tournait.

« J'étais allongée dans l'herbe à regarder les étoiles, répondis-je. Je cherchais la Grande Ourse.

— Ce n'est pas parce que ta mère a perdu les pédales que tout le reste doit suivre dans cette maison, dit mon père. Il y a quand même certaines règles.

— Vous vous êtes encore disputés ? »

Il prit une assiette et passa un torchon sur la surface. Puis il poussa un soupir, posa un coude sur la paillasse et scruta mon visage.

« Qu'est-ce que je peux faire pour toi, Susan ? De quoi as-tu besoin ? »

Je réfléchis un moment, et je me rendis compte que je ne savais pas ce que je voulais ni ce dont j'avais besoin. Je voulais avoir une allure différente, je voulais *être* différente, mais ces choses-là n'étaient pas de son ressort. De toute façon, il ne tenait jamais ses promesses.

« Je veux un cerceau, lui dis-je.

— Un quoi ?

— Laisse tomber. »

Je montai dans ma chambre et ouvris le tiroir de ma commode. J'écartai les photos découpées et l'article sur l'exécution. Je sortis le numéro de téléphone et dépliai le papier. Je restai à le regarder, essayant de deviner si c'était l'écriture de ma mère, ou bien si quelqu'un le lui avait glissé sur le zinc d'un bar, mais je ne me souvenais plus à quoi ressemblaient ses chiffres, seulement de la façon dont elle étalait ses lettres en travers de la page.

Pendant le cours de gymnastique, je fis exprès de me retrouver à côté de Cora. « Salut », fis-je, mais elle refusa de me regarder. Elle haussa les épaules et garda les yeux baissés sur ses chaussures de tennis jusqu'à ce que miss Winter donne un coup de sifflet pour qu'on fasse l'aller-retour en courant entre la ligne rouge et la ligne bleue.

Cet après-midi-là, je suivis Cora sans m'arrêter à notre rue, jusque dans South 24th Street, en restant à une certaine distance pour qu'elle ne me voie pas et pour pouvoir réfléchir à ce que j'allais dire. Je ne voulais pas rentrer à la maison avant le retour de mon père. Je ne voulais pas être celle qui lui dirait que ma mère était partie avec mon oncle ou avec l'inconnu du téléphone. Je ne voulais pas trouver la note posée à côté de son alliance sur la table de la cuisine, les placards et les tiroirs vidés de ses affaires. Je me demandais si mon père se mettrait à pleurer en découvrant qu'il ne restait aucune trace d'elle, s'il se contrôlerait devant moi ou s'il serait en colère.

Je me cachai derrière l'un des seuls ormes encore debout, un vieil arbre tordu qui penchait sur la rue. Appuyée contre le tronc rugueux, j'observai Cora ouvrir la barrière et vis son manteau beige disparaître derrière le pignon de la grande maison. Un pick-up bleu avec une inscription blanche sur le côté recula dans l'allée des Bowman, mais je voyais bien que ça n'avait pas grand intérêt. Des branchages étaient entassés à l'arrière. Un homme était au volant, une casquette de base-ball sur la tête. Il tourna à ma hauteur sans me regarder. J'attendis une minute avant de m'engager résolument dans l'allée. Arrivée à la porte, le doigt tendu, je poussai la sonnette de Cora.

J'entendis un bruit de pas, puis la porte s'ouvrit, et un petit garçon tout maigre avec des cheveux roux et un gant de base-ball à la main apparut. Il fronça les sourcils en me voyant. Il leva le gant de base-ball à hauteur de son nez et renifla.

« Salut, lui dis-je. Est-ce que Cora est là ?

— Tu es qui, toi ?

110

— Une amie du lycée.

— Je ne te crois pas. Ma sœur n'a pas d'amis. »

Il ouvrit la porte en grand et s'écarta ; j'en profitai pour entrer. Le hall était clair et aéré. Je me trouvais sous un lustre en verre coloré qui projetait des formes au plafond. On entendait le bruit lointain d'une radio mal réglée qui diffusait une voix venue d'ailleurs.

« Où est-elle ? demandai-je.

— Dehors en train de chercher le chat. Je lui ai balancé des capsules de cannettes hier, alors il a fichu le camp. Je déteste ce chat. »

Il plissa le nez et se gratta la tête avec son gant, puis s'assit sur une marche de l'escalier.

« Je déteste ma sœur aussi. »

Je ne savais pas quoi dire, alors j'ai juste hoché la tête en regardant par terre. Le plancher était brillant et ciré, du genre de ceux où on peut glisser en chaussettes ou se voir dedans.

« Je ferais peut-être mieux de repasser », dis-je, mais Cora apparut, déboutonnant son manteau beige. Elle s'arrêta sur le pas de la porte et plissa ses yeux pâles dans ma direction. Puis elle regarda son frère.

« Je n'ai toujours pas retrouvé Cinders, Toby. Tu vas avoir de sacrés ennuis. »

Le petit garçon lui tira la langue et fila à l'étage. Cora attendit que je dise quelque chose.

« Je suis désolée pour ton chat », lui dis-je.

Elle continua à me dévisager.

« Je suis venue te parler. »

Je n'avais pas eu l'intention de prendre cette petite voix. Je ne me sentais plus très sûre de moi. Je me mis à triturer une peau d'ongle. À l'étage, j'entendais toujours la radio, qui diffusait une sorte d'interview. J'entendais qu'on posait des questions, puis il y avait une pause, et quelqu'un répondait. Je me souvenais d'avoir entendu l'interview du frère de Starkweather à la radio avant l'exécution. C'était si loin ! Qui aurait pu croire que je me retrouverais si près de toute cette affaire ?

« Je suis désolée d'avoir été si méchante avec toi l'autre jour dans les vestiaires, lui dis-je rapidement. Je ne l'ai pas fait exprès. »

Cora ne me jeta pas un regard. Elle déboutonna son manteau et ouvrit la porte de la penderie.

« Je n'avais pas remarqué. Je ne sais même pas de quoi tu parles, dit-elle, mais à sa voix, je sentais bien qu'elle savait, qu'elle me détestait.

— J'espère qu'on peut devenir amies, lui dis-je.

— Tu ne voulais pas qu'on soit amies avant que je te surprenne à espionner la maison des voisins.

— Je ne suis pas venue espionner la maison des voisins. Je suis venue m'excuser.

— Ce n'est jamais aussi facile que ça », déclara Cora.

Elle s'approcha de la porte d'entrée restée ouverte, la main sur la poignée, et ses yeux pâles me lancèrent un regard supérieur. Un coup de vent s'engouffra tout à coup et une porte claqua quelque part en nous faisant sursauter toutes les deux. Le lustre cliqueta. Des taches de couleurs virevoltèrent sur la peinture blanche du couloir. Puis l'air redevint immobile.

« J'ai un peu honte, lui dis-je.

— Ça m'étonnerait. Il n'y a que les *poètes* et les *artistes* qui s'identifient. »

Elle fronça le nez comme si quelqu'un lui avait soufflé la phrase, et qu'elle ne savait pas trop ce que ça voulait dire.

« Je ne peux pas continuer à parler de ça. J'ai des choses à faire », dit-elle.

Mais je ne voulais pas partir. J'avais l'envie presque irrépressible de tout défaire d'un coup, de détricoter ma vie, là, tout de suite, et de la recoudre d'une manière différente. Les gens recommençaient de zéro tout le temps. Le fils Bowman avait recommencé de zéro après la mort de ses parents. Ou peut-être qu'il n'avait pas réussi. On ne peut pas recommencer de zéro si on n'a pas regardé le passé en face. Peut-être que Cora avait épié à travers la clôture et l'avait vu pleurer dans le parterre de roses. Personne pour sécher ses larmes. *Moi, je les recueillerais dans mes mains.*

« S'il te plaît, lui dis-je. Laisse-moi rester. »

Elle me jeta un regard amer.

Je sortis dans l'air froid.

« Je vais chercher ton chat », lui dis-je.

À l'étage, la radio se mit à grésiller, et mon cœur fit un bond. Quelqu'un avait tourné le bouton du volume dans le mauvais sens. Cora referma la porte.

Je restai sur le perron un moment, en me demandant ce que j'allais faire. Des nuages sombres s'amoncelaient dans le ciel. On sentait l'hiver arriver. Je m'agenouillai dans le parterre nu et jetai un coup d'œil sous la véranda. « Cinders, viens ici ! » appelai-je, mais sans résultat. Je ne savais même pas si on pouvait appeler un chat comme on le fait pour un chien. Nous n'avions jamais eu d'animaux à la maison. Je contournai la maison et regardai dans les branches des arbres. Je ne voyais rien, à part la maison des Bowman, très distinctement, derrière une petite palissade basse qui n'aurait pu empêcher personne de rentrer. J'avais la gorge nouée et mon sang battait à l'idée de me trouver si près d'un mystère. Mais j'avais aussi l'impression d'être toute petite, comme une feuille morte dans la brise, à la merci du vent. L'air froid me mordait les joues, mais je m'en fichais. J'enfonçai les mains dans mes poches et détournai les yeux de la palissade. J'imaginais Cora en train de m'observer depuis une fenêtre à l'étage, pour vérifier si j'avais dit vrai.

Vue de face, la maison des Lessing ressemblait à toutes les autres à Lincoln, bien installée sur son petit terrain ; mais derrière, il y avait des centaines d'endroits où se cacher. Le jardin se dépliait devant moi, sauvage et inattendu, bien plus grand que je ne l'aurais imaginé. Vers le fond, il y avait un petit bosquet d'arbres, et, en me faufilant parmi les troncs maigres, je me sentis plus à l'aise. J'avais une vue dégagée du jardin des Bowman. Je longeai la palissade en touchant une à une les pointes des piquets et remuai du pied un tas de feuilles mortes, comme si le chat avait pu se cacher là. Mais ça m'était un peu égal. Je jetai un coup d'œil par-dessus la palissade, pour observer un endroit qui me faisait penser à une grotte pour amoureux maudits. Il y avait un petit bassin à poissons, avec la statue d'un ange debout sur un pied, pointant une trompette vers le ciel. J'imaginais Charles Starkweather et Caril Ann Fugate s'asseyant là, leurs carabines appuyées contre le côté du banc, du sang sur leurs chemises, les yeux rivés sur le bassin, réfléchissant à toutes les choses terribles qu'ils avaient faites au nom de l'amour. À l'époque aussi, il faisait froid, c'était en plein hiver, et j'imaginais leurs cœurs comme deux boîtes gelées cognant l'une contre l'autre. Tout était blanc.

Comme si le ciel avait pu lire dans mes pensées, les premières rafales de neige se mirent à tourbillonner dans les branches des arbres. J'essayais de voir où tombaient les flocons, si la neige tenait ou bien si elle fondait, mais le vent ne leur laissait pas le temps de se poser. Et puis j'aperçus quelque chose qui ressemblait à une queue enroulée au pied de la fontaine en pierre. Je n'avais pas besoin d'un autre prétexte. J'escaladai la palissade et me glissai dans le jardin.

Ne sachant toujours pas ce que c'était, je gardai les yeux fixés dessus en essayant de retenir mon souffle. Mes pieds crissaient dans l'herbe gelée. J'approchai tout doucement vers le périmètre de gravier, où les assassins avaient sans doute posé les pieds eux aussi, en essayant de ne pas l'effrayer. J'avançai avec précaution jusqu'au bassin gelé et appelai le chat. Ma voix était criarde et manquait d'assurance. La queue remua et disparut derrière la statue. Le bout métallique de quelque chose heurta la pierre.

Une femme surgit de derrière des buissons, tirant vers elle le bout du tuyau d'arrosage noir. Je reculai, mais c'était trop tard. Elle m'avait vue.

« Ah, ça… » Elle s'interrompit soudainement en laissant tomber le tuyau, une main sur le cœur. Je distinguais l'éclat de ses bagues sous la manche en laine de son manteau, et le lobe de ses oreilles pendait sous le poids des perles.

« Je n'ai jamais eu aussi peur, jamais, dit-elle. Qu'est-ce que tu fais ici ?

— Je suis une amie de Cora, à côté, expliquai-je. On était en train de chercher son chat. J'ai cru voir Cinders, mais c'était sans doute le tuyau d'arrosage. Excusez-moi. »

Je sentais le rouge me monter aux joues. C'était elle qui avait trouvé mes bonbons ?

« Qui es-tu ?

— Je suis la fille des Hurst », dis-je en rentrant le menton dans mon col. J'étais un peu étonnée de ma réaction. J'avais été sur le point de mentir.

« Quoi ? »

Je relevai la tête vers elle et plongeai le regard dans ses beaux yeux durs.

« Susan Hurst, dis-je en donnant mon nom complet.

— Eh bien, j'ai le regret de te dire que je n'ai pas vu de chat. Si je le vois, je leur ferai savoir. »

Elle se baissa pour ramasser le tuyau et se mit à l'enrouler maladroitement autour de son bras. Je fis demi-tour, m'apprêtant à partir.

« Excusez-moi », lui dis-je par-dessus l'épaule, mais elle avait déjà disparu derrière la haie. Les flocons tombaient plus dru maintenant, s'amoncelant sur la trompette de l'ange de pierre. Le bassin était gelé, et on voyait les fantômes orangés des poissons glisser sous la surface.

Le temps que je rentre à la maison, un délicat film blanc avait recouvert les rhododendrons. Le silence était tombé dans la rue, et notre maison ressemblait à une tombe. On aurait dit qu'il manquait quelque chose, et je partis à la recherche de ma mère à travers les pièces grises.

Chapitre 9

1991

Tout le long de la route, je fis de mon mieux pour ne pas penser au coffre ni à ma famille, m'imaginant plutôt en train de me détendre avec un verre et un bon livre, écoutant le bruit du fleuve gris et frais qui passait près de la maison. Je n'y étais pas allé depuis des lustres.

Je filais sur l'autoroute, en essayant de sourire même s'il n'y avait personne pour me voir. Mais la clé du coffre me brûlait la poche et je n'arrivais pas à me sentir détendu. Ma femme avait transformé toute cette histoire en fardeau terrible.

Je pris les routes secondaires pour traverser Duchess County, faisant durer la journée. Des gouttes de pluie s'écrasaient sur le pare-brise et des feuilles jaunies venaient tomber en tourbillonnant sur la route mouillée. Je laissai derrière moi Balmville et Ulster Park, avec l'impression que je ne reviendrais jamais en arrière, mais sans même avoir eu le temps de m'en rendre compte, je me retrouvai dans le sous-sol de la First National Bank, la clé à la main, les yeux rivés sur la porte métallique du coffre 342.

« Vous savez, je ne suis pas sûr du tout qu'il y ait quelque chose à l'intérieur, dis-je à l'employé.

— C'est votre coffre, vous savez mieux que moi, répondit-il.

— En fait, je ne me souviens pas d'être venu ici. Ce n'est peut-être pas la bonne clé.

— Ah, mais votre signature correspond, alors… »

Il tourna sa clé dans la première serrure.

« Attendez, euh, pourriez-vous vous reculer un petit peu ? » demandai-je.

Mais l'employé resta planté là, ce qui me rendit très nerveux. Je pris la clé en laiton entre les doigts et l'insérai dans la serrure en laiton. J'espérais presque que la clé n'irait pas. Mais il y eut un déclic, et elle tourna sans difficulté.

Après un moment d'hésitation, je plongeai la main à l'intérieur. Mes doigts cognèrent contre quelque chose. Je sentis mon cœur s'emballer tandis que je sortais un casier de la taille d'une boîte à chaussures. Je le tenais enfin, ce vieux carton, lourd et si abîmé que j'avais peur qu'il crève. Je ne voulais pas savoir ce qu'il contenait, mais je me rappelais avoir tenu cette boîte entre mes mains bien longtemps auparavant. Et puis là, dans la salle des coffres de cette foutue banque, par un raisonnement étrange, je pris tout à coup conscience que je quittais véritablement Susan. Je n'avais aucune intention de repartir.

Sur le chemin de Port Saugus, la boîte posée sur le siège à côté de moi, je me demandais ce que j'allais faire de la galerie. Il fallait que j'appelle Francesca. Je devrais m'en remettre à elle pour tout emballer. Je pouvais diriger l'affaire depuis la maison de campagne, en attendant d'avoir une meilleure idée. J'étais un peu nerveux, malgré le bruit apaisant des essuie-glaces, et je n'avais envie que d'une chose : un verre de bourbon. J'en boirais jusqu'à plus soif, et personne ne pourrait me dire d'arrêter. La pluie avait peint la route couleur charbon de bois et détrempé les premières feuilles colorées de l'automne. C'était donc ça la liberté, cette errance grise à travers le silence des chênes et des érables.

En approchant d'un croisement, je vis un auto-stoppeur qui avait enfilé un sac plastique pour se protéger de la pluie. Il tenait un panneau délavé marqué Utica, et je me demandai un instant quelle raison impérieuse le poussait à se rendre là-bas. L'idée me traversa l'esprit de le prendre et de le conduire bien au-delà de sa destination, de continuer, continuer la route pour mettre le plus de distance possible entre nous et ceux qui se souviendraient encore de nos noms. Dans une ville inconnue où tous les hommes errants finissaient par arriver, je lui tendrais simplement la boîte en lui disant : « Elle est à toi, boss », je lui mettrais une claque sur l'épaule et je démarrerais à toute vitesse dans le brouillard. Je n'aurais jamais à regarder dans cette boîte si je n'en avais pas envie.

Lorsque je m'arrêtai au feu, l'auto-stoppeur s'avança sur la chaussée en levant le pouce. Je descendis ma vitre par politesse, et il se pencha, le coude sur la portière. Il était tout juste adolescent, de l'âge de mon fils peut-être, et pourtant il semblait lui manquer l'énergie des jeunes ou même des moins jeunes. Il sentait la nicotine, et ses vêtements humides dégageaient une odeur de sale.

« Vous allez dans ma direction ? demanda-t-il.

— Malheureusement, non, répondis-je, sentant son regard effleurer la boîte. Mais je me disais que je pouvais peut-être vous déposer à un croisement plus prometteur.

— Qu-qu'est-ce que vous insinuez ?

— Je veux dire que l'endroit ne me paraît pas très prometteur. Il n'y a pas beaucoup de circulation, mon gars.

— Au cas où vous n'auriez pas remarqué, il n'y a rien de prometteur par ici. »

Il retira son coude de la portière et me jeta un regard méchant comme si j'étais responsable de la situation. Il y avait quelque chose de troublant chez lui. Son regard semblait agité.

« Vous m'en voyez désolé, lui dis-je. Bon, bonne chance alors. »

J'appuyai sur l'accélérateur, l'abandonnant sur le bord de la route déserte, les sourcils froncés dans la lueur du feu clignotant.

Je n'arrivais pas à me défaire de la drôle d'impression qu'il m'avait laissée. J'imaginais une scène macabre tirée d'un de ces films que Hank regardait, l'instant où j'ouvrais la boîte pour y trouver un os, une main humaine, restée cachée là pendant des années. Je me souvenais d'un voyage que nous avions fait quand j'étais gamin, pour que mon père puisse visiter les ruines incas à Ingapirca. Nous avions essuyé des orages terribles, qui nous avaient empêchés d'arriver au site, mais un après-midi que ma mère se reposait à l'hôtel, mon père m'avait emmené dans un musée plein de têtes réduites posées sur des piques. Je l'avais harcelé, et il avait fini par m'acheter un souvenir : une tête factice avec de vrais cheveux et de vrais cils, nichée dans un cercueil en balsa muni d'une ficelle. De retour à la maison, j'avais trouvé la tête effrayante, et ma mère nous avait tous solennellement rassemblés dans le salon, avant de la prendre par le cou et de la jeter dans la cheminée. Je laissai ma mémoire évoquer son visage ; elle riait à la lumière du feu, mais je n'arrivais pas à me souvenir du ton de sa voix.

Je pris à droite dans Flint Rock Road et garai la voiture sur le parking du *Duck Goose Diner*. Je mis la boîte dans le coffre, parce que je ne voulais plus y penser. Il n'y avait pas d'autres voitures sur le parking. Jeudi après-midi, et toute la planète s'était claquemurée, à l'abri de l'orage. Une enseigne bleue clignotait doucement à la fenêtre, indiquant que le restaurant était ouvert, et je distinguais une silhouette solitaire coiffée d'une casquette John Deere, tranquillement attablée dans la lueur du néon.

J'ouvris la porte du *Duck Goose*, m'approchai de la caisse et frappai de la main sur le comptoir. Une serveuse sortit de la cuisine et fronça les sourcils, les mains sur les hanches. J'aurais voulu que ces hanches soient minces. J'aurais voulu qu'elle ait les fesses en forme de cœur, et des lèvres pulpeuses. Après tout, je vivais mes premières heures de liberté. Mais cette femme-là ne m'inspirait guère.

« J'ai vécu ici autrefois, lui dis-je. Je venais ici avec les enfants manger de la tarte.

— Ouais, fit-elle. Et ensuite vous avez, quoi donc ? Déménagé à Westchester pour pouvoir aller en train à New York ? »

J'éclatai de rire.

« Non, je suis juste un pauvre type qui ne sait pas où aller. »

L'homme assis sur la banquette toussa bruyamment et je m'efforçai de ne pas le regarder. La serveuse se mit à essuyer le comptoir, en esquissant un petit sourire qui aurait pu passer pour narquois.

« Vous faites toujours cette excellente tarte aux pommes ?

— Aux cerises, seulement, dit-elle.

— O.K., d'accord.

— Ça veut dire que vous en voulez ?

— Absolument », acquiesçai-je, un peu lassé de cette conversation. Je pris les pages sportives du journal, dans l'espoir de la faire disparaître. Précisément le genre de chose que ma femme avait en horreur.

La tarte n'était pas faite maison. C'était un de ces machins surgelés poisseux et douceâtres, mais je l'avalai malgré tout, et je laissai même un pourboire à la serveuse pour faire bonne mesure. Je suis toujours trop généreux.

En me dirigeant vers la sortie, je passai devant la cabine de téléphone et j'eus brusquement envie d'appeler Hank pour lui dire que j'étais fier de lui et qu'il me manquait déjà. C'est le genre de manifestation spontanée d'affection que les gens admirent. J'allai donc à la voiture chercher mon carnet d'adresses, retournai au restaurant et tentai nerveusement d'introduire une quantité ridicule de monnaie dans l'appareil pour obtenir la ligne.

« Henry », dis-je, tandis que la serveuse me jetait un regard méfiant derrière le comptoir, irritée peut-être de ne pas pouvoir espionner la conversation à travers la porte vitrée. Je lui tournai le dos.

« C'est papa.

— Salut, papa. »

J'entendais un bruit de voix dans son dos, peut-être son compagnon de chambre ou bien un groupe de nouveaux amis.

« Comment ça va, à la fac ? demandai-je.

— Ouais, ça va.

— Et tu te plais ?

— Ouais, ça va.

— Eh bien, ton père se trouve en ce moment dans un endroit assez inattendu. Tu ne devineras jamais.

— En Arabie Saoudite ?

— Ah, ça pourrait être ça. Le *Duck Goose Diner*. Tu te rappelles ? Près de Port Saugus.

— Non.

— On venait ici après les matches de base-ball quand tu étais petit pour manger de la tarte aux pommes parce que ta mère n'en faisait jamais. »

Il ne répondit pas.

« Ils ne font plus cette tarte, continuai-je. Le temps pourvoit à tout. Mais tu adorais cette tarte.

— Papa ?

— Écoute, je pourrais passer demain et vous emmener manger une pizza, toi et tes nouveaux amis.

— On n'est plus dans l'équipe de base-ball, papa, dit-il. Où est maman ?

— Aucune idée. »

Je me sentis tout à coup très mal à l'aise. Je jetai un coup d'œil par-dessus mon épaule et vis la serveuse qui m'observait d'un œil méfiant, comme si j'étais en cavale ou que j'avais balancé ma femme à la rivière.

« Je te dérange ? demandai-je à Hank.

— Tu étais là il y a pas longtemps.

— Tu es avec une fille ?

— Oh, écoute, papa !

— Souviens-toi de ne pas dévoiler la massue de cérémonie trop tôt, fiston.

— Il y a un truc sur le campus. Je suis en retard.

— Je suis tellement fier… », dis-je vainement.

Il était déjà parti, et je restai là un moment, le combiné à la main, ne sachant pas quoi faire. Je me demandai brusquement si j'avais jamais rendu un quelconque service à mes enfants. Maintenant que j'avais quitté Susan, est-ce qu'ils voudraient encore me revoir ? Ce ne devait pas être bien difficile de se séparer de quelqu'un qui n'avait jamais vraiment été là. Bien entendu, j'avais été présent d'une certaine manière. Mais ensuite les choses étaient devenues plus compliquées. J'étais tellement pris par mon affaire. Et maintenant, Hank avait quitté la maison. Mary s'en irait bientôt, elle aussi, et il nous était impossible à Susan et à moi de continuer ensemble avec le même optimisme qu'au début de notre vie commune. Je songeai à l'appartement, à ses pièces vides, au silence épais qui s'était installé entre nous.

Susan avait hérité de la maison de son oncle à Port Saugus en 1972. On y emménagea en 1973, à la fin de ma thèse sur la *Domus Aurea* de Néron, juste avant que Susan ne découvre qu'elle était enceinte. On passa des mois à trier ensemble les affaires de Douglas, faisant le va-et-vient entre l'Armée du Salut et la décharge, tandis que le ventre de Susan s'arrondissait. Les chiots se fourraient partout. Le toit avait besoin d'être réparé. On avait prévu de transformer la grange en salle d'exposition pour les objets que j'avais commencé à collectionner avec l'argent qui m'était revenu. Il fallait s'occuper des planchers, et les murs étaient encore plus délabrés. Il y avait beaucoup à faire, et je me mis au travail. Jamais je n'aurais cru être capable de faire autant, et je m'en sortais même avec un certain brio. Je passai moi-même le plancher de la grange à la ponceuse avant de le peindre dans une couleur appelée Brouillard londonien. Je transformai la chambre du bébé en ciel en la badigeonnant de bleu pâle, puis en appliquant au plafond de la mousse découpée en forme de nuages trempée dans de la peinture blanche. Susan était apparue plusieurs fois sur le seuil, l'air très satisfait, riant lorsque des gouttes de peinture blanche me tombaient dans les cheveux. « C'est vraiment un ciel, avait-elle dit une fois. Avec les fientes, et tout. » Plus tard, je le reconnais, je perdis tout intérêt. Mais à l'époque, je voulais avoir une maison différente de celle où j'avais grandi. Plus artistique et moins stricte, moins impressionnante. J'étais convaincu qu'un endroit confortable, accueillant, pourrait arranger les choses.

Douglas, l'oncle de Susan, avait été malade pendant des années, et les cochonneries s'étaient accumulées partout dans la maison. Susan faisait le tri comme une maniaque, avec une sorte d'énergie un peu démente, comme si elle était à la recherche d'un objet de valeur égaré depuis longtemps. Quand je m'en rendis compte et que je lui posai la question, elle me répondit qu'elle cherchait à savoir qui était son oncle mystérieux. Elle me dit qu'elle avait imaginé beaucoup de choses à son sujet. Mais cela n'expliquait pas toute cette agitation. Elle paraissait tellement déterminée. Je compris qu'il y avait un lien avec sa mère, dont Susan refusait de parler. Elle n'avait que Douglas à la bouche, lui qui avait payé ses études. « Sans lui, répétait-elle, je n'aurais pas eu grand-chose. Il était très proche de ma mère, mais il s'isolait de tout le reste. C'est comme s'il avait voulu se cacher ici. »

Un soir, je découvris des verres à martini et des flûtes à champagne minces comme du papier nichées en haut d'un placard, et qui dataient sans doute du temps où Douglas recevait encore des amis. Je partis en voiture acheter du champagne, j'essuyai deux flûtes avec un pan de ma chemise et fis la surprise à Susan.

125

Elle avait été si contente, comme une petite fille à qui on donne enfin la permission de faire ce dont elle avait toujours rêvé. Nous avions trinqué à ce que ma mémoire appelle désormais l'arrivée de la neige cet hiver-là. Puis je l'avais prise dans mes bras pour franchir le seuil, afin de réparer mon oubli le jour de notre mariage. Ce genre de choses, ces petites choses – des conventions en réalité – avaient toujours procuré un plaisir immodéré à ma femme.

Au fil des semaines, elle continua ses fouilles acharnées. Dans le tiroir d'une commode, elle découvrit une boîte pleine de lettres jamais envoyées, adressées à un dénommé Downs, à Oxford, dans le Mississippi. J'étais en train de vitrifier le plancher de la grange quand elle apparut sur le pas de la porte, une des lettres à la main.

« Arrête ce que tu fais et écoute un peu », dit-elle d'une voix douce.

Je lui obéis et coupai le vieux radiateur qui faisait du bruit.

Cher Michael, commença-t-elle.

Je n'arrive pas à croire que je suis devenu si vieux. Une femme vient maintenant chaque jour m'apporter mes repas. Mais dès qu'elle est partie, je me débrouille pour sortir et tout jeter sur le tas de compost. Le trajet est long ; chaque pas me semble un voyage, mais je m'appuie contre le pignon de la maison. Te souviens-tu du panorama sur le fleuve ? Tu semblais l'apprécier lorsque tu venais, et pourtant j'étais convaincu que tu avais vu quantité d'endroits bien plus beaux. Il était important pour moi d'aller te rendre visite à Biloxi ; c'est l'une des choses dont je me souviendrai toujours. Je reconnais à peine mes mains en écrivant ces mots. Elles tremblent et ne servent plus à grand-chose, mais elles sont pressées d'écrire, Michael, que je n'ai jamais cessé de penser à toi.

Susan enfouit son visage dans ma chemise en flanelle et se mit à pleurer. Je la tins serrée contre moi, sentant l'arrondi de son ventre entre nous, mais je ne pouvais pas vraiment prétendre être aussi ému qu'elle.

« J'ai décidé de poster les lettres, dit-elle. Je pense que Michael Downs aimerait les avoir. Qui n'a pas envie de recevoir une lettre d'amour ? »

Je ne savais pas quoi dire. L'obstétricien m'avait prévenu des sautes d'humeur. Il m'avait dit d'être patient.

« Tu es un peu remuée, lui dis-je. Rentre t'allonger et je vais te faire un thé au citron.

— Alors à ton avis je ne devrais pas les poster ? » demanda ma femme en s'écartant.

L'initiative me semblait mal venue et indiscrète.

« Je pense qu'il vaudrait mieux ne pas s'en mêler. Il ne voulait peut-être pas les envoyer.

— Il n'avait peut-être pas de timbres.

— Mon cœur, sois raisonnable. La femme qui lui apportait ses repas lui aurait apporté des timbres », répliquai-je.

D'une manière un peu différente, à vrai dire, je n'étais pas non plus très raisonnable. L'odeur du vernis me montait à la tête et je ne pouvais m'empêcher de penser à toutes les choses bizarres qui avaient pu se passer. Je suis toujours reconnaissant à un homme d'être discret sur sa vie privée. Douglas estimait peut-être également qu'il valait mieux taire certaines choses dans ce monde. C'était peut-être son silence qui l'avait enfermé dans sa solitude.

Susan me regarda, les cils humides, les lèvres tremblantes et dit : « C'est triste, tu ne trouves pas ?

— Je ne sais pas, Susan. Si ton oncle jetait sa nourriture, c'est peut-être qu'il voulait mourir. Ce Downs est peut-être un sale type. Je crois que ça ne vaut pas la peine de s'en faire à ce point.

— Tu ne vois pas ? Mon oncle aimait cet homme. Il y a une vie entière dans cette lettre ! »

Elle partit en courant, claquant la porte derrière elle. Par la fenêtre, je la vis s'asseoir sur le perron à l'arrière de la maison, enfouir la lettre dans la poche de son manteau et allumer une cigarette. Mon adorable femme avec un crayon planté dans ses cheveux relevés. Elle voulait que tout le monde ait quelqu'un dans sa vie ; c'était sa notion du bonheur. Je me disais qu'elle allait finir par faire du mal au bébé avec toutes ces émotions, et je sortis m'asseoir auprès d'elle.

Elle essuya une larme du revers de la manche et dit : « Je le trouve gris.

— Quoi donc ?

— Le fleuve.

— Je suis désolé », lui dis-je en touchant le bord de son manteau de laine sombre. Puis je lui pris la main pour l'embrasser. « Je tâcherai d'être un peu plus sensible. » C'est ce que je fis. Pendant toutes ces années, je surveillai la moindre parole, essayant de les convaincre tous que j'avais progressé, que pour moi l'amour n'était pas associé à une douleur terrible.

Il y avait de l'eau partout, ce premier printemps passé à Port Saugus. On s'endormait le soir au rythme des gouttes de pluie tombant dans les cuvettes en métal installées dans l'entrée. Souvent, ce n'étaient pas les orages qui nous réveillaient, mais les beagles, hurlant aux éclairs, découvrant pour la première fois qu'ils étaient des chiens de chasse. Il pleuvait sans discontinuer, le fleuve gris gonfla, et dans le ventre de Susan, notre fils flottait en paix. À la naissance, Hank suçait son pouce, et nous n'avions pas la moindre idée du nombre de jours, de semaines, de mois que nous allions passer à déployer des trésors de persuasion, ni du nombre de bouteilles d'arnica gaspillées pour essayer de le faire arrêter. Son pouce resta trempé et rabougri pendant des années, laissant une petite marque sur tout ce qu'il touchait, comme une empreinte de lapin humide, qui rappelait la pluie.

Ce devait être un mois avant la naissance de Hank, fin mars, lorsque Susan évoqua pour la première fois ce que nous allions dire à notre enfant à propos de mes parents. J'étais allongé dans la lueur de l'aube, regardant son énorme ventre se soulever au rythme de son profond sommeil. Derrière elle, à travers la baie vitrée, je voyais des nuages gris et une lisière d'arbres de l'autre côté du fleuve. Je m'étais senti à l'écart du vivant depuis si longtemps, et à ce moment-là, je me disais que tout pouvait changer. Je ne voulais plus être comme ça. Je me glissai près de Susan, et touchai son ventre du plat de la main. Elle ouvrit lentement les yeux et je lui souris. « À quoi rêvais-tu ? lui demandai-je.

— Je ne dormais pas.

— Tu es sûre ? »

Je caressai du doigt la crête de son nombril distendu caché sous la chemise de nuit. J'étais heureux qu'il soit caché, et pourtant, il provoquait une sorte de curiosité sexuelle chez moi. Il y avait quelque chose de vulgaire, d'animal, dans ses formes qui avaient pris des proportions exagérées, comme une idole féminine très ancienne. Je voulais lui faire l'amour, mais j'avais peur de casser quelque chose.

« Devine ce que je faisais ? » dit-elle.

Elle poursuivit sans me laisser le temps d'essayer.

« Je tentais d'entrer en communication subliminale avec le bébé.

— À t'entendre, on dirait que tu parles d'un extra-terrestre, dis-je en gloussant.

— Espérons que non, dit-elle en lâchant un long bâillement.

— Tu as appris quelque chose ? »

J'étais très intéressé.

« Oui, mais pas sur lui, sur moi.

— Le bébé t'a-t-il dit que son père te trouvait particulièrement bizarre ? »

Elle sourit en secouant la tête.

« J'étais en train de réfléchir à notre arrivée ici et au tri de toutes ces vieilles choses. En fait, je savais depuis le début ce que je cherchais. Je savais pourquoi c'était si important pour moi. »

Elle fit une pause et posa les deux mains sur son ventre. Je voyais ses doigts bouger avec les secousses du bébé.

« Depuis le début, je cherche quelque chose qui a appartenu à ma mère, dit-elle.

— On a trouvé des photos. C'était bien.

— Je voulais autre chose.

— Oui, j'imagine. »

Je tendis le bras pour écarter une mèche de cheveux de son visage, mais elle prit ma main et la serra contre sa poitrine.

« On aura beaucoup de choses à expliquer à cet enfant, Lowell. Il faudra faire en sorte qu'il se sente en sécurité.

— Qu'est-ce que tu veux dire précisément ?

— Je crois que tu sais ce que je veux dire. »

Je le savais, bien entendu, mais je n'étais pas convaincu que le sujet méritait discussion. Qu'est-ce que ça changerait ? Avant de dire au revoir à mes parents pour la dernière fois, au moment de partir en pension, je m'étais toujours senti en sécurité à la maison. Ce sentiment n'avait fait que rendre la perte encore plus épouvantable.

« On a encore des années devant nous », lui dis-je en me redressant. J'écartai les couvertures et posai les pieds par terre. Je ne voyais tout simplement pas comment on pourrait jamais expliquer une chose aussi incompréhensible à un enfant.

« Je sais que c'est difficile, mais je crois qu'on devrait commencer à y penser, dit-elle. Peut-être même en discuter avec quelqu'un.

— Je n'ai vraiment pas le temps d'y penser maintenant, dis-je, sur un ton involontairement trop brusque. Il faut que je choisisse l'éclairage et quelqu'un doit appeler Dick Cassidy au sujet de la gouttière.

— Oui, bien sûr, dit-elle. Ce n'est pas très facile. »

Je me levai et descendis pour laisser sortir les chiens.

Chapitre 10

1958

Tout a commencé comme les choses commencent normalement. Ma mère et Roe étaient partis déjeuner chez Barbara, et j'étais chargée de surveiller Betty Sue, mais moi, je surveillais la fenêtre pour guetter l'arrivée de Charlie. J'avais rentré le chien et je le caressais sur le sofa. Il faisait trop froid pour le laisser dehors, même si c'était la règle. Pas de chien dans la maison ! disait Roe. Qu'est-ce que j'en avais à faire ? Quand Roe partait travailler, ma mère n'aurait même pas remarqué si Nig avait pris une chaise et s'était assis pour dîner avec nous.

L'hiver était arrivé dans la nuit comme une vague grise, projetant la neige et le vent contre la maison. L'air entrait par les fentes, comme des morceaux de verre qui m'écorchaient la peau, et l'univers entier gémissait de solitude. J'avais froid, vu que j'étais en jupe, parce que je venais de me faire les jambes avec le rasoir volé à Roe, et je voulais que Charlie voie ça. C'était la première fois que je le faisais, et ça ne s'était pas très bien passé. Je ne savais pas trop où se trouvaient les os et les protubérances, ni dans quel sens on devait passer la lame. Je m'étais coupée dans l'évier de la cuisine, j'avais laissé la tache de sang sur la paillasse et les gouttes tombées par terre pour montrer à Charlie qu'il fallait souffrir pour être belle.

Betty Sue est arrivée en se dandinant, sa couche à moitié défaite. Il fallait la changer, mais je n'avais pas l'intention de m'en occuper. Plus on la changerait, plus elle se dirait qu'elle pouvait faire ça quand ça lui chantait. J'ai continué à taquiner l'oreille de Nig comme si je ne l'avais pas vue. Le chien s'était endormi, la tête sur mes cuisses.

« Coco ! a-t-elle dit en cachant son petit visage poisseux derrière une main.

— Si tu peux pas causer comme tout le monde, autant que tu laisses tomber, lui ai-je dit.

— Coco !

— Coucou toi-même ! »

Nig s'est relevé en penchant la tête de côté, une oreille dressée, l'autre pendante, celle qui avait été cassée parce qu'on avait trop tiré dessus, et j'ai vu la Ford rouge de Charlie se garer. Il a claqué la portière, s'est avancé d'un air bravache dans sa veste en cuir, et il s'est arrêté sur le perron comme s'il savait qu'on l'observait. Betty Sue m'a suivie jusqu'à la porte.

« Coco ! a-t-elle dit.

— C'est moi, Charlie, a dit Charlie.

— Elle fait l'idiote, ai-je dit en lui prenant la main.

— Peut-être qu'elle ne fait pas semblant. »

Je l'ai tiré par le bras jusqu'au sofa et je l'ai poussé pour qu'il s'assoie. Son cuir s'est mis à grincer. Je me suis assise près de lui. Il y avait des gouttes d'eau sur ses lunettes ; je les ai enlevées pour les essuyer sur ma jupe et les ai remises sur son petit visage tout plissé. Un sourire est apparu derrière son expression maussade.

« Quoi ?

« — Cette putain de neige sur mon cuir, a-t-il dit en s'époussetant les épaules.

— Pourquoi tu l'as mise, alors ? ai-je demandé en reniflant dans son oreille.

— Arrête, ça chatouille. »

J'ai balancé les jambes sur ses cuisses et appuyé ma tête sur l'accoudoir du sofa en laissant pendre mes cheveux. Betty Sue est partie à la poursuite du chien dans la chambre de ma mère et de Roe. Charlie a passé la main le long de ma jambe. Je me disais qu'il fallait secourir le chien. Les doigts de Charlie se sont arrêtés sur la coupure.

« Qu'est-ce qui s'est passé ? a-t-il demandé.

— Je me suis rasée pour toi. Il y a du sang partout dans la cuisine.

— Ouais, ben t'aurais pas dû faire ça. Tu ferais mieux d'aller nettoyer, a dit Charlie. Mets un pantalon. »

J'ai retiré mes jambes et j'ai croisé les bras. J'ai poussé un gros soupir comme si j'étais en train de tenir un lourd fardeau pour lui faire plaisir, un fardeau qui devenait de plus en plus lourd, comme une boule de neige qui grossissait jusqu'à pouvoir écraser quelqu'un.

« Fais pas la tête, Caril Ann », a dit Charlie.

Il a glissé son bras derrière mon dos et posé les lèvres sur mon cou, et j'ai tout de suite arrêté de faire la tête. J'ai fermé les yeux, attendant la bouffée de chaleur.

« T'as aucune raison de faire la tête », a murmuré Charlie.

Son haleine me chatouillait la peau.

« C'est pas ta faute si tu connais pas la suite. J'aime bien ton odeur.

— Tu *aimes bien* ?

— J'*adore* ton odeur.

— Qu'est-ce que je sens ?

— Je sais pas, a-t-il dit en prenant ma main et en la mettant dans sa poche. Tu sens ça ? »

J'ai sorti un billet de vingt dollars. Je l'ai pris entre les doigts et j'ai tendu le papier pour sentir l'odeur.

« On part à Vegas ? ai-je demandé.

— On va manger un steak.

— C'est le milieu de l'après-midi.

— Il faut bien que tu manges.

— Mais je ne peux pas emmener Betty Sue. Elle va nous encombrer. »

Charlie a fait comme s'il allait m'en coller une pour me faire taire.

« Allez, ma petite poulette, arrête de jacasser. »

Mais je ne trouvais pas ça drôle. Il fallait bien que je mange, mais tout le monde s'en fichait. Il n'y avait que Charlie pour faire attention à moi. Ma mère et Roe me disaient seulement ce que je *n'avais pas le droit* de faire. Et maintenant, Charlie et moi on devait se cacher parce que Roe avait décidé que je ne devais plus voir Charlie. C'était pas juste.

« Je ne peux pas laisser le bébé, ai-je dit en haussant les épaules.

— C'est pas ton môme. C'est même pas ta vraie sœur. »

J'ai levé les yeux au ciel pour lui montrer que je n'avais pas le temps d'écouter ses arguments, mais à l'intérieur, j'avais le cœur tout gonflé parce que Charlie me traitait comme une princesse.

« D'accord, a dit Charlie en se levant et en tripotant le col de sa veste. Je vais aller me manger un steak tout seul et dire à la serveuse que c'est elle que j'aime et pas toi. »

Il a poussé le bord du tapis du bout de sa botte.

« C'est pas gentil », lui ai-je dit. J'avais envie de l'embrasser.

« Tu ne m'aimes pas, comme on avait dit ? »

Je me suis levée pour embrasser le bout de son nez. Il était triste que ça ne se passe pas comme il avait prévu. Il était comme ça parfois, un petit garçon. Je voulais arranger les choses pour lui.

« Si tu me laisses conduire, alors je t'aimerai. »

Je l'ai serré très fort. C'était un jeu entre nous, mais pas vraiment un jeu pour moi. Charlie ne me laisserait jamais conduire. D'abord, disait-il, je serais une femme dans un ou deux ans, et tout le monde savait que les femmes étaient incapables de tenir un volant ; ensuite, je passais trop de temps à le regarder avec des yeux de poisson frit pour m'occuper de la route. Mais là, Charlie ne riait pas. Je sentais ses bras me serrer aussi, et il y avait de la tristesse dans la manière dont il me tenait, comme si j'étais la dernière brindille dans une grande bourrasque.

Il s'est dégagé, s'est approché de la fenêtre, l'air absorbé par le verglas sur la route. Je voyais bien qu'il avait de mauvaises pensées et qu'il se disait que le monde le traitait mal.

« Chuck », ai-je appelé.

Il a passé son doigt sur l'interstice et m'a regardée par-dessus son épaule.

« Je supporte pas qu'ils disent qu'on n'a pas le droit de sortir ensemble. Pour qui est-ce qu'ils me prennent, Caril Ann ? Un sale trouduc tout juste bon à ramasser les poubelles ? Je m'en balance de ce qu'ils pensent. Et tu devrais faire pareil.

— Je m'en balance aussi, ai-je dit en lui passant les bras autour du cou, le nez plongé dans l'odeur du cuir. Ils ne m'ont jamais emmenée manger un steak, eux, ai-je dit aux plis de sa veste. Il n'y a que toi pour me donner du steak. »

Je suis allée mettre Betty Sue au lit.

« Sois sage, lui ai-je dit. Dors. »

Mais elle n'arrêtait pas de pleurer. J'ai arrangé sa couche, je l'ai fait sauter dans mes bras et j'ai fabriqué un chapeau avec un bout de papier journal qui traînait par terre à moitié sous le lit. Je me disais que c'était gentil de faire ça, et Betty Sue aussi. Elle l'a écrasé entre ses mains, s'est frotté les yeux avec et a mis le doigt dans sa bouche en me regardant à travers les barreaux du lit.

« Pas un mot », ai-je dit à voix basse. J'ai fermé la porte tout doucement comme si je faisais attention à ne pas la réveiller.

Je voyais Charlie par la fenêtre. Il était déjà dehors, assis sur le capot de la voiture en m'attendant. Il tapait du pied sur le pare-chocs en essayant de se tenir chaud. Tout ce que je voyais depuis la fenêtre avait l'air gris et mort. La maison des voisins couverte de plastique pour empêcher le vent de rentrer, le frigo rouillé, le pneu foutu abandonné sur le devant, enfoui sous un tas de neige. Il n'y avait que les cheveux de Charlie pour donner un peu de clarté, et je me suis dirigée vers elle en sortant, comme vers une lueur dans une grotte. Il faut profiter des bonnes choses comme les lueurs dans le noir et les steaks quand on tombe dessus.

Charlie a ouvert la portière côté passager, mais j'ai haussé les épaules comme si je ne l'avais pas vu. J'ai contourné la voiture et je me suis glissée sur le siège du conducteur.

« On n'ira nulle part comme ça, a dit Charlie.

— Donne-moi les clés.

— T'as quatorze ans. T'as pas le droit de conduire.

« — Et alors ? J'ai pas le droit de sortir avec toi non plus.

— C'est pas la même chose.

— Tu me prends pour qui ? Tu n'as pas confiance ? ai-je dit en appuyant plusieurs fois sur la pédale.

— Tu veux du steak ou pas ? a fait Charlie en regardant intensément par terre parce qu'il ne pouvait pas me regarder. Tu bouges ou tu restes là.

— Non », ai-je dit.

Mais j'ai tout de même changé de siège parce que j'avais déjà décidé d'y aller, et en plus j'avais faim. Qu'est-ce que je pouvais faire d'autre ? Charlie était comme ça des fois au sujet des voitures. Il était le seul à ne pas lâcher prise dans les courses de stock-cars. Tout de même, je trouvais qu'il aurait dû lâcher prise avec moi.

Il a posé la main sur mon genou en s'excusant, et j'ai oublié pendant ce temps qu'il ne me faisait pas confiance, et que donc ça ne pouvait pas être de l'amour.

Charlie a dit qu'il aimait bien la façon dont la serveuse le traitait, qu'elle lui donnait du respect, et qu'elle ne lui avait même pas demandé son âge quand il avait commandé une bière, malgré le fait qu'il était assis en face d'une gamine comme moi. Je le rabaissais, qu'il a dit. Avec moi, il avait l'air d'avoir quinze ans, alors qu'il en avait en réalité dix-neuf, mais il avait aussi l'air d'être un veinard. J'avais envie de lui dire *Tu as l'air jeune parce que tu fais à peine un mètre soixante*. Mais j'ai tenu ma langue et j'ai fait semblant de sourire. Je savais bien tout ce qui aurait pu être dit mais qu'il ne fallait pas dire. Quand on aime quelqu'un, il faut aimer tout, même les défauts. Je fai-

138

sais de mon mieux. J'étais là, à siroter mon soda, regardant par la fenêtre de *Hanger's*. Une dame tout emmitouflée installait sa petite fille à l'arrière d'une voiture, et de l'autre côté de la rue, les sacs noirs enveloppant les pompes à essence battaient au vent. Il y avait une lampe fixée à une chaîne au-dessus de notre table, et l'abat-jour en verre sombre projetait une lueur sur la tête de Charlie. J'ai plissé les yeux jusqu'à ce que ses cheveux ressemblent à un incendie, pas un incendie méchant, le genre d'incendie qui me ferait fondre le cœur. J'ai dévoré un steak gros comme ma tête, on continuait à nous resservir du pain et je l'ai avalé aussi.

« J'ai engraissé jusque-là, ai-je dit en posant la main sur mon cou.

— Ça n'arrivera jamais, a répondu Charlie. Tu es tellement minuscule que ce steak te traverserait le corps avant de te faire grossir. »

J'ai levé les yeux au ciel et j'ai commandé une tranche de gâteau au chocolat avec de la crème fouettée dessus. Charlie a pris une autre bière. J'ai fermé les yeux tellement le dessert était bon. Avec la crème fouettée, j'ai dessiné des formes et une tour.

« Je pourrais continuer à manger ça jusqu'à ce que je disparaisse, lui ai-je dit.

— Bien sûr que non. »

Charlie me regardait fixement, comme si j'avais un morceau de chocolat collé au coin de la bouche.

« On ne peut pas mourir en mangeant de la crème fouettée.

— Qui parle de mourir ?

— Tu as dit disparaître. »

Charlie a haussé les épaules comme si la réponse suffisait et a appuyé sa tête sur le dossier de la banquette en cuir rouge.

« Je voudrais bien avoir des billets de vingt en permanence, comme ça je pourrais t'en faire profiter. »

Il a avalé une gorgée de bière, fermé les yeux, puis
les a rouverts en souriant.

« Caril ?

— Quoi ?

— Si tu avais vraiment envie de quelque chose, je
passerais la nuit dans le caniveau pour l'avoir. Je
ferais n'importe quoi.

— Ne va pas dormir dans le caniveau, Chuck, lui
ai-je répondu. Fais pas l'imbécile. » Tout d'un coup,
je n'avais plus envie de lui demander où il avait
trouvé son premier billet.

« Je fais pas l'imbécile, a dit Charlie, je t'aime. »

J'ai imaginé Betty Sue qui se coinçait la jambe
entre les barreaux du lit en essayant de l'escalader,
risquait de tomber et de se cogner la tête, et tout ça
serait de ma faute parce que je ne l'avais pas sur-
veillée comme il faut.

J'ai repoussé le reste du gâteau.

« Si tu m'aimais, tu me laisserais conduire. Mais tu
n'as pas confiance en moi. »

Charlie m'a regardée comme si je l'avais giflé en
pleine figure. Ses joues sont devenues toutes rouges.
C'était peut-être à cause de la bière. Puis il a plongé
la main dans sa poche.

« Si, je t'aime, a-t-il dit en me tendant les clés.
Mais je suis pas censé te laisser conduire ma caisse,
alors tu diras rien. Tout le monde me traiterait de
lopette.

— Tu n'es pas une lopette, Chuck. Je t'aime, lui
ai-je dit. Je t'aime plus que Frankie Avalon. Je t'aime
plus que n'importe quoi. »

J'ai fait tournoyer les clés sur mon doigt dans un
joli bruit argenté.

En sortant de chez *Hanger's*, j'ai pris à gauche et j'ai descendu tout doucement O Street, en effleurant à peine la pédale. Il n'y avait pas beaucoup de voitures sur la route, et je ne voyais personne au carrefour, alors j'ai continué malgré le stop. Je ne sais pas pourquoi, mais Charlie s'est énervé.

« T'es obligée de t'arrêter, a-t-il dit.

— Pourquoi ça ?

— Ils te mettront en prison.

— Qui ? Je ne vois personne.

— Ils sortent quand on ne s'y attend pas et ils te coincent.

— O.K. », ai-je fait en regardant dans le rétroviseur.

L'accélérateur, le frein et le volant. C'était pas plus compliqué que ça. Le métal sur le métal, et toutes les petites choses simples qu'on faisait pour que tout se passe bien sur la route. C'était à peine croyable qu'une machine aussi puissante soit aussi facile. Je sentais le volant et la façon dont les bruits du moteur me remontaient le long des bras jusqu'à la mâchoire et faisaient s'entrechoquer mes dents comme du silex. Pendant une minute, je n'ai plus pensé à regarder Charlie à côté de moi. Mais je le sentais nerveux. C'était comme un câble tendu qui vibrait. Je n'avais pas besoin de regarder. On a bientôt laissé derrière nous les immeubles, alors j'ai appuyé sur la pédale pour sortir en trombe de la ville. J'ai baissé la vitre pour sentir le vent ébouriffer mes cheveux, mais il faisait trop froid, et j'ai dû la remonter, et en me penchant, j'ai fait pencher la voiture aussi.

« Fais attention ! a dit Charlie.

— Est-ce qu'on peut prendre cette route où ils ont trouvé le cadavre ?

— Pour quoi faire ? » a demandé Charlie en tripotant la radio. Mais il n'y avait que de la publicité, et il a fini par l'éteindre.

« Pour que je puisse continuer à m'entraîner.

— On n'a pas le temps. J'ai envie d'aller chasser un peu avant le retour de tes parents », a dit Charlie.

Je savais qu'il avait l'intention de tirer les lapins qui vivaient dans le tas de bois sous les peupliers.

« S'il te plaît, ne tue pas les lapins, lui ai-je dit.

— Je vais juste en tirer un.

— Et s'il est marié ?

— Les lapins ne se marient pas », a dit Charlie en m'embrassant sur la joue. J'ai appuyé sur la pédale, mais un pick-up bleu avec un phare cassé arrivait dans l'autre sens, et j'ai ralenti parce que la route m'avait l'air étroite. Les pneus ont crissé sur une croûte de glace et j'ai perdu le contrôle, comme le jour où j'étais tombée de la chaise à moitié cassée, que ma jupe était remontée et que toute la classe avait rigolé. Le pick-up s'est arrêté. La route s'est mise à toussoter et le volant à vibrer et Charlie me hurlait de ne pas freiner, mais j'ai freiné quand même, et c'est le dernier choix que j'ai fait de toute ma vie.

Chapitre 11

1962

Je passais de pièce en pièce à travers la maison silencieuse, sachant déjà que je ne trouverais pas ma mère. Partout, on sentait le calme profond qui indique que quelque chose manque. Je montai à l'étage et ouvris le tiroir de sa commode. Je vis le tissu rouge au fond qui me regardait. Dans le dressing, les vêtements étaient toujours soigneusement accrochés, mais c'étaient des affaires dont elle n'aurait jamais besoin. Elle avait emporté son long manteau noir, et je me disais donc qu'elle avait l'intention d'aller dans un endroit chic. Des robes avec des broderies de perles délicates étaient enveloppées dans du plastique qui traînait au sol, et des châles brodés de motifs mexicains étaient restés sur l'étagère à côté de sacs à main que je ne l'avais jamais vue porter. En découvrant sa toque jaune abandonnée sur une des étagères où elle avait pris d'autres choses plus essentielles, je me sentis complètement perdue. Je me mis à enlever des affaires des étagères. J'allai fouiller la penderie du rez-de-chaussée, comme si je m'attendais à la trouver là, par une sorte de miracle.

Je découvris qu'elle avait aussi pris la Studebaker. Personne n'était venu la chercher ; elle était partie toute seule. Mais ça n'était pas un réconfort. J'avançai jusqu'à l'emplacement où aurait dû se trouver la voiture, contemplai une tache d'huile noire et croisai les bras sur ma poitrine pour me tenir chaud. Je pouvais voir mon haleine, et la forme anguleuse des râteaux alignés au fond du garage me donnait envie de pleurer. Au-dessus de la rangée d'outils, des flocons gris virevoltaient contre la vitre sale. Je sortis par la porte de côté et m'assis sur une souche d'orme, en attendant que mon père rentre du travail. On était seuls maintenant.

En voyant la voiture de mon père s'engager dans l'allée, je courus à sa rencontre. Il se pencha pour ouvrir la portière côté passager, et la lumière inonda l'intérieur chaud de la voiture.

« Viens t'abriter une minute, dit-il. Tu ne devrais pas être dehors.

— Elle est partie », lui dis-je en agrippant le bord de la vitre et en examinant la mince couche de neige qui recouvrait tout. Je pris tout à coup conscience que ma mère était vraiment partie. Quelle sorte de fille pouvait provoquer ce genre de chose ? Une mère qui s'en va sans une pensée, sans laisser un seul mot, un au revoir.

Je contournai la voiture pour aller m'asseoir à côté de mon père, tandis qu'il guidait la voiture le long de l'allée. J'évitais de le regarder parce que je ne voulais pas lire sur son visage ce qu'il devait sûrement ressentir. La neige sur mes cheveux se mit à fondre et glissa le long de mon front ; j'essuyai les gouttes d'un revers de manche.

« Toutes les affaires de maman ont disparu, lui dis-je. Et sa voiture aussi, papa.

— Il y aura plus de place pour celle-ci, dit mon père en tapotant le volant de la Packard. Ce n'est pas une raison pour attraper la mort dans le froid. »

Il sortit pour ouvrir la porte du garage, son trench-coat s'écartant comme les ailes d'une chauve-souris dans la lumière des phares.

J'avais l'impression de le connaître à peine. Il ne racontait jamais rien, et la plupart du temps il semblait ne parler qu'à ma mère. Il ne regardait qu'elle. Rien d'autre ne comptait. Je ne savais pas ce qui allait se passer maintenant. J'étais trempée et j'avais froid. Il n'y avait pas une âme au monde que je pouvais préten-dre bien connaître, personne qui ne hausserait pas les épaules et ne lèverait pas les yeux au ciel au cas où je déciderais de tout laisser tomber et de m'allonger dans la neige. La vie n'était pas ainsi pour « les épis » au lycée. Seulement pour le fils Bowman dont les parents avaient été tués, et peut-être pour Cora, dont le propre frère m'avait dit qu'il la détestait. Certains d'entre nous avaient mal tourné. Ça me paraissait vraiment injuste.

Mon père revint s'asseoir dans la voiture et la gara à l'emplacement de la Studebaker. En rentrant dans la cuisine silencieuse, je me mis à pleurer. Je n'essayai même pas de me retenir. Je me disais que ce n'était pas à cause de ma mère, et pourtant, des années plus tard, j'en serais encore à me demander ce que j'avais bien pu faire pour la chasser.

« Je fais toujours pleurer tout le monde, dit mon père. Je ne sais vraiment pas pourquoi. Est-ce que je suis si mauvais que ça ? »

Je n'arrivais tout simplement pas à concevoir notre existence. Je ne pensais pas pouvoir prendre la place de ma mère.

« Je t'ai apporté un de ces cerceaux, dit-il. Avec des rayures roses.

— Où est-il ?

— Dans le coffre.

— Tu ne comprends pas ce que j'essaye de te dire, insistai-je. Les affaires de maman ont disparu. Elle nous a abandonnés. J'essayais seulement de te le faire savoir.

— Oh, non, Bouchon. Elle ne ferait jamais ça. »

Il ôta son chapeau, le posa sur la table et se servit un verre.

« Elle ne t'a rien dit ? Elle est partie à Kansas City pour rendre visite à une amie d'université. Tu n'as aucune raison de t'en faire.

— À qui est-elle allée rendre visite ?

— J'ai oublié son nom. Une ancienne de la bande, dit-il en remplissant son verre de glaçons. Quelque chose Kimball. Elle reviendra. »

Nous étions assis dans le salon à regarder le journal télévisé en attendant que l'eau se mette à bouillir. J'essayais de faire des spaghettis tandis que les journalistes informaient la planète qu'il y avait une tempête et que deux équilibristes de cirque avaient fait une chute mortelle. La neige tombait abondamment dans tout le Midwest. On prévoyait jusqu'à trente centimètres dans certaines régions du Nebraska et du Kansas. On mettait en garde les automobilistes. On aurait dit que tout arrivait en même temps.

Mon père enleva ses pieds du pouf et posa son verre sur la petite table à côté de la collection de grenouilles en faïence de ma grand-mère. Il se pencha en

146

avant, les coudes sur les genoux, et on scruta la dentelle formée par les flocons décorant notre région sur la carte.

« À quelle heure est-elle partie ? demanda-t-il en regardant sa montre.

— Je ne sais pas. »

Je voulais lui dire que ça n'avait pas d'importance. Sa fille et son mari ne suffisaient pas à ma mère. Comment pouvait-il ne pas le voir ?

Mon père avait les yeux fixés sur la rue comme si la lueur tombant des réverbères avait pu lui apprendre quelque chose.

« Au moins ils n'ont pas parlé de tempête de neige dans le Missouri, dit-il en soupirant.

— Pourtant, c'était tout couvert de flocons. »

Je voyais bien qu'il était inquiet, et je voulais lui montrer que j'étais inquiète moi aussi. Je pris une règle sur le secrétaire, ouvris la porte-fenêtre et enfonçai la règle dans la neige pour mesurer l'épaisseur. Quand j'étais petite fille, à Chicago, il y avait eu un blizzard le lendemain de la fête organisée tous les ans par mes parents pour le Nouvel An. Certains des invités qui s'étaient effondrés dans les chambres d'amis ou sur les sofas étaient bloqués, et ma mère leur avait fait des cocktails mimosa. Mon père et moi étions allés nous enfermer dans la bibliothèque pour regarder la neige. Il avait fait semblant de sortir une pièce de monnaie de mon oreille, et je m'étais mise à hurler parce que je croyais que tout s'était transformé en argent à l'intérieur de ma tête. « Ça pourrait être pire, avait dit mon père. Certaines personnes ne donnent que des petites pièces », ce qui n'avait fait que me perturber davantage. Je me souvenais qu'il avait l'air préoccupé en s'asseyant avec moi pour m'expliquer comment il avait fait son tour. Puis on avait enfilé nos bottes et on s'était aventurés dehors. On avait marché dans les rues silencieuses, main dans la main, en essayant de deviner la quantité de neige qui tombait. Plus tard, mon père avait plongé un mètre dans la neige.

« Presque dix centimètres, papa, lui dis-je en me reculant dans le salon et en refermant la porte. Tu crois qu'elle va bien ?

— Évidemment. Elle doit déjà être à Kansas City. »

Mon père éteignit la télévision et se rassit.

« J'étais en train de me dire… fit-il en martelant sa tempe. On devrait acheter un nouveau sofa. Ça lui plairait, tu ne crois pas ? »

Je haussai les épaules.

« Ah ça, oui, dit-il en se frappant la cuisse. Ça lui plairait beaucoup. »

Puis il s'allongea, posa un des vieux coussins sur son visage et soupira dans le pli.

En le regardant allongé là, désemparé, je voulais que tout redevienne comme avant. Je voulais que Lucille me brosse les cheveux et qu'elle arrange tout. Je voulais que notre vie retrouve un peu d'ordre, comme les gens normaux.

« Qu'est-ce que tu fais ? » demandai-je.

Mon père ne répondit pas.

À l'étage, j'ouvris le tiroir de ma commode et dépliai le numéro de téléphone que j'avais trouvé dans la boîte à bijoux de ma mère, en répétant sans arrêt les chiffres comme si j'avais peur de perdre le papier en allant dans la chambre de mes parents. Je me glissai doucement dans la pièce. Je me dirigeai à tâtons, caressant le couvre-lit, le pied de lampe, la surface froide en verre de la coiffeuse de ma mère. Je sentais tous ses parfums chics. Dans le miroir, mon visage avait pris une teinte bleu pâle dans la lueur reflétée par la neige.

Je pris le téléphone sur la table de chevet et tirai le fil jusqu'à la penderie de ma mère ; j'allumai la lumière et fermai la porte. Accroupie dans le rideau de plastique protégeant les robes, je composai le numéro, laissant le téléphone sonner longtemps.

« Allô, finit-il par dire.

— Allô. »

Mes mains tremblaient.

« Écoutez. Vous ne me connaissez pas, mais… j'appelle pour savoir si ma mère est là.

— Ah, ça dépend. Comment s'appelle ta mère ? » dit-il lentement. Puis il éclata de rire comme si c'était une sorte de plaisanterie.

« Ann Peyton Hurst. »

Il y eut un silence, comme si le téléphone ne marchait plus. J'écartai un pan du plastique de mon visage en me redressant sur les genoux.

« Allô ?

— Comment as-tu eu ce numéro ?

— Je l'ai trouvé.

— Et qui es-tu, toi ?

— Je suis sa fille. Qui êtes-vous ?

— Nils Ivers. Tu n'as peut-être pas entendu parler de moi. Ta mère s'est appelée Ivers pendant un moment. Deux mois, à peu près.

— Il faut absolument que je lui parle, dis-je. Il y a un blizzard.

— Eh bien, ici, il n'y a pas de neige du tout. »

Il marqua un silence.

« Elle a quitté quelqu'un d'autre ? »

Je ne dis rien.

« D'où appelles-tu ? »

J'attendis un instant avant de répondre.

« Lincoln, dans le Nebraska, finis-je par dire. Là où il y a eu tous les meurtres. »

J'espérais l'impressionner. J'imaginais qu'il était le genre d'homme à apprécier une histoire comme ça.

« Eh bien, tu es en ligne avec Los Angeles, ma puce. C'est un appel longue distance.

— Ça ne fait rien, dis-je brusquement. On a de l'argent plein les poches.

— C'est sympa. Quel âge as-tu ? »

Je marquai un temps. Quatorze ans était trop jeune.

« Dix-sept, lui dis-je.

— Je parie que tu es ravissante.

— C'est ce que tout le monde dit. »

J'avais l'impression que ma langue s'agitait sans que mon cerveau intervienne.

« Je parie que tu lui ressembles.

— C'est vrai, mentis-je. Les gens trouvent ça incroyable. On porte les mêmes vêtements », ajoutai-je, posant le regard sur la toque jaune de ma mère. J'éprouvais un sentiment très bizarre ; j'avais l'impression d'être un pantin au bout d'une ficelle manipulée par quelqu'un.

« Tu m'as tout l'air d'être une belle plante, toi. Un beau brin de fille. Tu as pensé à faire du cinéma ? Je me suis toujours dit que ta mère aurait dû faire du cinéma.

— Quelquefois. Mais je m'intéresse davantage à d'autres choses.

— Par exemple ?

— Les chevaux et tout ça. Écoutez, je n'ai plus le temps. Il faut que j'y aille, lui dis-je.

150

— Tu es si pressée que ça ? C'est une urgence ? Elle s'est encore attiré des ennuis ?

— Quel genre d'ennuis ?

— Elle n'a pas essayé de se faire du mal, au moins ? »

Je sentis une nouvelle crainte m'envahir. Je ne savais plus quoi dire.

« Ne t'en fais pas, reprit-il pour me rassurer. Je suis sûr que non. Elle sait bien que ce n'est pas dans son intérêt de toucher à son capital.

— Il faut que je libère la ligne.

— Aaaah. Je comprends. Ton petit ami. Il t'a donné son blouson ?

— Il m'a dit qu'il appellerait, lui dis-je. Il faut que j'y aille.

— Attends, dit-il brusquement. Les gens croyaient que je ne l'aimais pas. Ils avaient tort. »

Je raccrochai, et j'appuyai la tête contre le mur, comptant les robes que ma mère avait laissées. Mon cœur battait tellement fort que je croyais qu'il allait me briser la poitrine. En bas, la casserole des spaghettis débordait.

Il tomba presque trente centimètres pendant la nuit, et il neigea de nouveau le lendemain. Les formes dans le jardin se firent plus vagues, puis se métamorphosèrent, projetant des ombres inconnues sur les murs des salons, comme les derniers soupirs d'un bateau en plein naufrage. Le *Star* ne fut livré que le soir. À la radio, les voix de Lincoln faisaient part de leur inquiétude concernant l'état des routes et annonçaient de longues listes d'événements annulés ou remis à plus tard. Le temps s'était arrêté tandis que la neige s'amoncelait.

151

Depuis la fenêtre, on avait du mal à distinguer la rue. Le jardin était devenu une longue cape blanche qui aurait fait un joli contraste avec les cheveux de ma mère.

Mon père travaillait dans le bureau, la porte fermée, mais je me demandais bien ce qu'il pouvait faire. Je trouvais inconcevable que quelqu'un puisse travailler. Toutes les activités ordinaires s'étaient arrêtées. J'enfilai mes bottes et me frayai un passage dans l'allée. La neige m'arrivait presque aux genoux et j'avais du mal à soulever les pieds. J'imaginais l'aspect qu'auraient eu les ormes, tout brillants. Le sommet des rhododendrons avait enflé comme une bulle emprisonnée sous une surface gelée. J'ouvris la boîte aux lettres et le froid fit grincer le métal. Un petit tas de neige sur le dessus s'effondra comme une avalanche minuscule. Rien à l'intérieur. J'observai les phares d'un chasse-neige abordant le virage avec la détermination d'un char d'assaut venu libérer Lincoln d'une invasion armée. J'imaginais les voisins hurlant : « Apportez des provisions ! » Mais personne n'arrivait à se faire entendre. Le monde n'écoutait pas. Dans ma fantasmagorie, tout le monde avait perdu quelqu'un, et ma mère n'était qu'un souvenir parmi d'autres, enseveli sous l'épaisse couche de neige. Situation d'urgence, me disais-je. Mon père était aussi silencieux que cet univers hivernal qui s'était tu.

On invente plus facilement des histoires pendant une tempête de neige. La distinction entre ce qui est vrai et ce qui ne l'est pas n'a pas grande importance lorsqu'un cerveau réfléchit seul. J'écrivis la phrase sur un bloc-notes et la relus plusieurs fois. J'avais l'impression d'avoir du génie. Ce que j'avais écrit me plaisait tellement que je voulais en parler à mon père.

152

Je pris mon mal en patience à côté de la porte du bureau jusqu'à ce qu'il l'ouvre enfin.

« Tu m'as fait peur ! » dit-il tandis que je lui tendais le papier d'un geste brusque, sans explication. Il le tint à distance, plissant des yeux pour déchiffrer mon écriture parce qu'il n'avait pas ses lunettes.

« La distinction entre ce qui est vrai et ce qui ne l'est pas n'a pas grande importance lorsqu'un cerveau réfléchit seul à quelque chose », lut mon père lentement. Il parut rester songeur un moment, puis il hocha la tête et leva les sourcils.

« D'où tires-tu ça ?

— Ça m'est venu. »

Soudain, toutes sortes de choses me passèrent par la tête. Ça ne me semblait plus si horrible, le fait que nous soyons prisonniers, ensemble, à la maison. Je préparerais les repas, lui repasserais ses chemises, je danserais avec lui s'il se sentait seul. J'avais pris une leçon de danse une fois.

« Je suis impressionné, Susan. C'est une réflexion intelligente. »

Il me rendit le papier.

« C'est assez futé. Mais je ne suis pas d'accord.

— Pourquoi ?

— Parce que je crois aux faits. Un fait est un fait. J'ai un esprit très rationnel, dit-il. Ta mère dit que ça la rend folle. »

J'espérais qu'il n'allait pas se mettre à parler d'elle. J'espérais qu'elle n'était pas vraiment folle, du genre de ceux qui se font du mal volontairement. Mais je ne pensais pas que c'était possible. Elle s'aimait trop.

On mangea ce qu'on put trouver dans les placards, des conserves poussiéreuses datant de l'époque où mon grand-père était encore en vie. J'essayai de prendre les choses en main, d'avancer, mais je me mettais à imaginer des histoires enfermées dans des boîtes de conserve pendant des années, faisant de petites bosses dans l'aluminium en criant pour se faire entendre. Quand on ouvrait la boîte, le métal gonflé soupirait de soulagement.

Je découvris des pêches en conserve. On les mangea directement dans la boîte, à la fourchette.

« C'est drôle, dit-il entre deux bouchées. J'étais en train de penser au jour où ma sœur Portia a essayé de s'enterrer dans la neige, et puis s'est mise à crier pour qu'on vienne la délivrer. J'avais complètement oublié cette histoire.

— Pourquoi est-ce qu'elle a fait ça ? demandai-je.

— À cause d'une histoire que notre mère nous avait racontée au sujet de nos grands-parents. Il y avait eu un épouvantable blizzard à McCook. Tes arrière-grands-parents, Elsa et Hans, étaient jeunes mariés et venaient tout juste d'arriver de Suède. Ils ne connaissaient quasiment personne dans le Nebraska, et ils se connaissaient à peine l'un l'autre.

— Pourquoi se sont-ils mariés s'ils se connaissaient à peine ?

— Oh, je ne sais pas, les choses étaient différentes à l'époque ! dit mon père en fronçant les sourcils. On ne se mariait pas toujours par amour.

— Et pour Elsa et Hans ?

— Pas au début. Il était tombé plus d'un mètre de neige, et ils sont restés bloqués pendant des jours, sans nourriture et sans rien pour leur tenir chaud. Ma mère a toujours dit que la neige les avait forcés à supporter une vie tout entière en une seule semaine. C'est à ce moment-là qu'ils sont tombés amoureux. Ma mère a toujours dit que l'amour les avait gardés en vie. Ils n'auraient pas supporté de voir l'autre

154

mourir. Alors ils ont vécu, pendant longtemps, en tout cas.

— Comment est-ce qu'ils ont réussi à se garder en vie grâce à l'amour ? » demandai-je avec insistance.

Mon père haussa les épaules.

« Ah, je ne sais pas, c'est juste une histoire que ta grand-mère aimait raconter pour souligner le côté positif des choses. C'était pendant la Dépression. Les temps étaient durs. »

Il avala un morceau de pêche et fronça les sourcils. Il m'avait déjà expliqué. Des hommes honnêtes qui avaient perdu leur travail faisaient la queue en ville dans l'espoir de se faire embaucher pour les grands travaux lancés par le gouvernement. Mon grand-père avait toujours donné de l'argent à mon père pour déblayer l'allée, mais pendant ces années difficiles il avait payé des hommes à la place, les trois premiers inconnus dans le besoin qui étaient venus frapper à la porte de derrière à la recherche d'un travail quelconque.

« Nos amis les Johannson ont tout perdu, dit mon père en appuyant le menton sur sa main pour regarder la neige. Je crois que Portia a un peu perdu la tête. Il neigeait depuis des jours. Quand je l'ai dégagée du parterre de fleurs, elle a écrit des messages d'amour à un garçon et les a éparpillés partout dans la maison. Je la trouvais sans arrêt près de la porte d'entrée, regardant par la lucarne en attendant que quelqu'un vienne la sauver.

— Qu'est-ce que l'histoire a à voir avec tante Portia ?

— Je ne sais pas, dit-il. Peut-être qu'elle voulait simplement être délivrée.

— De quoi ?

— Tout le monde veut être délivré de quelque chose, non ? »

J'aurais bien aimé savoir de quoi il voulait être délivré, lui.

« De l'humanité, Susan. Il y a trop de brutalité et d'injustice dans ce monde. Les gens commettent des actes horribles.

— Comme Starkweather, lui dis-je.

— Et Hitler. Et tous les communistes. »

Mais nous savions tous deux à quoi nous faisions référence. Notre amour pour ma mère nous avait écorchés, et cela ne faisait qu'accroître notre envie d'être tendres.

Le lendemain, les cours furent annulés. Mon père partit travailler, et je restai seule à errer dans la maison. Je pris un vieil album sur les étagères de la bibliothèque et l'ouvris pour examiner une photo de mon père et de tante Portia debout de part et d'autre de l'orme du jardin. Mon père semblait avoir à peu près mon âge. Son visage était tout lisse, sans les rides causées par les soucis, et il avait passé le bras derrière l'arbre pour tirer sur la longue tresse auburn de ma tante. Ma tante avait le regard perçant. Elle regardait tout droit l'appareil sans sourire, sans se douter de ce que mon père s'apprêtait à faire. L'orme paraissait imposant, comme s'il était immortel, et il n'y avait pas le moindre signe que mon père reviendrait habiter cette même maison pour prendre la place de son père, ni que ma mère le quitterait juste avant l'effroyable blizzard de novembre 1962. Il n'y avait pas le moindre signe d'empâtement sur les traits de tante Portia, rien qui annonçât oncle Freddy, ni les trois enfants très ordinaires qu'elle lui donnerait. Les prénoms Portia et Thatcher portaient la promesse de liaisons amoureuses de l'époque victorienne. De quoi rêvaient-ils au lit la nuit ?

Par la fenêtre, je voyais que la neige avait cessé, mais le monde était comme envoûté par le silence. J'avais l'impression que tout resterait gelé à jamais. Je mis un disque des Everly Brothers et mon esprit partit vagabonder tout au long de cette journée vide, ébranlé par mes rêveries sur l'amour mystérieux de Portia, et d'autres où le fils Bowman prenait mon visage entre ses mains et m'embrassait sur les lèvres dans une chambre où Starkweather et Fugate avaient fait l'amour et tué, presque dans un même mouvement. Le garçon avait pris la voix du premier mari de ma mère et me murmurait des mots doux : *Un beau brin de fille.*

Je ne sais pas pourquoi je voulais à nouveau entendre la voix de cet homme, mais c'était pourtant le cas. Ce n'est pas seulement que j'avais envie de l'entendre me parler encore de ma mère, des différentes façons dont elle pourrait se faire du mal. Je voulais qu'il me dise quelque chose de choquant, quelque chose qui me concernerait davantage. J'allai dans le hall et m'assis près de la table du téléphone pour composer le numéro que j'avais mémorisé.

Il décrocha immédiatement.

« Allô, dis-je. C'est encore moi, Susan.

— Tiens, salut mon petit chat. Tu as retrouvé ta mère ?

— C'est pour ça que j'appelle.

— Ce n'est pas très gentil. Je croyais que tu appelais parce que je te manquais. Non ?

— Je ne sais pas. Est-ce qu'elle vous manque ? »

Je l'entendais se débattre avec quelque chose, un plat ou une casserole.

« Non, soupira Nils.

— C'est parce qu'elle est avec vous ?

— Non, dit-il avec un petit rire. Tu es maligne. Mais elle n'est pas du genre à revenir à genoux, hein ?

— Pourquoi êtes-vous là en plein milieu de la journée ? Vous ne travaillez pas ?

— Tu te prends pour la police ? Pourquoi n'es-tu pas au lycée ?

— À cause de la neige.

— Mmm. Est-ce que ton petit ami peut venir te voir, ou est-ce que tu es seule ?

— Il n'a pas le droit de venir à la maison. C'est contre le règlement de mon père.

— Mais je parie que tu ne suis pas toujours le règlement, hein ? C'était le cas de ta mère, en tout cas, dit Nils en riant.

— Vous voulez dire le jour où elle s'est enfuie avec vous ?

— Pas seulement. Oublions ça. Comment est-il, ton petit ami ?

— Il est très fort. Il y a eu beaucoup de tragédies dans sa vie, et c'est pour ça que j'essaie de l'aider.

— Tu t'y prends comment ? »

Je marquai un silence.

« Il se contrôle devant tout le monde, mais quand il est avec moi, il me parle à voix basse de tout ce qui lui fait peur et qu'il garde pour lui. Je le laisse pleurer jusqu'à ce que ça sorte, dis-je. Quelquefois, il pleure tellement que mes cheveux sont tout humides de ses larmes.

— De quelle couleur sont tes cheveux ?

— Noirs.

— Comme ta mère ?

— Oui.

— Qu'est-ce que tu fais d'autre pour aider ton petit ami ?

— On se promène, lui dis-je.

— Ça m'étonnerait, dit Nils. Les garçons veulent autre chose que des promenades. C'est même pour ça qu'ils perdent leur temps à faire des promenades. »

Je ne savais plus quoi dire, alors je restai là, le combiné collé à l'oreille, sans pouvoir raccrocher.

« Il y a quelqu'un ? » demanda-t-il d'un ton doux, comme s'il avait peur de me réveiller. Et de cette même voix sourde, comme s'il essayait d'imaginer ou de se rappeler un moment particulier, il ajouta : « Dis-moi, Susan, il t'a eue vierge ? »

Je raccrochai.

Tout d'un coup, Nils était là, à l'intérieur de moi, voyant les mêmes choses que moi, ressentant ce que je ressentais, mais en déformant tout. Il pouvait se déplacer le long du fil du téléphone et m'embrouiller le cœur. Il n'y avait plus aucun espace entre Los Angeles et Lincoln, Nebraska. La distance et le temps se rejoignaient à un feu de croisement cassé, et ma mère, Nils et moi, on se fracassait les uns contre les autres.

La sonnerie du téléphone brisa le silence, et mon cœur se renversa. Le bruit me tapait sur les nerfs. Il sonnait, sonnait, trois, quatre fois. Je me précipitai au salon et me couvris les oreilles avec les coussins, écrasant les lèvres sur l'accoudoir du sofa. Nils était capable de tout. Il avait perdu l'argent de ma mère. Il l'avait rendue folle. Il lui avait fait quelque chose d'horrible, quelque chose d'impardonnable ; c'est ce que je comprenais maintenant. C'est pour cela qu'elle nous traitait de cette manière.

Le téléphone cessa de sonner. Je montai dans la chambre de mes parents et je me mis au travail. Je vidai les tiroirs et passai le doigt le long des joints à la recherche de compartiments secrets dissimulant des caches de lettres d'amour. Je plongeai le doigt dans des trous obscurs et démontai les charnières. J'enlevai les semelles intérieures des talons hauts et vidai le contenu des sacs à main par terre. Je ne découvris rien. Je me mis à genoux, ébahie du désordre que j'avais causé. On aurait dit que la pièce avait été cambriolée. Je laissai tout en l'état et descendis au rez-de-chaussée où j'ouvris les tiroirs du secrétaire dans lequel ma mère rangeait ses adresses. J'examinai une à une les cartes postales envoyées par des gens dont je n'avais jamais entendu parler, mais il n'y en avait aucune de Nils.

Un puits de lumière vint brusquement inonder le salon, puis le soleil disparut derrière un nuage, laissant un voile de poussière brillante dans son sillage. Le téléphone se remit à sonner. C'était un signe. J'observai ma main effleurer le cadran, mes doigts s'enrouler autour du combiné. Le fil froid me chatouillait le bras. C'était la seule sensation que j'avais.

« Allô ?

— Susan ?

— Ouais ?

— C'est Cora. Je te pardonne. »

Le chat était totalement congelé, debout sur ses pattes arrière, les griffes coincées dans le grillage de la moustiquaire des Lessing. La neige avait recouvert la fourrure noire du pauvre animal. Sous un cône blanc pointu comme une cagoule du Ku Klux Klan, ses yeux verts étaient vitreux, rendus opaques par le froid.

Nous étions toutes les deux sur le porche à l'arrière de la maison, regardant le chat, les yeux écarquillés.

« J'ai pensé que tu voudrais le voir, déclara Cora en essuyant des traînées de larmes sur ses joues rondes. Quand il s'est dit qu'il était temps de rentrer, il était trop tard. C'est toi que j'ai appelée en premier.

— Merci », lui dis-je d'une voix qui manquait involontairement de sincérité. Je voyais mon haleine s'élever dans la lumière du soleil comme un nuage de poussière. Je baissai les yeux vers le chat.

« Qu'est-ce que je vais faire de lui ? demanda Cora.

— Et tes parents ?

— Papa est en voyage d'affaires. Maman travaille dans l'atelier. Elle est en pleine fugue artistique.

— Elle est artiste ?

— Elle travaille sur de nouvelles matières. Elle collectionne les plumes et fait des sculptures. Mais ce n'est pas ça. Je ne veux pas la perturber. Ça fait déjà un bout de temps qu'elle est perturbée, à vrai dire. »

Cora regarda le chat une nouvelle fois et renifla dans son gant.

« Je n'arriverai pas à l'enterrer. Je ne peux même pas le toucher. Toby ne veut pas sortir de sa chambre. Il a coincé la porte et je ne peux pas rentrer. »

Je jetai un rapide coup d'œil par-dessus mon épaule vers la maison des Bowman. Il y avait de la lumière à une fenêtre de l'étage, mais je ne voyais personne à l'intérieur. J'imaginais la femme du jardin en train d'enlever ses bijoux, s'asseyant sur les talons à l'endroit même où on avait découvert les corps, le visage enfoui entre ses mains. Elle ne pouvait pas sortir, à cause de la neige. La neige faisait tout revenir. Ses souvenirs tourbillonnaient sans doute si vite qu'elle ne pouvait plus les contrôler. Tout ce qui s'était passé dans la maison venait inonder son cerveau.

« Moi, je vais le toucher », dis-je à Cora en m'age-
nouillant. Je débarrassai la tête du chat de son cône
de neige. Je n'avais jamais rien touché de mort avant.
Mais je n'étais pas vraiment en train de toucher la
mort, me rassurais-je. C'était ma main, enveloppée
d'un gant, qui se tendait vers la neige et la glace.

« On dirait presque un faux, dis-je. C'est comme
de la cire.

— Pour moi, ce n'est pas un faux, dit Cora. C'est
Cinders. Il dort sur mon oreiller. Il a attendu toute la
nuit dans le blizzard que je le laisse rentrer, en se
demandant ce qu'il avait bien pu faire pour mériter
ça. J'aurais dû laisser la porte ouverte.

— Dans un blizzard ? »

Je posai la main sur son épaule en me disant que
c'est ce que ferait une amie.

« Tu n'y pouvais rien. C'est la faute de ton frère
qui l'a chassé. »

Ses yeux pâles se rétrécirent avec amertume sous
le rebord de son bonnet en tricot rayé.

« Sans doute », dit-elle.

On décida de construire un tombeau dans la neige,
où le chat pourrait rester jusqu'à ce que la terre
ramollisse, ou bien que Mr. Lessing revienne de
voyage avec une meilleure idée. C'est ce que les gens
faisaient dans l'arrière-pays, expliqua Cora, quand le
sol était trop dur pour creuser des tombes. On fabri-
qua une hutte en neige au fond du jardin près du bosquet d'arbres, avec une entrée juste assez grande pour
pouvoir passer le chat.

Je lui racontai que mes arrière-grands-parents avaient
été bloqués par la neige sans nourriture, qu'ils avaient
survécu dans les plaines du Nebraska dans des condi-
tions impossibles en se réchauffant l'un l'autre de
leur amour.

« Ça m'a l'air d'une histoire inventée », dit Cora en s'asseyant dans la neige pour se reposer. Elle avait cessé de pleurer.

« Personne ne peut se réchauffer avec de l'amour. Sauf si tu veux dire faire l'amour.

— Ce n'est pas ce que je veux dire, répliquai-je. Je crois que les gens qui s'aiment peuvent s'aider à survivre l'un l'autre juste avec le pouvoir des émotions. »

Quand j'avais dix ans, je m'étais glissée en cachette pour regarder mes parents danser en plein milieu de la nuit dans le salon. Ils avaient l'air tellement amoureux à l'époque, comme s'ils étaient soutenus par l'amour, comme s'ils se seraient effondrés sans.

« Comment tu le sais ? demanda Cora.

— Je le sais, c'est tout. »

Je fis semblant d'être occupée à consolider un côté du mur, mais je sentais ses yeux posés sur moi.

« Qui est-ce ? dit Cora. Celui que tu aimes.

— Tu ne le connais pas. »

Le vent fit s'envoler une petite tempête de neige dans les branches des arbres. Les flocons brillaient comme du cristal dans le soleil éclatant, de magnifiques coups d'aiguille qui vous faisaient plisser les yeux. J'imaginais le fils Bowman en train de m'observer depuis la fenêtre de l'étage dans la maison voisine. Je me demandais s'il était possible d'aimer quelqu'un qu'on n'avait jamais rencontré.

On se releva, et on repartit vers la maison sans dire un mot, en posant les pieds dans nos traces de pas. On dégagea ensemble le chat gelé de la moustiquaire pour l'emmener à travers le tunnel de neige jusqu'au tombeau. Les pattes de Cinders dépassaient comme des morceaux de bois. Ses moustaches étaient raides et blanches, cassantes comme du sucre brûlé. L'un des poils se brisa contre mon manteau au moment où je le soulevais. J'avais peur des endroits où nos mains et notre haleine avaient laissé des traces de chaleur. Là où on l'avait touché, la couche de glace avait fondu, découvrant la fourrure noire humide. Arrivées à la lisière d'arbres, on le posa par terre.

« C'est Toby qui devrait faire ça, dit Cora, sa voix s'étranglant de nouveau.

— Ne t'en fais pas, la rassurai-je. Il nous le paiera. »

Ces mots résonnaient agréablement dans ma bouche. Ils avaient une certaine force, comme Dr No, ou bien John Wayne dans *Alamo*.

« Tu m'aideras ?

— Bien sûr, lui dis-je. Nous sommes amies. »

Je repris le chat pour lui montrer que je parlais sincèrement, et je fis de mon mieux pour le glisser dans la cavité. Après ça, je me mis à colmater l'entrée avec de la neige sans plus de cérémonie.

Le soleil se couchait derrière les arbres, projetant l'ombre émaciée des troncs dans la neige.

« Puisqu'on est amies, maintenant, il faut que je te dise quelque chose », déclara Cora en jetant un regard vers moi.

J'attendis, curieuse de savoir ce qui allait suivre.

« Je n'ai pas d'autres amies.

— Ça ne fait rien. Moi non plus. Et ma mère nous a abandonnés. Elle croit que mon père a renvoyé la femme de ménage sans le lui dire, mais ce n'était qu'un prétexte. Elle a toujours voulu partir. Je crois qu'elle a un amant. »

Cora recueillit un peu de neige sur le tombeau et la pressa contre sa joue. Lorsqu'elle écarta la main, je vis une vilaine marque rouge, comme si le froid l'avait brûlée.

« Je fais un vœu, dit-elle. Je voudrais que les choses soient différentes. Je voudrais que Cinders soit là. Et toi ?

— Je n'ai pas de vœu, dis-je, le regard fixé sur les branches couvertes de givre. J'ai un esprit très rationnel.

— Tout le monde a des vœux. »

Cora enleva son gant. Elle se pencha et grava CINDERS sur le côté du tombeau.

« Je veux que quelqu'un m'aime, finis-je par dire.

— Je croyais que tu avais quelqu'un.

— Non, pas vraiment.

— Moi aussi, dit Cora. Moi aussi, c'est ce que je veux. »

En rentrant à la maison, je vis que les affaires de ma mère étaient toujours éparpillées un peu partout. Son manteau marron au col de fourrure était drapé sur une chaise dans le hall, la ceinture traînant par terre. Je savais qu'à l'étage les chaussures et les jupes et les chemisiers froissés débordaient de son placard, comme si une bombe était tombée au moment où elle cherchait frénétiquement quelque chose. Une chaussure à talon haut était en équilibre en haut de l'escalier, là où je l'avais laissée. Des formes étranges s'agitaient le long des murs dans la lumière éparse. Tout avait l'air arrêté, figé sous l'eau. Je me sentais perdue, coincée entre deux univers, en plongée à la recherche d'un trésor naufragé.

« Ouh-ouh, appelai-je, pour voir s'il y avait quelqu'un. Ouh-ouh. » La maison était silencieuse.

Je me rendis dans le salon. Une lumière crue fendait la porte-fenêtre comme un millier de diamants et je l'ouvris toute grande, ayant brusquement besoin de respirer l'air frais. Un vent glacial balaya le jardin et entra dans le salon. Les petits bristols de ma mère s'envolèrent du secrétaire et tourbillonnèrent dans un courant d'air avant de retomber doucement sur le tapis d'Orient dans le moment de calme qui suivit. Je refermai les fenêtres.

Dans la chaleur revenue, je m'allongeai parmi le désordre de bristols blancs. J'avais l'impression de voir les mots se bousculer dessus : *Retrouve-moi près des ormes ; je me balancerai aux branches.* Je fermai les yeux. J'y étais. Il n'y avait que moi, m'enfonçant dans un demi-rêve sans personne pour me réveiller.

Au-dehors, les stalactites se détachaient des gouttières, transperçant les buissons comme des flèches étincelantes. La neige frissonnait comme des poignées de farine jetées en travers des fenêtres, ensevelissant tout. Le sentiment du temps et de l'espace avait disparu.

Tout en bas, la chaudière pompait. Des aiguilles à tricoter tambourinaient sur les radiateurs et le fantôme de mon grand-père regardait la nuit d'un œil fixe tandis que Hans et Elsa se frayaient un passage à travers des décennies de neige. Je vis bientôt la lueur bleu pâle d'un rêve magnifique.

Un terrible blizzard s'abattit sur McCook, dans le Nebraska, au tout début du premier printemps passé là-bas. La neige continua à tomber des jours entiers. Avant même de s'embrasser comme les jeunes mariés sont censés le faire, Elsa et Hans dévalaient l'échelle et se précipitaient à la fenêtre dans l'espoir que la tempête s'était éloignée pendant leur sommeil. Mais un jour au réveil, ils découvrirent que le matin avait disparu. La neige avait recouvert les fenêtres et presque entièrement enseveli la maison. Dans la grange, un veau était mort de froid en essayant de téter le pis gelé de sa mère. Une stalactite s'était formée sur sa queue. Mais Hans ne pouvait pas aller voir les animaux. Elsa et lui n'avaient plus rien. Leurs estomacs gémissaient de faim. Ils burent la neige fondue. Hans et Elsa étaient allongés dans leur lit sous des couvertures, dans les bras l'un de l'autre, mais ils ne dormaient jamais. Ils avaient perdu tout sentiment du temps, vivant à la lueur des bougies et des lampes à pétrole, attendant que le toit que Hans venait de terminer s'effondre sous le poids de la neige et les congèle sur le lit où ils étaient allongés, agrippés l'un à l'autre comme deux jumeaux tête-bêche dans un utérus. Ils pensaient tous deux que l'autre dormait et chacun se disait : Je ne veux pas mourir à côté de cet étranger. Je suis complètement seul.

Puis Elsa jeta un coup d'œil sur son mari derrière ses paupières mi-closes, et vit un visage que le sommeil avait rendu tout lisse, et elle sut que Hans rêvait à la chevelure de sa femme. Après tout, c'était pour cela qu'il l'avait épousée. Et lorsque Hans passa ses bras autour d'Elsa et toucha une mèche dorée du bout du doigt, il eut l'impression de toucher un vide impossible. Il avait entendu parler de l'intuition féminine et se demandait comment cette jeune femme pouvait passer les derniers instants de sa vie à dormir, sans jamais lui dire ce qui allait arriver. C'était égoïste.

Au bout de quelques jours qui leur parurent des années, un vent violent secoua la maison et un morceau du toit s'effondra. Hans empoigna les cheveux d'Elsa. « Qu'est-ce qui va se passer ? hurla-t-il.

— Lâche-moi ! gémit-elle en le repoussant. Comment veux-tu que je le sache ? C'est toi, l'homme. C'est à toi de faire quelque chose. »

Hans regarda le morceau de toit détrempé.

« Oui, mais quoi ? » dit-il en tendant une nouvelle fois la main vers le phare des cheveux de sa femme.

Elsa repoussa sa main d'une gifle et descendit l'échelle. Dans la pièce du rez-de-chaussée, elle se dirigea à tâtons dans le noir, ouvrit et ferma les tiroirs jusqu'à ce qu'elle sente sous sa main le métal froid de la grande paire de ciseaux. La colère lui brûlait le cœur, ses frissons avaient disparu et elle ne sentait plus la faim.

« N'essaie pas de sortir, dit Hans en descendant l'échelle. Tu vas te noyer dans la neige.

— C'est impossible, dit-elle en levant les bras derrière sa tête. On ne peut pas se noyer dans la neige. On suffoque. »

Les pans de sa chemise de nuit se déployèrent comme des ailes, ses cheveux dorés reflétèrent un instant la lumière. Hans vit combien ils étaient longs et magnifiques, agités de vagues ici et là, comme de brusques rapides dans une rivière. Puis il vit les ciseaux.

« Ne fais pas de bêtise, dit-il.

— Non, non. Au contraire », dit Elsa en soulevant le rideau de sa chevelure.

Hans essayait d'imaginer ce que son père aurait fait. Son père était sergent.

« Je suis ton mari, Elsa, dit-il. Je t'ordonne de ne pas couper tes cheveux. »

Elsa approcha les ciseaux de sa tête. Les cheveux dorés tombèrent en tas. Hans avança la poitrine jusqu'à toucher le nez de sa femme. Coudes contre mâchoire, contre genoux, contre dents. Hans empoigna, Elsa mordit. Des cheveux échappés s'étaient pris comme de la soie de maïs au coin de ses lèvres. Les ciseaux tranchèrent la peau. Hans se recula et appuya son pouce sur la coupure. Elsa se plaqua la main sur la bouche, les yeux fixés sur les cheveux qui gisaient entre eux, et sur la goutte du sang de son mari tombée au sol. Puis Elsa goûta le sang dans la bouche de Hans. Le cheval fit un écart, et Hans se mordit la langue.

Elle savait à quoi il pensait. À quelle allure allait le cheval de son père lorsqu'il avait été tué non loin de Stockholm ? La mère de Hans prétendait qu'il était mort en combattant, mais Hans ne parvenait pas tout à fait à y croire. Il avait découvert sous le lit le coffre contenant l'uniforme, la tache jaunâtre, les trous laissés par les balles dans le dos de la vareuse. Hans se disait qu'aucun autre père n'était tombé au champ de bataille. Ce n'était pas juste.

Et puis Hans tomba, lui aussi. Elsa pouvait sentir les odeurs : le cuir, la sueur, le fumier, tandis que les pierres du chemin se précipitaient vers lui. Elle sentit le caillou enfoncé dans son cuir chevelu et traça avec les doigts de Hans la cicatrice blanche dentelée, mais ce n'étaient pas seulement ses doigts à lui, c'étaient les doigts de son père, c'étaient ses doigts à elle.

« Hans, dit-elle. Je suis désolée de t'avoir coupé.

— Tu ne m'as pas coupé, dit Hans.

— Mais si.

— Je n'ai pas fait attention. »

Elsa avait sur le nez une bosse qu'il n'avait jamais remarquée, et une fossette à l'endroit où la joue droite rejoignait l'arête lisse de ses lèvres, et dans la ride prématurée creusée sur son front à force de froncer les sourcils, il revit le premier garçon qu'Elsa avait jamais embrassé. Il l'avait attirée derrière les caisses du magasin des parents d'Elsa en lui racontant une histoire de bébés araignées. Mais Elsa savait que les araignées n'avaient pas de « bébés ». « Ce ne sont pas des bébés, avait-elle dit en se penchant. Ce ne sont même pas des araignées. » Et puis il l'avait brusquement prise dans ses bras. Hans avait l'impression d'avoir des lèvres en carton – il les sentait – et de la colle à la place de salive, comme celle qu'Elsa avait utilisée pour remettre les boutons qui servaient d'yeux à sa poupée de chiffon, et que le chien avait arrachés. Hans avait senti l'odeur de la colle, et vu la déception d'Elsa en découvrant que les boutons ne tenaient pas. « Tu aurais dû les coudre, avait-il dit.

— Sans doute. »

Elsa appuya un chiffon sur le doigt de Hans pour arrêter le sang. Hans aimait l'odeur de ses cheveux. Il l'aimait tellement qu'il retenait son souffle. Il continuait à inspirer tant et tant que son visage devint bleu.

« Arrête, dit Elsa d'une voix douce. J'ai peur de te voir mourir.

— De quoi as-tu le plus peur ?

— De toi, Hans.

— Tu n'as pas à avoir peur.

— Qu'est-ce qui te fait le plus te sentir seul ?

— Toi, Elsa.

— Mais plus maintenant.

— Non, plus maintenant. »

Elsa toucha la mâchoire de Hans et Hans caressa la tête broussailleuse d'Elsa. Ses mèches étaient ébou-

riffées et on voyait son crâne par endroits, mais pour Hans, elles ressemblaient à un champ de blé. La mâchoire de Hans était lisse dans la main d'Elsa, comme l'os élégant d'une aile d'oiseau. Hans traça du doigt le contour des côtes sous la chemise de nuit d'Elsa.

« Celle-ci va dans une drôle de direction », dit-il. Elsa chercha la cicatrice sur son cuir chevelu.

« Tu perds tes cheveux, dit-elle en riant.

— Allez, Elsa, laisse-moi toucher encore un peu.

— Je vais t'appeler Hans les mains pleines », dit Elsa.

Hans et Elsa étaient allongés sur le sol comme deux formes pétrifiées par la lave. Leur respiration ralentit. Des cristaux se formèrent dans le creux de leur sourire. Mais bientôt, un pic se mit à gratter le bois au-dehors, la neige s'effaça petit à petit, et chacun sentit le cœur de l'autre qui frémissait.

Hans et Elsa clignèrent des yeux, l'air hagard, et levèrent la main pour se protéger de la lumière qui entrait soudain. Des hommes se tenaient sur le seuil, des lampes et des pelles à la main, la bouche ouverte comme un trou de pivert. De la glace s'était formée dans leur barbe. Pour Hans et Elsa, on aurait pu être à n'importe quelle période de l'histoire. Les hommes auraient pu être des Vikings sur un rivage glacé ou des explorateurs découvrant une grotte secrète. On aurait pu être à l'ère glaciaire.

Les hommes posèrent leur main sur leur cœur et poussèrent des cris de joie.

« C'était si dur. Il y a tant de morts. Mais vous êtes vivants. Vous êtes vivants !

— Oh ! dit Hans, en s'étirant dans un bâillement, observant les hommes à travers ses paupières mi-closes. J'avais oublié.

— Oui, tu te souviens ? dit Elsa en se frottant les
yeux pour se réveiller. On allait mourir. »

Je voulais que l'histoire de mes arrière-grands-
parents soit vraie, exactement comme je l'avais rêvée.
Je jurai de la rendre vraie, même si je devais y passer
ma vie entière.

Chapitre 12

1958

On s'est mis à faire des tête-à-queue, en tournant en cercles en face du pick-up. Après ça, tout s'est emballé. J'ai vu le pare-chocs tout rouillé, et la lueur du phare qu'on a failli heurter. On était paralysés, Charlie et moi, dans la voiture qui continuait à tournoyer sans arrêt, et puis tout d'un coup elle s'est arrêtée, le capot enfoncé dans un tas de neige boueuse à une dizaine de mètres du pick-up. Je distinguais un vieil homme au volant, avec une casquette à carreaux rabattue sur les yeux, et sa bouche était toute tordue d'un côté comme quelqu'un qui aurait pris un grand coup de casserole dans la figure. Il a fait redémarrer son pick-up, et il est passé devant nous en secouant la tête comme si je lui avais fait une mauvaise blague. J'ai vu la couleur bleue rouillée disparaître dans la grisaille. J'avais l'impression qu'on m'avait enfoncé le silence dans la gorge. J'ai eu un haut-le-cœur, parce que j'avais tout à coup l'impression que tout ça allait mal finir.

J'ai enfoui mon visage dans la veste de Charlie et je me suis mise à pleurer.

« Je vais le tuer, a dit Charlie. La prochaine fois que je vois ce pick-up, je le suis et je le balance dans le fossé.

— Je suis désolée, ai-je dit en reniflant.

— Et si ça suffit pas pour qu'il crève, je lui casserai la tête avec le putain de cric.

— Je suis désolée d'avoir fait déraper la voiture.

— Hé ! » Charlie s'est écarté et m'a regardée dans les yeux.

« Ça sert à rien de pleurer. C'est pas ta faute si t'y connais rien. C'est pour ça que je suis là.

— Je m'y connais en rien », ai-je dit en reniflant.

Il a posé ses lèvres sur les miennes et m'a embrassée comme s'il n'avait jamais embrassé personne, comme s'il essayait de me sortir quelque chose du corps. Il a appuyé tout son corps contre mon corps, en écrasant ma tête contre la vitre. J'ai caressé avec mes doigts la bosse dans son pantalon.

« Je t'aime, lui ai-je dit.

— Je t'aime tellement que je me fiche de tout le reste. Tu es la seule chose que j'arrive à supporter.

— Moi aussi. »

Charlie est allé prendre les chaînes dans le coffre. On a mis plus d'une heure à sortir la voiture du fossé. Il y avait une lune fantôme accrochée quelque part dans les nuages. La température s'était refroidie et puis tout a lâché d'un coup.

La voiture de Roe était garée devant la maison et toutes les lumières étaient allumées. Heureusement, je ne voyais pas la voiture du docteur, sinon ça aurait voulu dire que quelque chose était arrivé à Betty Sue. Je n'avais pas le choix. Je me disais que la situation ne pouvait pas être pire, et que même si Roe ne s'était jamais servi de sa ceinture jusqu'ici, il avait de bonnes raisons de s'en servir maintenant. Nig avait été rattaché, et aboyait à la voiture de Charlie.

« On pourrait faire demi-tour, a dit Charlie.

— Pour aller où ? »

On ne pouvait aller nulle part sans argent, et Charlie habitait chez ses parents parce qu'il avait quitté son job d'éboueur.

« On pourrait dormir dans la voiture.

— Il fait froid, Chuck.

— Je vais avec toi, a dit Charlie.

— J'arrive pas à décider si c'est mieux ou pire.

— Ça pourra pas être pire. »

Il a coupé le moteur. Roe était sorti sur le perron. J'observais sa silhouette noire dans la lumière de la porte ; il avait rentré les épaules, avec un air dur et menaçant. Je voyais bien qu'il était déjà en rogne. J'avais l'impression qu'il avait sa ceinture à la main. On est sortis de la voiture, Charlie et moi. Charlie a passé son bras autour de mes épaules et m'a aidée à marcher jusqu'à la maison. Roe est arrivé vers nous. Il n'a pas dit un mot. Il a juste attrapé Charlie par le dos de sa veste en cuir et l'a traîné jusqu'à la voiture. Roe était plus grand que lui, et peut-être plus costaud. Roe l'a poussé. Les bottes de Charlie ont dérapé sur la glace et il s'est étalé dans l'allée en se cognant la tête contre le pare-chocs de la voiture. Mon cœur a fait un bond.

« Arrête de le pousser !

— Ne reviens jamais par ici, espèce de petite merde, sinon j'appelle les flics ! a hurlé Roe. Je t'ai déjà dit qu'il n'y aurait pas d'avertissement.

— Je m'en fous. » C'est tout ce que Charlie arrivait à dire. « Je m'en fous. »

Roe m'a forcée à monter les marches et il a claqué la porte derrière nous. Charlie a disparu dans la nuit noire et glaciale.

La lumière brillait partout. Tout semblait complètement différent. J'entendais Betty Sue pleurer quelque part, et ma mère qui essayait de la calmer avec la radio que Charlie m'avait donnée. Elle n'était pas à Betty Sue ; elle n'avait pas le droit de l'écouter. J'avais l'impression que c'était très loin, comme dans une autre vie.

« Tu vas avoir de sacrés ennuis, a dit Roe. J'ai essayé de faire tout mon possible pour toi, et maintenant j'arrête. Je laisse tomber ! En plus, je ne suis pas ton père et je ne vais pas m'éreinter à cause de toi. On aurait pu retrouver Betty Sue morte parce que tu ne penses qu'à toi. C'est à qui le sang par terre ?

— Tu te trompes, lui ai-je dit. Je venais juste de partir. Elle m'a griffée !

— Ne fais pas ta maligne avec moi ! »

Il a empoigné le col de mon manteau et s'est mis à me secouer. Je me suis dit que cette fois-ci, Roe allait me frapper pour de bon. Il était suffisamment en colère pour ça. Je ne l'avais jamais vu autant en colère. Son visage était devenu si rouge qu'il était presque violet. Je me suis dégagée du manteau. Roe est resté planté là au milieu de la pièce comme un imbécile, la capuche dans la main. Ma mère était assise à la table, tenant Betty Sue en larmes sur ses genoux. Elle a levé les yeux en m'entendant arriver et elle a secoué la tête comme si elle n'avait jamais rien vu de pire que sa fille venue lui demander de l'aide. Elle a tendu le bras pour éteindre la radio.

« Betty Sue m'a coupée avec les ciseaux, lui ai-je dit.

— Comment as-tu pu faire une chose pareille ?

— Comment elle a pu faire une chose pareille ? »

Ma mère n'en croyait pas un mot. Je le voyais bien à son expression.

« Nooooooon ! pleurait Betty Sue.

— Ouin, ouin, ouin ! La ferme ! » j'ai hurlé.

Je n'avais plus rien à perdre. Je voyais mon sang séché sur le sol clair de la cuisine, couleur rouille, comme si quelque chose était tombé de mon corps, tout rabougri.

« Caril ! a dit ma mère. Il a fallu que j'examine Betty Sue des pieds à la tête pour voir si elle était blessée ! »

J'ai gardé les yeux baissés.

Roe avait cessé de me menacer. Il est arrivé dans la cuisine, m'a jeté un chiffon à la tête et a commencé à se faire un sandwich. Seulement, il claquait les portes et balançait la moutarde et le jambon sur le pain comme s'il voulait me jeter, moi. Je suis restée là, le chiffon à la main.

« Caril ! a répété ma mère.

— Il ne faut plus qu'elle voie ce type, a dit Roe, comme si c'était une nouvelle. Et elle n'écoute rien. Je ne sais pas du tout d'où elle vient.

— Je ne veux plus te voir. Va dans ta chambre ! a dit ma mère.

— Je n'ai rien fait.

— File ! Et restes-y jusqu'à la saint-glinglin !

— C'est pas sa faute. »

Tout le monde a sursauté et s'est retourné d'un coup, comme si on faisait partie d'un ensemble. Charlie était sur le seuil de la cuisine.

« Fous le camp ! a dit Roe.

— Faut que vous m'écoutiez, dit Charlie.

— T'as rien à dire qui vaille d'être écouté. Dehors, je te dis ! »

Mais Charlie n'était pas décidé à sortir.

Roe a pris le couteau de cuisine et a menacé Charlie avec, et Charlie a levé la carabine cachée derrière sa jambe.

« Écarte ce truc, a dit Roe.

— Elle est pas chargée. »

Roe a refait un geste avec le couteau. Le visage de Charlie s'est rabougri, et puis tout d'un coup : bang ! Tout est immobile mais avance tout de même. Le couteau tombe par terre dans un bruit métallique. Il y a un trou dans la tête de Roe et ses yeux ne voient plus rien. Il reste juste allongé près de la table et je ne sais plus faire la différence entre son sang et le mien, parce qu'il a giclé partout comme un pot de peinture. Il y a une drôle d'odeur comme si quelqu'un avait fait ses besoins là, dans la cuisine, et je touche mon pantalon pour être sûre que ce n'est pas moi, et je regarde Charlie pour être sûre que ce n'est pas lui. Il a l'air d'un chevreuil pendant une nuit froide et humide, qui se rend compte que la route est une route, qu'il est en plein milieu et qu'un semi-remorque arrive sur lui. J'observe ses yeux qui s'ouvrent et qui se ferment. J'ai envie de lui dire *Je t'aime toujours*, mais son regard s'efface, comme celui du chevreuil. Son menton est tout recroquevillé sur sa poitrine comme s'il essayait d'avaler quelque chose. Son visage devient dur, et il ne relève pas la tête. Ma mère hurle en tenant Betty Sue serrée contre elle.

J'ai envie de dire *On peut l'enterrer*. Mais elle n'arrête pas de hurler.

« Écoutez, dit Charlie, mais personne n'écoute. Écoutez. »

Elle se précipite vers la porte du fond, mais sa main rate la poignée. Il y a des papillons de nuit de l'autre côté de la moustiquaire. Des papillons de nuit en hiver. Elle essaye encore, mais on entend un autre bang ! et pendant un instant, je ne sais pas si c'est la porte ou la carabine. Ma mère tombe en travers de la porte sur Betty Sue, la jupe relevée. Betty qui hurle et qui braille parce que ma mère lui est tombée dessus, et je hurle : « La ferme ! La ferme ! La ferme ! » Je ne sens rien. Je veux juste que les hurlements s'arrêtent. Je me penche pour la dégager de dessous ma mère. Il y a du sang qui sort de la bouche de ma mère et son visage ne me dit pas où elle est allée. *Elle a tout oublié.* Et voilà, je n'ai plus de mère.

La couche de Betty Sue s'est défaite et le pipi coule le long de sa jambe et elle rampe vers Charlie, toujours en hurlant. Il y a du sang dans ses petites boucles blondes. Je me penche pour attraper son talon. Sa tête se penche en avant. Elle fait un drôle de bruit. C'est alors que Charlie lui plonge le couteau dans la gorge.

« Arrête, lui dis-je.

— C'est trop tard, dit Charlie.

— Arrête. »

Je suis partie dans le salon, j'ai allumé la télévision et je me suis allongée sur le sofa pour regarder un journaliste interviewer un nouveau chanteur dont je n'avais jamais entendu parler et l'interroger sur son nouveau statut de star. Je ne savais même pas qu'on était dimanche. Je ne savais même pas que c'était la fin de l'après-midi. Tout avait une odeur de pourri, comme du chou, et pendant un moment, j'ai eu l'impression que l'odeur venait de moi. Charlie est arrivé, a pris le bout de ma botte entre les doigts et a secoué doucement.

« Ça va ? Tu veux quelque chose ?

— Non, j'ai dit. Ce steak, il était pas cuit comme il faut. C'était tout saignant à l'intérieur. »

Puis tout s'est mis à tourner, et je me suis penchée. Je me suis mise à vomir, là, devant ses pieds.

Quand Charlie a eu fini de nettoyer, il s'est allongé sur le sofa les yeux grands ouverts, le regard au plafond. Il avait le coin des yeux humides. Je les voyais briller à la lumière, et je me disais qu'il pleurait peut-être. Je suis allée enfiler mon manteau et prendre la torche électrique sous le lit qui avait appartenu à Roe et à ma mère. J'avais le chapeau en papier de Betty enfoncé dans ma poche.

« Où tu vas ? a demandé Charlie en se redressant, les cheveux tout ébouriffés.

— Dire au revoir.

— Ça sert à rien. On est ensemble sur ce coup-là, Caril Ann. Tu vois pas que je te fais confiance ? Faut que tu me fasses confiance, toi aussi.

— Je ne vais nulle part, lui ai-je dit. Je vais dire au revoir à ma mère.

— Pour quoi faire ? Elle va pas te répondre. »

J'ai laissé la porte claquer derrière moi et j'ai traversé le jardin. La neige crissait sous mes pieds. Il n'y avait que la lumière de ma torche ; je ne voyais pas l'ombre d'une lune derrière les nuages, ni la moindre étoile. J'ai dû me baisser pour entrer dans le poulailler. Il sentait encore l'odeur des poulets, alors qu'on n'avait jamais eu de poulets. J'ai fait le tour avec ma torche, à la recherche de ma mère. Mon haleine tournoyait dans le froid comme un fantôme minuscule.

Charlie l'avait installée sur une des étagères, enveloppée dans un tapis. J'ai défait un coin. J'ai posé la main sur elle. La peau était froide. On aurait dit que ce n'était plus elle, mais un bout de bois ou une feuille que le vent pourrait emporter comme si elle n'avait jamais existé. J'ai cherché ses cheveux et je les ai touchés tout doucement, puis j'ai empoigné une mèche pour l'arracher. J'entendais le bruit que ça faisait, et le silence de la mort à l'autre bout.

J'ai glissé les cheveux dans le chapeau en papier de Betty et je suis repartie dans la nuit. Je me suis mise à courir entre les restes du maïs mort et devenu craquant avec le gel. Mes bottes cognaient dans la neige. On aurait dit que la terre sous mes pieds continuait à l'infini. L'air glacial m'écorchait la gorge comme du verre éclaté. J'ai filé entre les troncs des arbres. Ils avaient l'air si maigres. Il n'y avait pas un bruit nulle part. La lumière de ma torche a ricoché de tronc en tronc jusqu'à ce que je trouve celui qui avait l'échelle pour monter à la cabane construite par Charlie. J'ai cherché l'endroit pourri où l'une des planches s'était détachée en laissant un trou dans le tronc. Avec le bout de la torche, j'ai agrandi un peu le trou.

En cours de science, le prof nous avait dit que tous les arbres du Nebraska avaient été plantés par les hommes. Avant, à l'époque où les gens ne connaissaient rien à la science, ils expliquaient tout par des légendes. Les peupliers s'appelaient les arbres frissonnants parce que leurs feuilles dansaient dans le vent en faisant du bruit. *Aaarrbres frissonnants*, avait dit le prof comme si un coup de froid était entré dans la pièce. Les arbres pouvaient guérir la fièvre si on savait s'y prendre. On disait que si une femme prenait une mèche de cheveux ou une rognure d'ongle, les cachait dans le tronc et attendait que l'écorce se referme, et qu'elle revenait en marchant tout doucement, la tête baissée, sans parler, au bout d'un petit moment la maladie disparaissait comme si elle n'avait jamais existé.

J'ai cherché le creux dans l'écorce du bout des doigts et j'ai enfoncé le papier et les cheveux de ma mère à l'intérieur. J'ai escaladé l'échelle, et j'ai penché la tête en arrière sur les planches glacées en fermant les yeux. J'étais de nouveau dans la voiture, tournoyant sur une plaque de verglas, et le vieil homme me menaçait du poing. J'entendais des craquements partout. Un coup de vent a fait frissonner les branches, et j'ai frissonné aussi. Le froid faisait craquer le ciel.

J'ai entendu les pas de Charlie qui avançaient entre les arbres. Je n'avais jamais eu aussi froid. J'ai éteint la torche et je suis restée immobile en essayant de ne pas faire le moindre bruit.

« Caril, tu es là-haut ? » a fait Charlie.

Je n'ai pas dit un mot.

« Caril ? »

Il avait la voix cassée par le froid.

J'ai pris ma respiration.

« Oui, Chuck, ai-je murmuré, à peine assez fort pour qu'il entende. Je suis là. »

Chapitre 13

1962

En me réveillant, je vis que le ciel était devenu noir. J'étais toujours allongée par terre dans le salon. J'entendis le bruit des clés de mon père dans la serrure. Je me redressai brusquement et regardai les bristols de ma mère éparpillés sur le tapis tout autour de moi. Des livres arrachés des étagères avaient explosé par terre. À l'étage, la chambre de mes parents était toujours sens dessus dessous, les vêtements de ma mère jetés n'importe où.

En voyant l'expression de mon père, je pris moi aussi un air consterné. J'avais l'impression de l'avoir terriblement déçu.

« Il y a eu des coups de fil ? » demanda-t-il en posant lourdement son attaché-case sur la chaise à côté de la porte. Il ne prit même pas la peine de dire bonjour. Il n'enleva pas la neige de ses chaussures. Des taches sombres d'humidité s'étalaient autour de ses caoutchoucs, et il laissait des traces de pas de la porte jusqu'à la penderie.

Je haussai les épaules, les yeux rivés sur mes chaussures. Je restais à distance, le dos appuyé contre la rampe, près de la porte des toilettes. Mais il n'entra pas dans le salon, et ne remarqua rien d'étrange. Il savait qu'elle ne reviendrait pas. Je voyais bien qu'il commençait à s'en rendre compte.

« Alors ?

— Je ne sais pas, lui dis-je.

— Ça veut dire quoi, je ne sais pas ?

— Je n'étais pas là.

— Où étais-tu ?

— Chez une copine.

— Quelle copine ? Il faudrait tout de même que tu me préviennes avant de sortir.

— Papa, ne t'inquiète pas, lui dis-je. Je ne vais pas disparaître. Je ne suis pas comme maman. Je reste avec toi. »

Mon père me regarda comme s'il allait tout d'un coup s'effondrer. Je me reculai lorsqu'il passa devant moi pour aller dans le bureau, secouant la tête. Il claqua la porte derrière lui.

C'était fini avec ma mère. Comment pouvait-il ne pas le voir ? On n'avait jamais formé une vraie famille. Elle n'avait jamais été une vraie mère ni une vraie épouse. C'était juste quelqu'un qui faisait en sorte que les autres l'aiment, les autres qui n'étaient pas aussi séduisants ni aussi exceptionnels qu'elle.

J'allai dans le salon et commençai à ranger les livres et à empiler les bristols sur le secrétaire. Mais je perdais mon temps, et je finis par abandonner. Il y avait des congères dehors, tout le long de Van Dorn Street, et je voyais des lumières dans les grandes maisons anciennes où vivaient des gens adorables avec des objets magnifiques qui ne quittaient jamais leurs étagères.

Quand mon père découvrit les affaires de ma mère en désordre, j'étais déjà couchée. Il frappa à la porte et passa la tête dans l'entrebâillement avant que je n'aie le temps de répondre. Son pantalon de pyjama n'était pas fermé comme il faut et j'aperçus une touffe de poils noirs dans l'entrejambe. Je détournai le regard, gênée. Il commençait à perdre les pédales. Tout s'effondrait autour de nous, et là où elle se trouvait, ma mère s'en fichait. Elle n'avait jamais voulu de moi, et pas seulement parce qu'elle détestait le Nebraska. Autrefois, quand on allait faire des courses dans les grands magasins à Chicago, j'essayais de la suivre, je voulais l'accompagner lorsqu'elle achetait tous les vêtements qu'elle ne porterait jamais. Mais elle me laissait toujours près du stand à parfums, et je l'attendais.

« Bouchon, soupira mon père. Je suis trop fatigué pour te poser la question. En rentrant demain soir, j'aimerais que toutes les affaires de ta mère soient gentiment pliées et remises à leur place. Je veux faire comme si rien ne s'était passé.

— Oui, papa, lui dis-je ; puis j'ajoutai dans un chuchotement à peine audible : tu crois qu'elle est partie à cause de moi ? »

Mais il avait déjà refermé la porte.

Je ne dormis pas cette nuit-là. Je pensais sans arrêt à mon père essayant de trouver la paix au milieu du capharnaüm de leur chambre. Mes pieds arrachèrent les draps, et je dus me lever pour refaire le lit. La lueur de la lune, reflétée par la neige, inondait les couvertures d'une lumière bleu électrique, et chaque fois que j'essayais de fermer les yeux, mon cerveau s'emballait à la pensée horrible que j'allais peut-être rester enfermée entre ces murs pour l'éternité, seule avec mon père, qui continuerait à attendre ma mère.

J'avais déjà passé un bon bout de ma vie à attendre que l'un d'eux me traite comme sa fille, comme quelqu'un dont ils avaient la charge. Je ne voulais plus rien attendre.

Au milieu de la nuit, j'allumai la lampe et me glissai sans bruit dans le couloir plongé dans l'obscurité. Cette vieille maison ne dormait jamais. Même la nuit, elle semblait vivante. Les vieux livres au dos relié cuir déversaient leurs histoires, et le passé semblait tout proche. En bas, mon grand-père était à quatre pattes, ramassant les fragments de grenouilles en porcelaine entre les brins du tapis. Derrière la porte fermée de la chambre de mes parents, j'imaginais mon père en train de caresser des doigts les bas de soie de ma mère. Je voulais protéger mon père. Je collai mon oreille contre la porte, mais tout était silencieux.

En bas, j'approchai la chaise près de la table du téléphone. Je ne savais pas du tout quelle heure il était, mais ça n'avait pas d'importance. Nils Ivers était sûrement un oiseau de nuit, du genre à passer ses soirées dans des pièces enfumées à regarder des filles en bustiers à plumes soulever la jambe. Je pris le combiné et fis le numéro.

Il décrocha au bout de plusieurs sonneries.

« C'est Susan, commençai-je.

— Il est un peu tard, non ?

— Oui, mais j'ai quelque chose à vous dire.

— Laisse-moi deviner. Je te manque ?

— Elle est revenue. Je pensais que vous aimeriez savoir. »

Il marqua un silence, et j'imaginais les mots coincés dans sa gorge.

« Eh bien, j'étais persuadé que je n'aurais plus de nouvelles de toi.

— Pourquoi ?

186

« — Je croyais t'avoir fait peur.

— Je n'ai peur de rien.

— Je vois ça. Qu'est-ce que tu fais ? »

Je pris ma respiration. Il n'y avait pas un bruit. On aurait dit que le monde entier écoutait.

« Je lis *L'Amant de lady Chatterley*, lui dis-je. Je suis au lit avec une cigarette. Ils sont juste à côté.

— C'est dangereux. Ne t'endors pas, dit-il en riant. Qu'est-ce qu'ils font ?

— Qui ?

— Ton père et ta mère.

— Je ne sais pas ce qu'ils font. Ils se sont enfermés dans la chambre. »

Je me dis qu'il était sans doute en train d'imaginer ce qui pouvait se passer derrière la porte de la chambre de mes parents. J'espérais qu'il pensait à des gestes intimes. La joue de ma mère posée sur le torse de mon père, mon père caressant du doigt la crête de son épine dorsale de chatte.

« Nils, lui dis-je.

— Je t'écoute.

— Ils sont vraiment amoureux. Elle ne le quittera pas. Jamais…

— Tes yeux te trompent, interrompit-il. Ne crois pas tout ce que tu vois. Ann n'aime pas obtenir ce qu'elle veut. Elle est folle. Elle aime qu'on lui marche dessus et…

— Ne dites pas ça. »

Je le haïssais. Je voulais le voir disparaître.

« N'appelez pas ici.

— C'est toi qui appelles, mon chat. »

Je raccrochai et allai dans le salon, où tout était calme, comme dans un monde différent. Plus rien n'avait l'air familier. Je pris un des coussins, caressant du doigt la couture. Je défis la fermeture Éclair de la housse et sortis une poignée de plumes. Je chiffonnai le duvet délicat, sentant les tiges craquer doucement entre mes doigts comme des épis de blé. Puis j'ouvris le poing et soufflai sur ma main. Le nuage blanc se dispersa dans l'obscurité en virevoltant autour de mes jambes. Je tendis l'oreille pour entendre le nouveau langage de notre univers en décomposition.

Les paroles de Starkweather étaient hachées et se mélangeaient, comme tout le reste autour de moi. Le lendemain, je m'assis sur les gradins couverts de givre près de la piste d'athlétisme au lieu d'aller à la cantine, et je lus un vieux numéro de *Parade* qui contenait une interview de Starkweather dans le couloir des condamnés à mort. Les élèves se le passaient sans arrêt au lycée.

Qu'est-ce qui vous a poussé à agir ?

Les choses avaient bien commencé, et puis tout s'est compliqué.

De quelle façon ?

J'avais des espoirs, comme tous les jeunes. Les bois derrière la maison étaient notre terrain de jeux à nous, moi et mes frères. Et puis un jour j'ai été désigné à l'école et il a fallu que je me lève et que je raconte ce que je faisais dans les bois.

Et que s'est-il passé quand vous vous êtes levé devant la classe ?

188

J'arrivais pas à trouver un seul mot à dire. Tout le monde s'est mis à rigoler.

Et c'est ce qui vous a poussé à tuer onze personnes ?

Euh, ouais. Vous savez, ça sert à rien d'accuser les gens.

Qui d'autre serait responsable, selon vous ?

Elle. Elle y est pour beaucoup.

Caril Ann Fugate ?

Elle m'a donné ma chance. Personne ne m'avait donné ma chance avant.

Il y avait une photo de Starkweather derrière les barreaux, assis sur le lit de sa cellule, le dos appuyé au mur, passant la langue sur sa lèvre supérieure. Il avait l'air sûr de lui, bien dans sa peau. Il avait l'air de quelqu'un à qui on a donné toutes les chances du monde.

Je pensai à ma mère, assise sur le sofa du salon, en train de pleurer, tandis que j'étais là à la regarder dans la lumière dure de l'hiver. *Personne ne me donne ma chance, à moi.* Qu'est-ce qu'elle avait fait pour me donner ma chance ?

Aussi loin que remontaient mes souvenirs, elle avait toujours essayé de m'éloigner de la maison : colonies de vacances, tir à l'arc, musique, tout ce pour quoi je n'avais aucun talent. « Je te donne une chance de te faire valoir », disait-elle. La dernière fois, elle avait essayé des leçons de danse. Elle avait toujours admiré ce qui avait de la grâce.

Ma mère avait découvert dans le journal une annonce pour des cours de danse privés donnés par Len Silverman. Starkweather avait été exécuté la semaine précédente. Elle m'avait conduite à la première leçon dans la Studebaker Golden Hawk 400, en faisant un détour par le cimetière de Wyuka. Les gens avaient fait des kilomètres pour venir voir la tombe fraîchement creusée de Starkweather, et étaient prêts à payer pour obtenir des autographes recueillis par le père de Charlie. Les gens avaient regardé la voiture de ma mère comme si elle faisait partie de tout ce cirque. Alors ma mère avait klaxonné et fait un salut de la main, levant les yeux au ciel tandis qu'on dévalait R Street.

« Tu as peur, dit-elle. De quoi as-tu peur ? Je vois bien que tu as peur. Tu te manges les ongles, dit ma mère en prenant ma main pour l'écarter de ma bouche. Tu es sans arrêt en train de mâchouiller quelque chose. »

On se gara juste devant chez Len Silverman, et elle me dit d'appuyer sur la sonnette.

« Tu ne viens pas avec moi ? demandai-je.

— Bien sûr que non, bêtasse. Tu es une grande fille maintenant. »

Un homme grand, aux cheveux blonds bouclés, ouvrit soudain la porte en me faisant signe d'entrer. Ma mère salua Len d'un geste de la main, me souffla un baiser et démarra.

Il referma la porte derrière moi, et le reste du monde ensoleillé disparut. Tous les stores du salon étaient baissés.

« Pourquoi est-ce qu'il fait si sombre ? demandai-je.

— Fred préfère ça. »

Len me conduisit auprès d'un aquarium éclairé qui faisait des bulles dans un coin du salon plongé dans la pénombre. Il y avait un poisson bleu qui tournait en rond autour d'un château rose en céramique.

« C'est Fred Astaire, un combattant du Siam. Fred n'aime pas la compagnie. Pas de Ginger Rogers pour ce petit gars-là. »

Il me fit toucher du doigt la vitre claire de l'aquarium. Je fis semblant d'examiner Fred, mais du coin de l'œil, je voyais Len, le visage flottant dans l'ombre d'une plante aquatique grossie. Les nageoires de Fred pendaient dans l'eau, doucement agitées par un courant invisible, comme la manche large et soyeuse de la chemise bleu électrique de Len. Len éparpilla quelques flocons dans l'aquarium, et le poisson remonta sans effort pour picorer la surface de l'eau.

« Alors, dit-il, on y va ? »

Mon cœur palpitait. Je me rappelais l'histoire d'une petite fille portant des gants en agneau blanc qui s'était jetée dans la gueule du loup. Pour la première fois, j'avais l'impression de jouer un rôle dans quelque chose d'aussi tragique que ce que Starkweather avait fait. Les petites filles disparaissent en plein cœur du pays. Vues pour la dernière fois en train de danser à cœur perdu. C'est la faute de parents irresponsables.

Comme attachée au bout d'une ficelle, je le suivis, abandonnant la pénombre pour passer dans la cuisine inondée de lumière, puis dans le studio. Len posa les mains sur mes épaules mais me tint à distance en marquant du bout de sa chaussure luisante un rythme imaginaire.

« Allez, détends-toi, dit-il. Tu es toute crispée. Tu as déjà pris des cours de danse ? »

Je secouai la tête. Je voulais qu'il enlève ses mains. En même temps, je voulais qu'il garde les mains sur moi pour que je me sente encore plus mal à l'aise. Je voulais tout laisser tomber. Je voulais disparaître.

Len plongea son regard dans le mien.

« Il est très important d'avoir confiance en soi, ma puce, pas seulement pour danser, mais dans la vie en général. »

Il enleva une main de mon épaule et me prit le menton.

« Relève la tête. C'est la première chose. Il y a de la grâce en toi. Il faut que tu y croies. »

Len s'écarta de moi et se dirigea vers le gramophone. Puis il revint sur ses pas.

« Laisse-moi te regarder une dernière fois. »

Il marqua un silence.

« J'ai l'habitude de donner des cours à des dames d'un certain âge. On t'a déjà dit que tu étais ravissante ? »

Je ne m'étais jamais trouvée ravissante. Len posa l'aiguille sur le disque. *You don't remember me, but I remember you*, chantait tristement Little Anthony. *T'was not so long ago you broke my heart in two*. Il fondit sur moi et tenta d'attraper ma main. J'esquivai son geste.

« Tu es vraiment trop ravissante », dit Len en soupirant.

Je fis une moue dégoûtée.

« Où sont les toilettes ? » demandai-je.

En revenant dans le studio, je m'arrêtai près du frigo. Des bouteilles à moitié vides étaient alignées à l'intérieur. Je songeai alors à ma mère, à la façon dont elle errait sans but à travers la maison, agitée, comme si elle se fichait de tout et ne faisait plus attention à personne. Je me dis combien il était étrange que les gens l'aiment, puisqu'elle ne semblait pas avoir besoin d'eux. Peut-être qu'il n'était pas plus difficile que ça d'être aimée. Peut-être que le secret c'était d'être indifférent.

Je soulevai délicatement une bouteille, la débouchai, et le bruit me fit tressaillir. Je tendis l'oreille pour voir si j'aurais des ennuis, mais la voix de Little Anthony me parvenait depuis le studio. Je portai la bouteille à mes lèvres et avalai doucement une gorgée.

Len était en train de trier sa collection de disques. Je m'approchai dans son dos.

« Tu as trouvé, Bouchon ? demanda-t-il.

— Oui, répondis-je en lui jetant un regard mystérieux et en battant des cils. Vous saviez que mes parents m'appellent Bouchon à cause de mon nez ? »

Je voulais qu'il me dise quelque chose de gentil sur mon nez. Personne ne l'avait jamais fait.

« Ah, mais tu n'es pas si timide, en fin de compte, dit Len. Tu veux apprendre le cha-cha-cha ? »

Je gardai les mains dans le dos pendant que Len mettait de la musique sud-américaine et remuait les hanches. Il tangua vers moi et plaça les mains sur mes épaules. Je suivis le mouvement de Len, un peu raide au début. Je battis des pieds. Je regardais par terre. Je lui marchai sur les orteils, mais il ne parut pas faire attention. Puis je me laissai aller. Je relevai le menton. Ce n'était pas très difficile de faire comme lui. Tout d'un coup, j'avais le rythme dans le sang. C'était logique : cha-cha-cha. J'aurais voulu avoir une fleur pour la mettre dans la bouche. Je voulais tournoyer sur le tapis de notre salon pendant que mes parents m'observaient, réduits au silence par ma métamorphose soudaine.

« Tu es douée ! s'écria Len. Un, deux, cha-cha-cha. »

Les pieds de Len me guidaient comme avec une ficelle. On avançait d'un bout à l'autre du studio. Un pas s'enchaînait avec le suivant, jusqu'à ce que mes pieds prennent leur propre rythme.

« Un de ces jours, je te verrai danser à la télé. Tu vas taper dans l'œil de quelqu'un. J'en suis persuadé. Il faut absolument que je dise ça à ta mère.

— Non, murmurai-je. Ne dites rien à ma mère. »

L'aiguille fit un écart sur le vinyle. La musique recommença. Je me hissai sur la pointe des pieds et passai les bras autour des épaules de Len. Je posai mes lèvres sur son cou.

Len recula brusquement comme si je l'avais brûlé. Il me repoussa à bout de bras. Il secoua la tête et me regarda dans les yeux.

« Mon petit chat, où vas-tu comme ça ? »

Les larmes se mirent à rouler sur mes joues, et je ne pouvais pas les arrêter.

« Ma mère vient à quelle heure ? m'écriai-je.

— Oh, ma puce ! dit Len tristement. Ta mère n'a pas le temps de venir te chercher. C'est moi qui te raccompagne. »

Dans la voiture, Len me tapota le genou.

« Ne sois pas en colère, ma petite chérie, c'est ma faute, dit-il. Je n'ai pas l'habitude de travailler avec des enfants. »

Mais je ne me sentais plus une enfant. Je me recroquevillai contre la portière, sans dire un mot, le regard fixé vers l'avant, les yeux pleins de larmes, suivant la ligne peinte sur la chaussée aveuglante jusqu'à ce qu'on arrive aux pelouses soignées des quartiers sud.

Ma mère s'attira des ennuis. En rentrant du travail, mon père me trouva assise là, le regard perdu en direction des rhododendrons.

« Qu'est-ce qu'il y a ? demanda-t-il en me secouant par les épaules.

— Len m'a laissée dans l'allée, lui dis-je.

— Qui est Len ? »

Je ne répondis pas.

« Où est ta mère ? »

Il m'entraîna de force dans le garage et on entra dans la cuisine.

« Regarde ce que j'ai trouvé », dit-il à ma mère qui arrivait du couloir, un verre de thé glacé à la main.

Je me souviens d'avoir souhaité qu'elle laisse tomber son verre. Je voulais qu'elle éclate en sanglots ou me prenne dans ses bras, mais elle resta là, avec sa nouvelle coiffure toute belle qui faisait des boucles autour des oreilles, en sirotant son thé glacé.

« Où étais-tu passée, Bouchon ? »

Elle mit les mains derrière son dos et agrippa le rebord de la paillasse. Elle ajusta ses pieds chaussés de ses escarpins blancs tout propres.

« J'étais inquiète, dit-elle. Tu aurais déjà dû être rentrée, non ? dit ma mère en regardant sa montre.

— Rentrée d'où, Ann ? Et qui est ce Len ? demanda mon père d'une voix brusque.

— Calme-toi. Il avait mis une annonce dans le journal, dit ma mère en levant les yeux au ciel. Pour des leçons de danse.

— Où ça ? Chez lui ? insista mon père en croisant les bras.

— Ne prends pas ce ton avec moi, Thatcher ! répliqua ma mère. C'est très impoli. Pourquoi pleures-tu, ma puce ? dit-elle en se tournant vers moi.

— Je ne me sens pas bien, répondis-je.

— Tu es malade ?

— Ah je te jure, dit mon père en secouant la tête. Si tu l'as confiée à un étranger, Ann, après tout ce qui s'est passé, je ne sais pas ce que je vais faire.

— Arrête de me donner des leçons, dit ma mère en tapant du pied dans sa chaussure à talon haut. Oh, Thatcher, tu entends ce que tu dis ? Je ne veux plus t'entendre. »

Mon père me fit faire volte-face et me regarda droit dans les yeux.

« Est-ce que ce Len t'a touchée, Susan ? Est-ce qu'il t'a serrée trop fort ?

— Non, papa, répondis-je en essuyant mes larmes d'un revers de manche. Pourquoi quelqu'un ferait ça ? »

Cette nuit-là, je fus réveillée en sursaut par un bruit de musique passant sous la porte. Je me levai et sortis avec précaution dans le couloir. Je me mis à descendre l'escalier recouvert d'un tapis doux, laissant glisser ma main le long de la rampe, avec une crainte grandissante. L'idée me traversa l'esprit que mes parents s'étaient peut-être assassinés l'un l'autre, parce que personne ne m'avait réveillée à l'heure du dîner. Mon cœur se retourna à cette pensée. On avait déjà vu des choses bien plus incroyables. Mon grand-père était mort d'une crise cardiaque dans le salon un soir d'avril alors qu'il était tranquillement assis en train de lire le journal. Starkweather et Fugate avaient exigé que Mrs. Bowman leur fasse des crêpes pendant que la police barrait les routes à l'autre bout de l'État. À Chicago, quatre-vingt-sept petites filles étaient mortes au dernier étage de l'école Our Lady of the Angels parce que les pompiers avaient reçu par erreur la consigne de se rendre à l'église Our Lady of the Angels.

Je suivis le son doux et léger, et jetai un œil dans l'embrasure de la porte. Ma mère portait sa chemise de nuit blanche et mon père était en pyjama. Ils se tenaient les mains, le corps enlacé. La musique venait du vieux gramophone. Mon père faisait lentement tourner ma mère. D'un pas léger, ils traversèrent les ombres, tournant avec grâce autour des lourds meubles de mon grand-père. Mon père avait les yeux baissés sur ma mère comme s'il n'avait jamais rien vu de plus beau. La joue de ma mère était appuyée contre l'épaule de mon père ; elle avait les yeux fermés comme si elle s'était perdue dans un rêve.

Je me demandais ce qui avait réveillé mes parents, ou s'ils s'étaient même couchés. Est-ce qu'ils s'étaient réveillés en sursaut au milieu de la nuit, malades d'amour, ou bien secoués du besoin de pardonner ? Je n'arrivais pas à imaginer ce qui avait pu se passer pour qu'ils ressentent ça. Je restai là, en peignoir dans l'obscurité, à les regarder, la main appuyée sur le mur de l'entrée. Des larmes amères me piquaient les yeux, parce que je ne comprenais pas. Ils étaient là l'un pour l'autre, et il n'y avait jamais rien eu d'aussi adorable. Par la suite, à chaque dispute entre mes parents, je me souviendrais de leur danse comme d'une forme de vérité. Ils seraient toujours ensemble. Ils arriveraient toujours à trouver une solution. Mais maintenant, je n'étais plus si sûre. J'étais persuadée que tout était fini.

J'entendis la sonnerie qui annonçait la fin de la pause déjeuner. Je descendis des froids gradins métalliques et me rendis au cours d'histoire. Je ne parvins pas à suivre la leçon sur la conquête de l'Ouest. Tous ces déplacements et ces découvertes de nouveaux territoires me faisaient trop penser à tout ce que ma mère avait si facilement abandonné.

Je ne pouvais pas retourner dans notre maison silencieuse, seule avec tous ces souvenirs, alors je demandai à Cora de venir avec moi. Elle me dit qu'elle m'aiderait à ranger les affaires en désordre de ma mère parce que nous étions amies, et que les amies doivent s'entraider. En ouvrant la porte de la maison, je me sentis gênée de voir combien l'entrée était sombre et avait l'air vieux, combien la moquette avait l'air usée et fatiguée en comparaison du plancher reluisant des Lessing. Même l'air semblait plus lourd.

On commença par la chambre de mes parents, pour ranger les vêtements de ma mère dans les tiroirs. Cora découvrit ses chaussures noires avec les gros brillants, et les essaya. Elle se couvrit la tête d'un foulard espagnol et fit semblant de me dire mon avenir, ce qui me fit rire. C'était si plein d'espoir, si plein d'amour ! Elle me dit que ma mère reviendrait. Pendant un moment, j'y crus presque.

Alors que nous étions en train de ranger le salon, Cora trouva un paquet de cigarettes à moitié vide dans le tiroir de la petite table. Je savais qu'il était là depuis longtemps, qu'il datait même peut-être du temps de mon grand-père.

« Tu as déjà fumé ? demandai-je à Cora.

— Ouais. Ma cousine Simone est une rebelle. Elle me donne des leçons. Et toi ?

— Non.

— C'est ce que je pensais, dit Cora. Tu n'es pas vraiment le type rebelle.

— Eh bien, tu as tort », lui dis-je. J'aurais voulu qu'elle entende ma conversation avec Nils. « Je vais sortir en fumer une. »

J'avais remarqué qu'il semblait y avoir un lien entre la minceur et les cigarettes. Audrey Hepburn fumait sans arrêt dans *Diamants sur canapé*. Je ne me rappelais pas l'avoir vue manger quoi que ce soit.

J'ouvris la porte-fenêtre et Cora me suivit dans le jardin. On pataugea dans la neige pour aller s'asseoir sur le banc au pied du seul orme encore debout. Elle me donna du feu, et je fis la même chose pour elle. Je fermai les yeux, retenant la fumée de la cigarette de mon grand-père, en essayant d'y prendre goût. Puis j'ouvris la bouche et regardai le nuage gris s'élever dans le ciel bleu pâle du soir.

« Je suis toute retournée à cause de mon chat, dit Cora. C'est pour ça que je fume. C'est comme ça que les gens supportent leur douleur. »

Un cône de cendres grises tomba du bout de ma cigarette et dansa dans une petite rafale de vent.

« Je suis désolée », dis-je.

Cora écrasa sa cigarette dans la neige et cacha le mégot dans la poche de son manteau. Je fis la même chose. On resta assises là un bout de temps en silence, à écouter le bruit clair de la pelle d'un voisin qui dégageait la neige. Les joues de Cora étaient rougies par le froid. Du bout de ma botte, je creusai un trou autour du pied du banc en songeant à Starkweather debout devant sa classe sans trouver un mot à dire. Je ne voulais pas me sentir si seule. J'avais envie de me rapprocher d'elle.

« J'ai parlé au premier mari de ma mère au téléphone, lui dis-je.

— Pour quoi faire ?

— J'essaie de savoir où elle a pu aller. »

Mais je savais que c'était plus compliqué que ça.

« Je ne crois pas qu'elle soit partie pour de bon. Elle aurait pris ses chaussures avec les brillants.

— Elle est folle, lui dis-je. Elle a toujours été folle. »

Cora fronça les sourcils et donna un coup de pied dans la neige. Elle enfonça les mains dans ses poches.

« Les gens pensent que maman est folle, dit-elle.

— Pourquoi ?

— C'est juste qu'ils ne la connaissent pas. C'est la culpabilité qui la rend folle, même si ce n'était pas sa faute. Pendant longtemps, elle s'est dit qu'elle aurait pu empêcher que ça arrive.

— Empêcher quoi ? » demandai-je en essayant de dissimuler mon excitation.

Cora pencha la tête en arrière sur le dossier du banc et croisa les bras sur sa poitrine, les yeux levés vers les branches couvertes de givre. Cora me racontait peut-être ça à cause de ma demi-confession, mais je savais que c'était en grande partie dû à la neige, parce que je n'avais rien fait pour mériter cette histoire, pas encore en tout cas, et il est bien possible que je n'aie jamais rien fait pour ça.

Mrs. Bowman avait rendu visite à la mère de Cora le jour même où son sort fut scellé. C'était une semaine avant sa mort, à peu près au moment où Charles Starkweather avait pointé sa carabine sur la tempe du beau-père de Caril Ann Fugate et l'avait tué à bout portant.

Ce n'était pas dans les habitudes de Mrs. Bowman de rendre visite à ses voisins, expliqua Cora. Les dames de la haute société et les artistes ne se mélangeaient pas. Elles avaient des opinions différentes sur la façon de faire les choses. Par exemple, les Bowman avaient la manie étrange d'envoyer chaque année par la poste un gâteau de Noël aux Lessing, alors qu'ils auraient facilement pu venir le déposer eux-mêmes. Et apparemment, Mrs. Bowman n'appréciait pas beaucoup que les Lessing négligent leur jardin. De temps en temps, elle faisait poliment quelques suggestions par-dessus la haie, en disant « Vous savez… », et une fois, elle était allée jusqu'à recommander son propre jardinier. Mais elle ne pensait pas à mal, tout le monde le savait très bien. Elle n'était pas vraiment belle, mais elle avait des manières surannées pleines de grâce, et ses tailleurs en crêpe étaient toujours bien coupés. Mais ce jour-là, Cora l'avait trouvée bizarre. C'était comme si le vernis du sourire de Mrs. Bowman s'était terni.

« J'espère que je ne vous dérange pas », avait-elle dit en arrivant. Elle adressa un regard chaleureux à Cora et tendit à Mrs. Lessing un plat rempli de petits gâteaux. Le fait est qu'elle tombait au mauvais moment. Mrs. Lessing était en train de peindre. Elle avait de l'enduit à tableaux sous les ongles et de la peinture bleue sur les chaussures. Mais elle ne voulait pas se montrer impolie. Elle fit bonne figure à Mrs. Bowman, prit les gâteaux et accrocha le manteau de celle-ci dans la penderie.

« Merci, dit-elle.

— Ne me remerciez pas, remerciez la gouvernante, dit Mrs. Bowman avec un rire bref. Je n'ai aucun talent pour la cuisine. Si Moira n'avait pas été là, mes hommes m'auraient quittée depuis longtemps. »

Mrs. Lessing la conduisit dans le salon, lui offrit un siège, puis s'assit en face d'elle, le plat de gâteaux gauchement posé sur ses genoux. Cora était restée en chaussettes sur le seuil de la pièce, frottant son pied sur le plancher lisse.

« Je n'aurais pas dû venir à l'improviste, mais je me suis soudain dit qu'il était tout de même curieux que je ne vous aie jamais rendu visite depuis – combien d'années, maintenant, Corrine ?

— Onze ans.

— Si longtemps ? Je suis vraiment une bien piètre voisine, dit Mrs. Bowman en parcourant tristement la pièce du regard, ses yeux s'arrêtant un instant sur les photos de classe encadrées de Toby et Cora accrochées au mur. Vous savez, ces derniers temps, tout vient me rappeler que je vieillis. Cela vous arrive aussi ?

— Oh, oui ! dit Mrs. Lessing en posant le plat de gâteaux sur la table de salon.

— Je me retrouve brusquement avec un adolescent. Il est revenu à la maison pour les vacances et j'ai vu le changement. Il refusait de me parler. Il se rengorgeait comme un petit homme.

— Il a repris les cours ?

— Il est à Choate, dans le Connecticut. Il est reparti la semaine dernière. Il ne reste plus qu'Arthur et moi, et le chien, dit Mrs. Bowman. Et Moira, mais elle n'entend rien et elle ne parle pas beaucoup. Quelquefois, la maison semble bien grande et bien vide. Certains après-midi n'en finissent pas ; il n'y a que le bruit des pendules et personne qui rentre en trombe de l'école.

— J'ai oublié de vous proposer quelque chose à boire », fit remarquer la mère de Cora.

Mrs. Bowman lui dit de ne pas se donner la peine, que la conversation lui suffisait amplement.

Mrs. Lessing trouvait que sa voisine avait l'air un peu seule, et songea qu'elle pouvait la comprendre. Elle s'adossa au fauteuil, admirant les bagues que portait Mrs. Bowman. « Elles sont magnifiques », dit-elle

Mrs. Bowman lui en tendit une qui était ornée d'une grosse perle entourée de diamants. Mrs. Lessing l'essaya.

Cora entra dans la pièce et prit un gâteau sur le plat.

« Tu veux une assiette, ma chérie ? s'enquit Mrs. Bowman en esquissant le geste de se lever comme si c'était son devoir.

— Ce n'est pas la peine, dit la mère de Cora.

— Vous êtes artiste, alors vous allez me donner votre avis, dit Mrs. Bowman. Cette bague est-elle vraiment belle ou bien trop voyante ? Je me suis toujours posé la question.

— Le style est intéressant », répondit la mère de Cora en reculant la main pour examiner la bague.

Elles se mirent à parler d'art. Mrs. Bowman en savait long sur le sujet, ainsi que sur d'autres, semble-t-il. Elle servait de mécène à plusieurs musiciens de la région et faisait partie du conseil d'administration du musée de l'université. Elle avait toujours rêvé d'être artiste. Mrs. Lessing parla de son propre travail, de son tableau de la grue, la patte levée en train de fouiller un tas de terre, et du paysage de grandes plaines qu'elle aimait particulièrement, avec la cabane de pionnier.

« Pourrais-je les voir ? demanda Mrs. Bowman.

— Je ne les montre à personne, répondit Mrs. Lessing. Ils ne sont pas prêts.

— Est-ce que vous aurez quelque chose de prêt la semaine prochaine ? » insista-t-elle. Une vente aux enchères allait être organisée au profit de la Société historique. Un tableau des collines de sable serait parfait.

Mrs. Lessing accepta de montrer quelque chose à sa voisine, m'expliqua Cora, ce qui était rarissime.

Alors elle s'enferma dans le grenier pendant des jours entiers, parce qu'elle trouvait qu'elle n'avait rien d'assez bon. Elle peignit un ciel d'orage, avec de gros nuages projetant des ombres sur les ondulations des collines de sable et une volée d'oies malmenées par le vent. Au-dehors, le monde était en ébullition. On avait découvert les corps des membres de la famille de Caril Ann et celui d'un vieux fermier à la sortie de Lincoln, mais Cora se souvenait que sa mère n'y avait pas vraiment fait attention. Elle avait continué à travailler.

La semaine s'écoula, et le tableau était terminé. Mrs. Lessing fit du thé et alla s'asseoir dans le salon en attendant l'arrivée de Mrs. Bowman. À peu près au même moment, dans une cave près de Bennet, les forces de l'ordre déterraient les corps de deux adolescents portés disparus.

La mère de Cora sortait sans arrêt sur la véranda pour jeter un œil sur la maison des Bowman, qui semblait dormir paisiblement, immobile comme du verre derrière les stores baissés. Mrs. Bowman avait peut-être oublié. Finalement, Mrs. Lessing trouva le courage de téléphoner. Mrs. Bowman décrocha et lui dit qu'en effet, elle avait oublié. Mais elle ne se sentait pas bien. Un mal de tête, mais elle passerait plus tard. On la sentait tendue, ou peut-être simplement occupée, comme si elle était pressée. Plus la mère de Cora y réfléchissait, plus elle était irritée. Après tout ce travail…

Quand on découvrit les corps, la mère de Cora tenta de s'arracher les cheveux. *Je suis désolée. Je ne vais pas pouvoir venir. Une autre fois*, écrivit-elle en blanc en travers du ciel d'orage qu'elle avait peint pour Jeanette Bowman. « Comment aurais-tu pu deviner à partir de ce genre de phrases ? Sois raisonnable », implorait Mr. Lessing tous les soirs derrière la porte fermée de la chambre.

Mais pourquoi à ce moment-là, ce jour-là ? J'aurais dû savoir qu'il se passait quelque chose. Mrs. Lessing cessa de peindre. Elle n'avait pas repris la peinture depuis. Elle collectionnait des plumes, fabriquait des halos et des ailes, et restait assise dans le grenier que le père de Cora avait transformé en studio, observant la neige d'un regard fixe. À écouter Cora, on aurait dit que sa mère était partie, elle aussi. Elle ne savait pas si elle reviendrait un jour.

Je levai les yeux vers le ciel, ne sachant pas quoi dire. Le bleu semblait s'étendre à l'infini. Les traces laissées par Starkweather continuaient à se multiplier. Je comprenais ce que pouvait ressentir Mrs. Lessing. Je savais ce que c'était de se sentir responsable de quelque chose qui ne pouvait pas être rattrapé.

Ne t'inquiète pas, je connais l'histoire, dirais-je au fils Bowman en lui prenant la main et en le regardant dans les yeux.

« Cora, je suis désolée, lui dis-je en lui serrant la main à travers sa moufle.

— Ne t'inquiète pas », dit-elle. Elle me sourit, et de petites taches de couleur apparurent sur ses joues. Je posai la tête contre son épaule, tâchant de remplacer la chaleur d'un contact par un autre.

Chapitre 14

1991

En arrivant à Port Saugus, je remontai l'allée pour garer la voiture derrière la maison, de sorte que personne n'ait l'idée de venir prendre de nos nouvelles. Tout avait l'air différent. Les mauvaises herbes avaient poussé autour de la véranda et le toit était vert de mousse. Les bardeaux gris étaient éparpillés sur le sol autour de l'ancienne grange, et un épais brouillard montait du fleuve, effaçant tout sur son passage. Je posai la boîte en carton sur la véranda et me frayai un chemin à travers l'herbe mouillée jusqu'au chêne où étaient enterrés nos beagles, les petites médailles que nous avions laissées à leur cou enfouies sous une épaisse couche de feuilles jaunissantes, leurs squelettes étouffés par des racines voraces. Je jetai un œil sur le côté de la grange, pour voir si Jane, notre voisine artiste, était dans les parages. Elle était toujours disposée à se lancer dans une discussion animée autour d'un verre de bourbon. Mais sa maison avait été recouverte d'une étrange peinture violette, et sa Fiat n'était pas là. Dans le passé, Jane avait été plus proche de Susan, mais j'étais toujours heureux de la voir. À en juger par la nouvelle peinture, cependant, je me disais qu'elle avait décidé de déménager sans rien dire à personne. J'étais presque soulagé. Je n'aimais pas l'idée qu'elle puisse voir les lumières s'allumer dans la maison ni qu'elle s'interroge sur les raisons de ma présence sans le reste de la famille.

Je n'avais pas l'intention de pénétrer dans la grange. Au fil des années, j'en étais venu à la détester encore plus que je ne l'avais adorée. Elle était devenue une sorte de décharge pour tous les objets dont Susan et moi ne savions que faire. Mais le toit semblait avoir subi des dégâts ; une grosse branche avait été arrachée du grand érable, peut-être au cours d'un des violents épisodes orageux du mois d'août. Apparemment, Dick Cassidy, qui était payé pour s'occuper de la propriété, n'avait pas fait son boulot.

Je glissai la main sous le bac à fleurs installé près de la porte et sortis la clé pour ouvrir la grange. Il y avait une forte odeur d'humidité et tout semblait abandonné. La branche avait fait un grand trou dans le toit en tombant, et la pluie s'était accumulée au pied de l'échelle. J'entendais le bruit doux de l'eau qui s'égouttait du grenier à foin, mais j'avais du mal à distinguer les meubles de la vieille maison de Lincoln dans la lumière rasante. Je m'avançai entre les rangées, cognant contre des écrans de toiles d'araignées invisibles, touchant les housses de protection et les bâches plastiques à la recherche de traces d'humidité. Tout était encore sec, mais recouvert d'une épaisse couche de poussière.

Ma mère n'aurait pas apprécié de voir ses trésors abandonnés ainsi, mais il y avait tout bonnement trop de choses pour pouvoir les trier. Elle adorait choisir des meubles ; c'était une de ses occupations favorites. Elle connaissait des gens qui étaient à l'affût de la moindre vente privée et qui l'appelaient quand ils avaient déniché la perle rare. Quand elle ne pouvait pas s'y rendre elle-même, ma mère plaçait une enchère et passait sa journée près du téléphone en mangeant des petits-fours, l'air ébahi. Je trouvais cela grotesque, et même bizarre, jusqu'à ce que je place ma première enchère des années plus tard, et que me revienne le souvenir de ces petits détails : la façon dont elle soupirait, examinait ses manches, ou bien ajustait les coutures de ses vêtements lorsque quelque chose d'exceptionnel, quelque chose dont elle avait vraiment envie, lui avait échappé.

Je dénichai ma boîte à outils, pris une bâche plastique sur une étagère et escaladai maladroitement l'échelle jusqu'au grenier à foin, tandis que l'ombre tranchante d'une hirondelle filait entre les planches brisées. Debout sur le sol mouillé du grenier, je me mis à inspecter les dégâts. Ç'aurait pu être pire. Lorsque j'aurais débarrassé quelques-unes des petites branches, le trou ne serait pas très difficile à réparer ; je le boucherais avec le plastique en attendant d'appeler un couvreur le lendemain. Pas très compliqué. Mais aucune tâche n'est aussi simple qu'à première vue. En sciant les dernières branches les plus difficiles, je découvris un nid en équilibre sur la poutre, et quatre squelettes de bébés hirondelles nichés au fond, comme les fossiles préhistoriques que mon père et moi avions trouvés un jour sur la surface d'un rocher, des années auparavant dans la plaine de Box Butte.

Je restai à regarder les quelques plumes encore accrochées à l'intérieur du nid de terre comme les dernières feuilles sur une branche, en me demandant quelle épreuve ces petites créatures désarmées avaient bien pu subir. Maladie, famine, abandon ? Impossible de le savoir. Je n'osais pas déranger la petite tombe, alors j'étendis rapidement la bâche sur le trou du toit et la fixai avec des clous. J'avais à peine tourné le dos que j'entendis quelque chose qui heurtait la toile, laissant une volée de plumes dans son sillage.

Une fois, deux fois, trois fois, la femelle tenta de pénétrer, avant de s'assommer ou bien d'abandonner. Je touchai du doigt le petit trou laissé par l'oiseau et songeai à l'entêtement de ma femme. Elle avait essayé tant de fois de nous guider vers une existence normale, où tout était clair et net. Au fil des années, Susan semblait avoir acquis plus de sang-froid que moi, plus de détermination. Elle passait des heures à s'occuper des devoirs des enfants, surveillait leurs progrès, les encourageait de toutes les façons possibles. Soir après soir, elle s'était assise avec Hank à la table de la salle à manger, corrigeant les essais qu'il avait écrits pour son dossier d'admission à l'université. Ce serait bientôt le tour de Mary. Susan lui avait apporté les brochures les plus récentes et les exercices de préparation aux tests, qui étaient encore empilés près de la porte de sa chambre. Susan ne semblait jamais découragée par le manque d'intérêt de Mary. Depuis toujours, elle était déterminée à leur donner tout ce qu'une mère pouvait apporter.

Je songeai au choc que ce serait pour elle si je ne revenais jamais. Au début de notre mariage, elle s'était entichée d'une vieille chanson de Sam Cooke : *My baby done gone away and left me*. Elle la chantait sans arrêt, convaincue que je ne l'abandonnerais jamais. Dans la pénombre lugubre, entouré de tous les meubles de ma mère, je me sentis si coupable que je faillis décider de reprendre la route. Mais en sortant sur la pelouse, en voyant la vieille maison fatiguée à la peinture écaillée, je me rappelai tous ces nouveaux départs que nous avions pris au fil des années, et combien ils m'avaient paru signaler une fin.

Il y avait un peu plus d'un an que nous n'étions pas revenus à Port Saugus. Lors de ce séjour, nous rasions les murs dans les couloirs étroits, essayant de nous éviter l'un l'autre. Les enfants s'asseyaient sur le mur en ciment surplombant le fleuve, la tête basse, comme des prisonniers. À la nuit tombée, ils nous faisaient fuir en écoutant la radio si fort que je n'arrivais plus à penser. Susan occupait son temps à se promener le long du fleuve ou à chercher des livres à la bibliothèque municipale, tandis que j'essayais de calfeutrer les fenêtres ou que je faisais les antiquaires et les marchands de pierres. À vrai dire, je n'avais aucune envie de me trouver là. Nous avions organisé notre voyage de sorte à accueillir le camion qui apportait les meubles de mes parents, que mon oncle m'avait rendus après le décès de sa femme Clara, la sœur de ma mère. Je voulais tout vendre, mais Susan avait insisté pour que l'on examine tout ensemble, afin de décider quels meubles on garderait et lesquels seraient mis de côté. Elle voulait qu'ils soient conservés et entretenus pour les enfants. « Pense à ce qu'ils signifieront pour eux un jour », répétait-elle, alors qu'ils ne connaissaient pas mes parents, et n'avaient aucun lien avec ce passé-là. Le jour de l'arrivée du camion, j'étais allé voir un client qui avait une résidence secondaire dans les Catskill. À mon retour, en début de soirée, je vis que Susan était de mauvaise humeur, mais faisait de son mieux pour le dissimuler. Elle était convaincue que mon absence avait été calculée.

« J'aurais bien aimé que tu participes », dit-elle en hachant une gousse d'ail avec une énergie disproportionnée. Il régnait une chaleur insupportable dans la cuisine, et je m'essuyai le front d'un revers de manche. J'avais remis deux fois la visite chez mon client pour faire plaisir à ma femme. Mais je m'efforçai de ne pas envenimer la situation.

« Ah, lui dis-je. Il y avait beaucoup de choses ?

— Pas mal.

— J'aurais bien voulu être là pour vous aider.

— J'ai choisi quelques jolis meubles et j'ai dit aux déménageurs de les mettre dans le salon. Ils ont déchargé tout le reste en tas dans la grange. »

Je la suivis dans le couloir jusqu'au salon, l'estomac noué par l'appréhension.

Près de la fenêtre, je reconnus le fauteuil brodé d'abeilles que mon père affectionnait particulièrement. Il y avait aussi une petite table en acajou, et le piano à queue de ma mère, qui dominait de sa présence le salon tout entier. Je tournai les talons, respirai profondément, en essayant de me remettre de mes émotions. Je revoyais encore ma mère assise sur la banquette, les doigts empêtrés dans les touches, essayant maladroitement de tirer un son harmonieux du clavier. Elle n'y était jamais arrivée.

« C'est le piano de ma mère, dis-je.

— Elle en jouait ? »

Je ne répondis pas, car à vrai dire, je ne me souvenais pas si elle avait jamais joué un air jusqu'au bout.

Susan s'approcha dans mon dos et me serra dans ses bras.

« Je sais bien qu'il n'a pas vraiment sa place ici, dit-elle en se reculant et en caressant du doigt le couvercle noir et lisse de l'instrument.

— Alors qu'est-ce qui t'a pris de le mettre dans la maison ? On n'en joue ni l'un ni l'autre, et ça n'intéresse pas les enfants.

— C'est un piano magnifique.

— On n'a vraiment pas besoin d'un piano, dis-je, conscient de l'ingratitude et de l'intransigeance que trahissait ma voix. Même s'il est magnifique. »

Essayant de se montrer patiente, elle soupira en fermant les yeux, puis les rouvrit lentement et dit : « Très bien, on va s'en débarrasser. On mettra l'argent de côté pour les études. »

Mais c'était notre dernière semaine de vacances, et je ne tenais pas à endosser d'autres responsabilités. Je passai mon temps dans la cuisine à faire la liste des tâches qui m'attendaient à la galerie. J'allais rarement dans le salon, mais chaque fois, j'observais les enfants qui contournaient avec soin le piano. Personne n'avait osé l'ouvrir, et j'avais l'impression que des conversations avaient eu lieu, dont je n'avais pas été informé. C'était déjà arrivé plus d'une fois dans mon existence : certaines choses ne pouvaient être dites en ma présence.

Ce mois-là fut très chaud. Nous dormions, Susan et moi, avec un ventilateur posé sur le rebord de la fenêtre pour tenter de capter un peu de fraîcheur du fleuve, mais notre dernière nuit fut si étouffante que je ne parvins pas à m'endormir. Je me servis un verre de bourbon et sortis par-derrière en refermant doucement la moustiquaire, dans l'espoir de trouver un peu d'air près du fleuve. La nuit brillait. Les étoiles saupoudraient le ciel comme les lumières d'une immense ville lointaine, et je me sentis pendant un instant en paix avec l'univers. Je me rappelais avoir escaladé les marches de l'Acropole quand j'étais à l'université, et le soulagement que j'avais éprouvé en contemplant pour la première fois le Parthénon et la perfection de son antique symétrie. Le chaos et la pollution d'Athènes s'étaient dissipés à mes pieds. La rectitude de l'édifice avait fait le silence dans ma tête, tout comme le fleuve cette nuit-là.

Mais dans la maison, j'entendais les enfants chuchoter dans le noir.

« Tu crois qu'il s'est assis dans ce fauteuil ? dit Hank.

— Qui ?

— Lui. Starkweather.

— Je ne sais pas, répondit Mary. Ça me fait une impression bizarre, comme si j'avais envie de pleurer quand j'y pense. Mais d'un certain côté, je suis fière aussi que cette chose horrible soit arrivée, et je me hais quand j'en parle, comme si ça me donnait de l'importance. »

Une petite brise passa entre les feuilles, et Hank murmura quelque chose que je ne compris pas. J'entendais l'eau tourbillonner en bas près de la berge.

« Moi aussi, je l'ai fait, dit Hank. J'en ai parlé.

— Pas comme moi. Il me déteste.

— Papa ne te déteste pas, dit Hank. Ce n'est pas sa façon de penser.

— Comment connais-tu sa façon de penser ? »

C'était peut-être le bourbon, je n'en sais rien, mais soudain tout s'éclaira. Comment auraient-ils pu comprendre quelque chose que je ne parvenais pas à comprendre moi-même ? Je voulais prendre mes enfants dans mes bras, presser leur tête sur ma poitrine de la façon dont je n'avais jamais pu le faire, les réconforter comme tant d'autres pères plus compétents l'auraient fait. Mais je ne pouvais guère faire irruption brutalement et me mettre à leur parler de ce qui était arrivé à leurs grands-parents. J'avais toujours eu l'impression que c'était quelque chose dont il fallait avoir honte. Je savais que j'en avais été transformé, mais je ne pouvais pas me rappeler celui que j'étais auparavant.

Quand ils étaient plus jeunes, et que le moment était arrivé pour moi de leur parler du passé, je n'avais pas été prêt. Un jour, en rentrant de l'école, Hank avait voulu savoir où étaient mes parents. Ils venaient de rédiger des lettres en classe, et de nombreux élèves avaient écrit à leurs grands-parents. « Et papy Bowman, demandai-je. Tu lui as écrit ? » Je ne sais pas pourquoi j'avais posé la question. Les mots étaient sortis de nulle part. Hank, bien entendu, ne l'avait jamais connu, et avait semblé interloqué. Papy Bowman, bien entendu, était mort et enterré depuis longtemps.

« Où est-il ? » avait demandé Hank avec insistance.

Je lui avais expliqué que tout ce qui vit doit mourir, quelquefois sans prévenir. Je n'avais pas poussé plus avant.

« Est-ce qu'il neigeait quand ils sont morts ? » m'avait-il demandé.

Comment pouvait-il savoir ?

« Oui, avais-je répondu. Il faisait vraiment froid, et tout était très calme. »

Chapitre 15

1962

Pendant les deux semaines qui suivirent le blizzard, les températures restèrent glaciales. On s'était baptisées les reines de glace, Cora et moi, et sous la couche blanche qui recouvrait Lincoln, tout était silencieux. Les gens s'étaient renfermés, et personne ne nous observait ; on pouvait devenir ce qu'on voulait. Ma mère avait laissé quelques pulls qui sentaient encore son parfum, et je me mis à les porter. Je ne mangeais pas beaucoup, et j'arrivais à passer deux doigts dans la taille de ma jupe écossaise rouge. Cora tressa soigneusement ses cheveux et attacha le bout avec un ruban de couleur. Au lieu d'aller à l'épicerie de Van Dorn après les cours pour acheter des bonbons, on se cachait dans des endroits où personne ne pouvait nous trouver, et on fumait les cigarettes de mon grand-père. Très satisfaites de notre rébellion secrète, on regardait la fumée faire des volutes dans l'immense ciel blanc et on examinait l'univers glacé : les branches couvertes de givre qui ressemblaient à des serres d'oiseau, les immenses congères sculptées par le vent.

Nos hautes bottes d'hiver perçaient la croûte brillante des étendues vierges derrière le Country Club ; nous savions que ça ne durerait pas. Il faudrait bien que les choses changent. C'était un intermède étrange, silencieux, étouffé, et à la tombée du jour, quand on se séparait à la barrière de la maison de Cora, je m'attardais un moment en la regardant monter les marches du perron, dans l'espoir qu'elle m'inviterait à la suivre. Je ne voulais pas rentrer chez moi et voir mon père, qui continuait à faire semblant que tout allait bien. Mais Cora avait des devoirs, et elle était déterminée. Elle planifiait déjà les cours qu'elle suivrait à Harvard, tandis que j'avais l'esprit accaparé par le fils Bowman, seul dans cette maison, et par Mrs. Lessing, ses tableaux abîmés et son cœur agité.

Je dis à Cora que je voulais rendre visite à la tombe de mon grand-père pour mieux me souvenir de lui, mais même à ce moment-là, je savais bien que j'avais d'autres raisons pour aller au cimetière de Wyuka. J'étais allée deux fois sur la tombe de mon grand-père, et je me rappelais qu'elle se trouvait près d'un arbre non loin de l'entrée sur R Street, là où Starkweather était enterré. J'y étais allée avec mes parents après les obsèques, mais ma mère n'avait pas manifesté un grand intérêt. Elle était restée un moment près de la tombe, puis elle avait déclaré qu'elle allait faire un petit tour à pied. Lorsqu'elle était revenue, un quart d'heure plus tard, les yeux mangés par le froid, mon père lui avait demandé qui elle était allée voir.

Elle avait détourné le regard et poussé le gravier de son pied chaussé de talon haut. Elle s'était fait une queue-de-cheval qui se balançait en lui donnant un air de petite fille, mais son visage avait une expression prudente.

« Je voulais voir Starkweather, avait-elle fini par dire.

— Pour quelle raison, bon Dieu ! » s'était exclamé mon père en laissant retomber ses bras.

Elle avait laissé échapper un petit rire et plongé les mains au fond de ses poches.

« Je ne crois peut-être pas au même Dieu que toi.

— Qu'est-ce que ça veut dire ?

— Celui auquel je crois ne se formalise pas que j'essaye de comprendre.

— Il n'y a rien à comprendre, avait dit mon père.

— Les gens qui voulaient faire condamner à mort la fille Fugate n'ont pas essayé de comprendre.

— Et pourquoi auraient-ils dû ?

— Elle avait *quatorze* ans, Thatcher. »

Mon père avait secoué la tête.

« Tu as ta façon de voir les choses, et moi j'ai la mienne », avait conclu ma mère.

Elle avait resserré autour de son cou le col de son manteau de printemps rouge et nous avait suivis quelques pas en arrière jusqu'à la voiture, comme si elle n'était pas certaine de vouloir venir. J'aurais voulu marcher à côté d'elle, et parler avec elle de Caril Ann Fugate. Je lui aurais demandé pourquoi à son avis cette fille n'avait pas réagi et s'il y avait un rapport avec l'amour. J'avais vraiment senti alors que je faisais partie de ma mère. Nous avions toutes les deux besoin de comprendre la même chose. Mais mon père, irrité, s'était éloigné à longues enjambées, et je lui avais emboîté le pas, comme si ce qu'elle avait dit ne m'intéressait pas. Je me souvenais que je n'osais pas me retourner, de peur de découvrir qu'elle avait disparu.

Ma mère semblait alors savoir qui elle était, et devant les portes du cimetière avec Cora, je ne pouvais m'empêcher de penser que j'aurais peut-être une chance de comprendre pourquoi elle était partie. On acheta une petite couronne de Noël à la chapelle près de l'entrée sur O Street, et on remonta l'allée de terre retournée, passant devant l'Asile des délaissés, où les morts sans famille étaient ensevelis. Je me demandais si ma mère finirait dans un de ces endroits, ou bien si ce serait mon cas. On ne savait jamais. On se fraya un chemin, trébuchant parmi les pierres tombales, en direction de deux grands pins tordus par le vent, mais mon grand-père ne se trouvait pas à l'endroit prévu, et on était complètement déboussolées.

« Pourquoi est-ce qu'on est venues si tu ne sais pas ce que tu cherches ? finit par dire Cora, exaspérée, en levant les bras. Pourquoi tu n'as pas demandé un plan ?

— C'est quelque part par ici, dis-je en essayant de donner de l'assurance à ma voix. C'est à côté de ces deux arbres. J'en suis sûre.

— Peut-être qu'elle est recouverte par la neige », dit-elle.

J'essayais de me rappeler quelle direction ma mère avait prise quand elle nous avait laissés, mon père et moi, pour aller voir Starkweather.

« Non, c'est une grande tombe blanche. Il y a un ange dessus. Ma grand-mère est là. Mon père sera là un jour, et ma mère aussi ; enfin, elle aurait dû. C'est peut-être pour ça qu'elle est partie. Elle ne voulait pas mourir ici. Avec nous tous.

— Elle voulait s'enterrer ailleurs ? » demanda Cora en riant à moitié.

Je n'avais pas eu l'intention d'être drôle, mais je ris aussi, même si ça paraissait un peu bizarre de rire dans un cimetière. On continua à chercher un moment, examinant les noms inscrits sur les pierres tombales glacées en essayant d'imaginer qui avaient été ces gens, et comment ils étaient morts. On découvrit un bébé minuscule appelé Rose et un petit garçon de dix ans du nom de Matthew Malacaster qui était mort en 1933.

On était sur le point d'abandonner quand un homme vêtu d'un épais manteau s'approcha de nous, se traçant un chemin dans la neige entre les arbres. Il leva les yeux en arrivant à notre hauteur, et me regarda un moment en faisant un signe de tête. Son visage, la mâchoire carrée, les cheveux roux, me disaient quelque chose. Il aurait pu avoir dix-huit ou trente-cinq ans ; impossible de dire son âge. Je souris et baissai les yeux sur mes mains. Il s'arrêta non loin de nous et s'agenouilla devant une grande pierre tombale en granit. Il enleva un gant, s'en servit pour dégager l'inscription, et planta deux branches de houx dans la neige. Il hésita avant de se relever. Il priait peut-être. Puis il se redressa et s'éloigna dans la direction de l'entrée donnant sur O Street.

Lorsqu'il eut disparu, je m'approchai de la pierre tombale dans l'espoir de trouver un indice.

« Où vas-tu ? demanda Cora en m'emboîtant le pas.

— C'est peut-être la tombe de mon grand-père », dis-je, tout en sachant que c'était impossible.

Je m'agenouillai dans la neige et tentai de déchiffrer les noms sur la grande dalle, sans y parvenir. Il fallut creuser un peu. Il fallut enlever encore de la glace et gratter avec nos doigts : ARTHUR BOWMAN, JEANETTE BOWMAN, QU'ILS REPOSENT EN PAIX. Leurs dates de naissance étaient bien sûr différentes. Il avait quatre ans de plus qu'elle. Mais la date de leur mort était identique : 28 janvier 1958. Ils étaient là, ense-velis l'un à côté de l'autre, ceux à qui j'avais pensé si souvent, leurs squelettes retournant petit à petit à la terre sur laquelle je me tenais.

Je fermai les yeux un moment. Je n'avais plus une goutte de sang, plus un souffle de respiration. J'enle-vai mon gant et caressai les noms du doigt, sentant croître ma résolution, le lien entre nous. Les lignes de ces noms étaient si froides, si rigides. J'aurais voulu leur donner vie. Les larmes s'accumulaient au coin de mes yeux.

« Tu savais que c'était leur tombe ? » demanda Cora.

J'avais presque oublié qu'elle était là.

« Et toi ? dis-je en secouant la tête.

— Non. Je me demande si ma mère le sait.

— C'était leur fils ? demandai-je en touchant le brin de houx que l'homme avait déposé, sentant l'épine me percer la peau, espérant répandre un peu de sang.

— Qui ?

— Ce type, là.

— Lowell ?

— Oui, Lowell. »

Lowell Bowman. Je me répétai son nom plusieurs fois.

« Ce n'était pas Lowell, dit Cora en se relevant.

— Mais j'avais l'impression de l'avoir déjà vu quelque part. »

J'essayais de dissimuler ma déception. Je voulais rester un moment près de la tombe.

Je me rendis compte tout à coup de quelque chose. Cette mâchoire carrée, ces cheveux roux. Ils avaient baptisé Starkweather « Little Red ». J'entendais encore son frère parler à la radio comme si c'était hier. Un frisson secoua ma colonne vertébrale.

« Où est enterré Starkweather ? demandai-je.

— Pourquoi veux-tu savoir ?

— Arrête de m'interroger.

— Pourquoi je ne peux pas t'interroger ? »

Je n'avais pas de réponse. Je partis en direction de l'entrée donnant sur O Street, Cora sur mes talons. On ne tarda pas à tomber dessus. Quelqu'un avait dégagé la neige sur le rectangle plat. On pouvait lire les mots. Ils avaient été gravés simplement : CHARLES STARKWEATHER, sa date de naissance et celle de son exécution, et QU'IL REPOSE EN PAIX. Pas bien différent de toutes les autres tombes, en fin de compte. La neige venait d'être piétinée devant la stèle, et il y avait un brin de houx, comme je m'y attendais. Je songeai à l'expression fière de Starkweather dans la coupure de journal. Il avait quatre frères, mais je ne m'étais jamais demandé ce que cela voulait dire d'avoir les mêmes os, les mêmes cheveux, le même sang que celui qui avait infligé tant de souffrance. Je voulais me lancer à la poursuite du frère qui avait déposé le houx et lui demander pourquoi, selon lui, l'existence de Charlie avait si mal tourné.

On rentra en silence, alors que la lumière du soleil commençait à pâlir. En approchant de la maison de Cora, on vit une voiture noire s'engager dans l'allée du garage des Bowman, patinant un instant sur le verglas avant de disparaître derrière la maison. Je n'avais pas réussi à voir la tête du chauffeur.

« À demain », dit Cora, qui avait suivi mon regard.

Je posai la main sur la grille en fer dans l'espoir de l'empêcher de partir. Le vent faisait cliqueter les branches gelées de l'orme et nous soulevait les cheveux.

« Et si quelqu'un me suit jusque chez moi ? » lui dis-je.

Je n'avais pas besoin d'ajouter quoi que ce soit. Je savais qu'on pensait toutes les deux à Starkweather.

« Tu peux venir avec moi, si tu veux », dit Cora en haussant les épaules. Je n'eus aucun mal à la suivre. Elle comprenait peut-être que je me sentais seule. J'aurais dû lui reconnaître au moins ça. On ne devrait jamais trahir ceux qui essayent vraiment de comprendre.

On se débarrassa de nos bottes sur un carré de papier journal à côté de la porte, puis on glissa en chaussettes dans le couloir, jusqu'à la cuisine, en passant par le salon. Mrs. Lessing était debout près de l'évier, mais elle ne semblait être occupée à rien. Elle regardait fixement par la fenêtre. Ses cheveux gris étaient relevés en chignon. Elle portait une robe à petites fleurs. Même de dos, je voyais qu'elle ne ressemblait pas du tout à ce que j'avais imaginé. Elle était petite et courbée, insignifiante et ordinaire sur le fond de la cuisine blanche pleine de lumière. On s'attarda un moment dans l'encadrement de la porte. Cora avait peut-être peur de la déranger.

« Maman », finit-elle par dire.

Mrs. Lessing sursauta et se retourna, la main posée sur sa gorge.

« Je suis désolée de vous déranger, lui dis-je.

— Je ne sais pas ce qui m'a pris, répondit Mrs. Lessing. J'étais perdue dans mes pensées.

— Je te présente Susan Hurst. Elle m'a aidée avec Cinders.

— Bien sûr, dit Mrs. Lessing en s'essuyant les mains sur son tablier. Merci. Nous avons été si tristes ! Nous aimions beaucoup Cinders. »

Un peu de mousse de savon était restée accrochée à sa clavicule. J'avais envie de l'essuyer. Mrs. Lessing nous demanda si elle pouvait nous préparer quelque chose.

« Ne vous donnez pas la peine », lui dis-je. Je ne voyais pas comment j'aurais pu avaler quoi que ce soit.

« Mais si, mais si, dit Cora. On va prendre du fondu. »

Elle se dirigea vers le frigo et sortit le bocal, et Mrs. Lessing mit deux tranches de pain de mie dans le grille-pain. Je n'avais pas le droit de manger du pain de mie à la maison. Mes parents ne savaient même pas ce qu'était le fondu de marshmallow.

« Est-ce que je peux vous aider ? demandai-je.

— Vous êtes notre invitée », dit Mrs. Lessing en secouant la tête.

Elle sortit deux assiettes du placard et prit un couteau. J'observai ses mains fines, si pâles, comme les cailloux perlés translucides que j'avais trouvés un jour au bord du lac Michigan. Une fois le pain grillé, elle le coupa en deux. La cuisine était pleine d'une odeur douce et chaude, comme celle des choses que les mères sont censées préparer.

Mrs. Lessing fronça les sourcils. Quand elle ouvrit la bouche, les mots semblaient être coincés.

« C'est terrible de se dire que Cinders est resté toute la nuit à gratter à la porte. On voulait simplement qu'il ait une bonne maison », finit-elle par dire.

Le nœud de son tablier commençait à se défaire. J'avais envie de l'arranger.

« Vous ne pouviez pas savoir, Mrs. Lessing, lui dis-je. Ce n'était la faute de personne.

— Je n'en suis pas si sûre », dit-elle.

Cora me jeta un regard méchant et me pinça le bras. Je la suivis à travers le salon, jusqu'au jardin d'hiver ; des fleurs en soie étaient posées sur des étagères où étaient empilés des jeux de société dans des boîtes colorées. Des canards en tissu et des leurres nageaient en phalange sur le plancher peint. Des plumes blanches flottaient pareilles à la poussière dans la lumière déclinante, comme si la neige avait réussi à pénétrer à l'intérieur. Les fenêtres occupaient presque un mur entier, et donnaient sur le pignon, et au-delà, sur la maison des Bowman, avec toutes ses pièces juste hors de portée. Je fis mine de m'intéresser à autre chose.

« Pourquoi est-ce que tu m'as pincée ? lui dis-je.

— Tu es un éléphant dans un magasin de porcelaines. »

Cora posa le bocal de marshmallow et les toasts sur une table en verre et approcha une chaise.

« Je ne l'ai pas fait exprès. Je voulais juste qu'elle se sente moins triste, dis-je.

— Rien ne peut la rendre moins triste. »

Je m'imaginais Mrs. Lessing assise dans une chaise roulante près d'un lac des Alpes, le visage levé vers le soleil, poussant de profonds soupirs. Regardait-elle la maison des Bowman par les fenêtres du jardin d'hiver le jour où Mrs. Bowman n'était pas venue au rendez-vous ? S'était-elle interrogée sur les stores baissés ?

On s'assit à la table pour enduire les toasts d'une épaisse couche blanche de marshmallow.

« Où est ton frère ? demandai-je.

— Il se cache dans sa chambre, répondit Cora entre deux bouchées. Je lui ai dit que le chat allait le suivre et essayer de lui arracher les yeux tant qu'il ne serait pas enterré convenablement.

— Tu sais bien que ce n'est pas vrai. » J'avalai une bouchée de mon toast couvert de marshmallow. C'était tellement bon de manger quelque chose que quelqu'un avait préparé comme il faut ! Je songeai à Lucille, qui savait tout préparer à la perfection.

« On ne sait jamais, ça pourrait être vrai, dit Cora en haussant les épaules.

— Si c'est vrai, les âmes des gens assassinés doivent se promener tout le temps. »

De ma chaise, je voyais la maison des Bowman, immobile et blanche sous une épaisse couche de neige, un peu comme leur pierre tombale. J'imaginais Starkweather et ses victimes se croisant dans le cimetière par des nuits noires et glaciales. Leurs tombes étaient si proches ! Ça ne paraissait pas convenable.

« Pas s'ils ont été enterrés comme il faut.

— Et Starkweather ? »

Elle marqua une pause, un toast à la main.

« Il a été enterré comme il faut, dit-elle en observant son pain avant d'y mordre. Trop convenablement.

— Qu'est-ce que tu faisais quand c'est arrivé ?

— Quand quoi est arrivé ?

— Les meurtres.

— Je ne me souviens plus, dit Cora en haussant les épaules.

— Tu t'en souviens forcément.

— Non, Susan. On n'a pas envie de s'en souvenir.

— Alors, tu oublies, c'est tout ?

— S'il n'y avait pas maman, ce ne serait peut-être jamais arrivé.

— Tu veux dire si elle l'avait empêché ?

— Non. Je veux dire que ce serait plus facile d'oublier.

— Mais *c'est* arrivé. Ce sont vos souvenirs, à vous aussi. Des journalistes sont sûrement venus vous poser des questions.

— Personne ne m'a rien demandé.

— Qui habite là avec Lowell, maintenant ? demandai-je.

— Clara, la sœur de Mrs. Bowman, et son mari. Les Pritchard.

— Ils sont sympas ?

— Je ne sais pas. Je ne fais pas vraiment attention à eux. »

Pourquoi refusait-elle d'en parler ? Je me sentais frustrée. Je fis de mon mieux pour le cacher en pensant à autre chose.

« Tu te souviens quand je t'ai dit que j'avais appelé l'ex-mari de ma mère pour savoir où elle était ? » lui dis-je.

Elle hocha la tête.

« Eh bien, je crois qu'il est amoureux de moi. Il pense que je suis exactement comme ma mère.

— Et tu l'es ? »

Je secouai la tête.

« Alors, pourquoi crois-tu qu'il est amoureux de toi ? »

Cora posa les coudes sur la table et se cacha le visage entre les mains.

« Je ne crois pas, je le sais, lui dis-je. Quelquefois, j'ai l'impression de connaître des gens que je n'ai jamais rencontrés.

— Moi aussi, quelquefois, je devine des choses, dit Cora. Quelquefois, je devine ce que les gens pensent.

— Je pense à quoi, là ? »

Elle plissa les yeux et se mordit la lèvre comme si elle était sur le point de m'accuser de quelque chose.

« Tu penses aux meurtres.

226

— Pas du tout, mentis-je.

— Alors à quoi ? dit-elle en me décochant un regard soupçonneux.

— Je pense à mon père, qui est complètement perdu sans ma mère.

— Et toi, tu es perdue aussi ?

— Non. Je sais où je vais », répondis-je. Ça sonnait faux, comme une phrase tirée d'un film.

On resta assises en silence. J'aurais voulu que l'une de nous parle, mais je ne trouvais rien à dire. Dehors, le temps menaçait ; il allait sans doute encore neiger, et je me demandais où était ma place. Je me demandais si le fils Bowman était quelque part chez lui, en train de se demander lui aussi où était sa place.

Je contemplai par la fenêtre l'univers délavé qui frissonnait sous le ciel bleu pâle. Un oiseau blanc picorait dans une mangeoire.

« Tu crois que tu pourrais laisser un homme prendre tout ce qu'il veut ? dit Cora au bout d'un moment. Comme ce type au téléphone ? »

Je m'imaginai alors Nils me saisissant à bras-le-corps, m'écrasant contre lui. Mais si quelqu'un comme Lowell en avait envie, je me disais que je le laisserais faire, au bout d'un certain temps, si ça pouvait l'aider. Je me rappelais la soie glissante bleu électrique de la chemise du professeur de danse contre ma joue, la sensation dans mon corps pendant que nous dansions, puis lorsque Len m'avait repoussée. Si je devais être embrassée un jour, il faudrait que j'attende que quelqu'un se décide.

« Non, certainement pas, lui dis-je.

— Tu crois que quelqu'un pourrait en avoir envie avec moi ? »

Elle scruta mon regard, cherchant désespérément à me faire dire que tout irait bien.

« Bien sûr », répondis-je à toute vitesse, mais je n'en savais rien

Le ciel s'effaça, et les étoiles firent leur apparition. Une lumière s'alluma dans le salon des Bowman. Cora me regarda et leva un sourcil. Ce qui lui semblait n'être qu'un jeu était quelque chose de bien réel pour moi. On s'approcha de la fenêtre, le nez contre la vitre froide. La maison des Bowman avait de grandes fenêtres, et on pouvait tout voir : les sofas, les petites tables, de grandes lampes anciennes. Il devait y avoir des tableaux et des miroirs que je n'arrivais pas à distinguer. Mais je voyais d'autres choses, directement sorties du passé. D'après les journaux, les assassins avaient obligé Mrs. Bowman à leur faire des crêpes pendant qu'ils découpaient des articles sur eux, comme s'ils avaient voulu garder une trace de leurs terribles crimes pour un album. Est-ce qu'ils s'étaient assis sur ce sofa ou dans ces fauteuils ? Caril Ann avait mangé une boîte de chocolats. Si elle avait jeté les papiers par terre, il en restait peut-être quelques-uns. Chaque pièce conservait le souvenir de gens qui avaient cessé de vivre. J'aurais voulu pouvoir regarder au-delà. J'aurais voulu regarder dans chaque pièce, comme dans une maison de poupée.

Mrs. Pritchard apparut dans l'encadrement de la fenêtre, les bras chargés de rouleaux de papier coloré, et s'assit à une table. On la regarda à travers des jumelles dont Mrs. Lessing se servait pour observer les oiseaux. Elle était assise toute droite sur sa chaise, sans doute occupée à mesurer les boîtes et à couper des rubans. Au bout d'un moment, elle se cacha la tête dans les mains et resta assise, complètement immobile. Je ne pensais pas qu'elle pleurait. Je la revoyais, debout dans le jardin, dure et belle. Quel genre de femme voudrait vivre dans la maison où sa sœur avait été assassinée ? Une maison se souvenait de tout, conservait tout. Même si elle n'avait habité que peu de temps dans notre maison, ma mère avait laissé son empreinte. On ne pouvait pas échapper à son parfum ni au désordre qu'elle laissait toujours derrière elle.

Un peu plus tard, dans la chambre de Cora, on essaya de regarder par les fenêtres de l'étage, mais tout était noir. Je savais que Lowell était quelque part entre ces murs, seul et effrayé. J'essayais d'imaginer son cœur battant contre le mien.

« Je ne crois pas qu'on devrait faire ça, dit Cora.

— Oui, je sais, répondis-je. Ce n'est pas bien.

— Mais tu sais quoi ? »

Je secouai la tête.

« Je suis contente que tu sois là. Je n'aurais jamais cru que j'aurais une amie », dit Cora.

Je me sentis coupable, parce que ce n'était pas à elle que j'avais pensé. Je ne savais pas quoi dire, alors je baissai les yeux sur mes mains et ne répondis pas.

Ce soir-là, on décida de ne plus jamais espionner les voisins. On savait toutes les deux qu'on n'avait aucun droit d'observer la vie des gens de cette façon. Ça ressemblait à un cambriolage. On le savait, mais les jours passants, alors que Cora s'en désintéressait, je trouvais de plus en plus difficile de me retenir quand je venais la voir. En regardant par la fenêtre, j'appris à connaître les Pritchard. Un dimanche, ils eurent des invités à dîner, et tout le monde s'embrassa sur les deux joues, même le prêtre. Ils burent des martinis, des vrais. Mr. et Mrs. Pritchard se disputaient, mais je ne vis jamais personne pleurer. Au lieu de pleurer, Mrs. Pritchard jetait des journaux et mettait les mains sur les hanches, remuant les lèvres comme dans un film muet. Mr. Pritchard secouait la tête et sortait dans le jardin pour fumer un cigare. À l'étage, Mrs. Pritchard avait une robe de sequins posée sur un mannequin de couture. J'avais vu scintiller l'étoffe rouge sang à la lueur d'une penderie ouverte, mais un soir, lorsqu'elle entra dans le salon pour montrer à Mr. Pritchard que la robe lui allait encore après toutes ces années, elle me parut plus orangée, comme un coucher de soleil atténué, ou les braises d'un feu qui couve. Je n'arrivais pas à détourner le regard.

Des hommes vinrent livrer un nouveau sofa lie-de-vin à la maison, et emportèrent le canapé marron de mon grand-père. Le camion dérapa sur la glace et dut être dégagé au bout d'une chaîne. Mais mon père ne se plaignit pas du supplément de facture. Les aciers Capital n'avaient pas de contrats de construction de ponts, mais mon père avait parlé à ma mère au téléphone, et il n'allait pas s'énerver pour quelques dollars en plus. Les appels sporadiques de ma mère lui donnaient une sorte de sentiment trompeur d'optimisme.

« Elle sera bientôt de retour, dit-il, lorsque le camion finit par être dégagé.

— Quand ?

— Bientôt. »

Mon père haussa les épaules, comme si ça ne faisait aucune différence. Il ne parlait plus de Kansas City.

« Mais quand elle sera là, elle trouvera le sofa tout prêt, dit-il d'un ton satisfait.

— Elle a demandé à me parler ? demandai-je.

— Il était tard. Je ne voulais pas te réveiller. »

Une nuit, je fus réveillée par le téléphone, et je me glissai dans le couloir pour essayer de savoir qui c'était. J'entendais mon père insister, protester, derrière sa porte fermée. Il ne m'en parla pas le lendemain, mais le dimanche qui suivit l'appel de ma mère, il passa la journée sur le nouveau sofa à frotter les accoudoirs du plat de la main, le visage creusé comme l'un des vieux coussins.

Je montai à l'étage et sortis la coupure de journal pour examiner les visages souriants de Mr. et Mrs. Bowman. Je songeai à leurs corps ensevelis pour l'éternité dans la même terre noire que l'homme qui les avait tués. Le vent hurlerait toute la nuit. L'air était sec, froid, impitoyable.

Chapitre 16

1958

Je voulais partir, quitter le Nebraska, cacher toutes nos traces sous la neige, mais Charlie dit qu'il pensait plutôt retourner à Lincoln, puisque tout le monde nous cherchait ailleurs. Ils chassaient une Ford, mais pour l'instant, on conduisait une Chevrolet. Bientôt ce serait autre chose, quelque chose de mieux. Il fallait jouer au chat et à la souris avec la police. Mais c'était facile, comme une course de stock-cars. Il suffisait de ne pas lâcher le morceau et d'anticiper les choses, jusqu'à ce que le métal et les moteurs fassent jaillir des étincelles et que l'acier déchire l'asphalte.

« C'est eux qui lâcheront en premier ? ai-je demandé, en espérant qu'il me donnerait une réponse sûre.

— Ben, on est arrivés jusqu'ici, non ?

— On est arrivés où ?

— On est ensemble, non ?

— Ouais », ai-je répondu. Mais je nous voyais embarqués dans une autre direction.

On avait passé la nuit dans la voiture au coin de Van Dorn et d'une autre rue. Je ne me rappelle plus laquelle. Je ne connaissais pas ce coin de la ville. Il faisait froid, et je ne pouvais pas dormir en pensant à ce que Charlie avait fait à cette fille morte. Il avait buté le vieux avant, mais ce n'était pas la même chose. Chaque fois que je fermais les yeux et que ma tête tombait sur le côté, Charlie remuait, et je me disais qu'il essayait de filer sans moi. Je ne pouvais pas m'empêcher de penser que ce serait très facile pour lui de partir en me laissant sans rien, même pas lui.

Je n'avais pas aimé la façon dont Charlie avait abaissé sa carabine, et puis l'avait relevée, comme s'il n'était pas sûr qu'il allait la tuer. Il était tellement sûr avec les autres ! Ce n'est pas que je voulais qu'il la tue. Je voulais qu'il n'en tue aucun. Ça avait commencé, et je ne savais pas comment l'arrêter.

« S'il te plaît », avait-elle dit en frissonnant, le front plissé, pendant que j'éclairais son visage avec la torche. Elle avait tendu les bras, paumes en avant, le suppliant, et il avait tiré, et je peux vous dire que quand j'ai entendu le coup de feu, j'avais déjà cessé de trouver ça excitant. Elle était tombée par terre tout doucement et elle avait rampé dans un coin. Recroquevillée comme un chevreuil blessé qui va mourir dans le fossé. Charlie était sorti chercher le garçon.

Elle s'appelait Carol, presque comme moi. J'avais vu ça dans son livre de maths, mais je n'osais pas l'appeler par son nom. La fille était allongée sur le côté. J'ai mis ma main devant son nez, mais il n'y avait aucun souffle. La cave était sombre et sentait la paille et la terre. J'avais l'impression d'être enterrée à côté d'elle.

C'était le genre de fille qu'on n'abandonne pas et qui n'avait sans doute jamais manqué un jour de classe de toute sa vie. J'ai pensé à la chanson sur les anges, parce qu'on aurait dit qu'elle en était un. Un bandeau à carreaux avait glissé sur son front, et un médaillon s'était affaissé en pile dorée à côté de sa bouche entrouverte, comme si son cœur s'était échappé en cessant de battre et s'était immobilisé là, tout petit, comme dans une histoire. Sur le cœur était écrit *Daddy's Girl*, et il y avait une photo dedans pour le prouver. Il y avait un diamant à son doigt pour dire qu'elle appartenait aussi à quelqu'un d'autre. J'ai replié son doigt pour que Charlie n'ait pas l'idée de prendre la bague pour me la donner. C'était son style, de me donner des choses en faisant comme si ça m'allait parfaitement, alors qu'elles appartenaient à quelqu'un d'autre et qu'il ne les avait même pas choisies.

La porte de la cave s'est ouverte bruyamment, et Charlie a poussé le garçon en avant en le forçant à descendre l'escalier. J'ai éteint la torche.

« Qu'est-ce qui te prend ? a demandé Charlie.

— Je ne veux pas regarder.

— Rallume-la.

— Je ne veux plus regarder.

— Tu ne vas pas me donner un coup de main, alors ?

— Qu'est-ce que tu veux que je fasse ?

— Va dehors cacher le sang.

— Avec quoi ?

— J'en sais rien, Caril. T'as qu'à réfléchir. J'en ai marre de réfléchir pour nous deux.

— O.K. », ai-je dit, mais rien n'était O.K. J'ai rallumé la torche et je suis sortie. Je me suis accroupie dans la neige et j'ai commencé à la retourner pour qu'elle redevienne blanche. C'était dur, parce qu'elle était gelée et je n'avais pas de gants. J'ai abandonné et je suis redescendue.

Je ne l'ai pas vu tout de suite. Il n'y avait que le garçon allongé, et puis un petit éclair argenté : les lunettes de Charlie accrochant la lumière. Le garçon était avachi à côté de la fille morte. Les bas de la fille étaient à moitié baissés, et sa robe était relevée sur sa tête. Mon cœur s'est emballé comme une roue de voiture dans un fossé.

« Chuck, laisse-la tranquille. Relève plutôt ma robe à moi. »

Il s'est redressé en plissant les yeux comme s'il venait de se réveiller au milieu de la nuit.

« Viens là, a-t-il dit. C'est pas ce que tu crois. »

Mais je n'ai pas bougé. Je n'avais plus les jambes pour le suivre, je n'avais plus qu'un cœur qui s'était brisé dans le noir. Je suis sortie de la maison. Les étoiles se sont mises à cligner. Un nuage cachait la lune, mais j'arrivais tout de même à voir les taches sombres dans la neige, là où le garçon avait craché du sang. Je n'ai pas serré les bras contre moi à cause du froid ; ils pendaient, inertes, à mes côtés, et j'ai laissé le vent me prendre, parce que jamais rien d'autre ne le ferait.

Charlie a remonté l'escalier d'un pas lourd.

« Allez, viens, a-t-il dit. Sois pas fâchée. Tu sais bien que je t'aime toujours. »

Je me suis éloignée de la bouche béante de la maison. J'ai entendu les pas de Charlie écraser la neige dans mon dos.

J'ai regardé la route, mais je ne pouvais rien voir d'autre nulle part, pas la moindre bosse de colline ou de buisson. J'avais l'impression de me trouver tout au bout du monde, plongeant le regard dans le vide. Je n'avais jamais vu de noir plus épais. Puis le monde a tourbillonné, la lune s'est libérée, et le sol s'est illuminé de millions d'étoiles. Je voyais la voiture du garçon immobile au bord de la route, et le givre sur le pare-brise comme si quelqu'un respirait à l'intérieur. Mais personne ne respirait plus. Une chouette a hululé, et j'ai senti Charlie à côté de moi.

« Je n'ai jamais connu d'autre fille que toi. Je voulais juste regarder.

— Pourquoi ?

— Parce que je n'ai jamais connu d'autre fille que toi. Je voulais voir une autre fille avant de mourir.

— Qu'est-ce que tu fais de Peg ? »

C'était sa copine avant moi.

« C'est juste des choses qu'on raconte. Jamais. Il n'y a que toi. Personne n'aime comme nous deux.

— Comment tu le sais ?

— Je le sais, c'est tout. Comme je sais que toute cette histoire va mal finir pour moi. »

Maintenant, on roulait tout doucement dans les quartiers riches de la ville, avec leurs grands arbres, leurs jardins, et leurs voitures noires, et au bout d'une rue, il y avait le club où les gens qui avaient de l'argent fumaient des cigares et se baladaient dans des petites voitures blanches. Charlie m'a dit qu'on n'allait en tuer aucun. On allait juste choisir une maison assez grande pour pouvoir se perdre dedans et se cacher une journée, à manger ce qu'on trouverait en se roulant sur les lits, bien plus grands que tous ceux où on avait dormi avant. Je ne voulais pas me rouler sur les lits, je voulais juste dormir et me réveiller ailleurs, à une autre époque.

« Tu choisis, a dit Charlie. Choisis la maison qui te plaît.

— Elles me plaisent toutes.

— Choisis celle que tu préfères.

— Je les préfère toutes.

— Allez ! »

On a fait plusieurs fois le tour en voiture dans les mêmes rues, et tout s'est mélangé. Les gens sortaient des voitures de leur garage et partaient travailler, ajustant leur cravate derrière leur pare-brise en se disant que rien de mal ne pourrait arriver, pas à eux. *Pas vous, pas vous*. Les maisons étaient grises et blanches, et de temps en temps, il y en avait une en brique. Les branches défilaient et les palissades se déroulaient comme de longues cordes blanches.

Charlie m'a tapé sur l'épaule.

« Alors, laquelle ? a-t-il dit.

— Qu'est-ce qu'on va faire des gens ?

— Vaudrait mieux qu'ils nous causent pas d'ennuis, c'est tout. »

Charlie a tourné la tête pour me regarder. J'ai appuyé la tête contre le froid de la vitre et j'ai fermé les yeux. J'essayais de deviner quel genre d'ennuis la fille et le garçon de Bennet nous avaient causés. Ils s'étaient juste arrêtés pour nous prendre au bord de la route. Et puis les ennuis étaient arrivés, mais je ne me rappelais plus comment.

« Comment tu peux choisir si tu dors ? » a demandé Charlie.

J'ai ouvert les yeux.

« Je ne dors pas. »

C'était une maison de briques peinte en blanc, avec un grand arbre planté au milieu d'une allée en cercle sur le devant, et une autre allée qui disparaissait sur le côté de la maison. J'ai dit à Charlie que je l'avais choisie parce qu'elle avait un jardin fleuri entouré d'une palissade blanche, et aussi une véranda fermée, parce que j'avais toujours voulu manger sous une véranda fermée les soirs d'été. Mais en fait, je l'avais choisie parce qu'on me forçait à choisir, ce qui n'est pas vraiment un choix, quoi qu'on en pense.

Charlie s'est arrêté à un stop pour laisser s'éloigner un camion de lait, puis a tourné tout doucement dans l'allée, sans mettre son clignotant.

« La voilà, a dit Charlie. La maison de nos rêves. »

Mais son visage ne souriait pas. Il a baissé la vitre pour écouter les bruits. Il ne voulait pas de surprises. L'air s'est transformé en rafales de vent. Il y avait une lourdeur dans les branches pendantes. On entendait le gravier et les morceaux de glace des flaques à moitié gelées crisser sous les pneus. Un caillou a heurté le pare-chocs et un pin s'est mis à craquer. Charlie s'est garé le long du garage. Il est sorti lentement de la voiture en tenant la carabine dans une main, et en refermant tout doucement la portière de l'autre pour ne pas faire de bruit. Il a levé la main pour me faire signe de ne pas bouger.

Charlie a coincé la carabine à l'arrière de son jean. Il a lissé ses cheveux et disparu derrière le garage. Vu de dos, il n'avait pas l'air de quelqu'un qui cherchait à causer des ennuis, mais à un petit garçon aux jambes arquées à qui on aurait facilement pu faire un croche-pied pour le faire tomber. C'est son visage qui racontait une autre histoire. Personne n'allait l'envoyer à terre.

J'ai tendu l'oreille, mais le vent m'empêchait d'entendre les bruits. Tout était gris, et il s'est mis à neiger. De gros flocons plats qui pleuraient le long du pare-brise. Charlie a passé la tête au coin de la maison et m'a fait signe de le suivre. Puis il a disparu de nouveau. Je n'avais plus rien à espérer, alors je suis sortie de la voiture. J'ai pensé un instant à m'enfuir.

Mais je ne pouvais plus m'enfuir nulle part. J'ai escaladé les marches à l'arrière de la maison et j'ai ouvert la porte.

Il y avait une dame sur le seuil de la cuisine, avec un petit chien noir qui se cachait derrière ses jambes. Une belle dame avec de doux yeux tristes, et de l'argent à la banque. Charlie pointait la carabine sur elle. Elle avait posé la main sur son cœur, se demandant qui était cette fille qui entrait, et j'ai refermé tout doucement la porte en essayant de ne faire peur à personne. Le petit chien s'est mis à japper et à grogner derrière ses chaussures. Elle l'a pris dans ses bras en disant « Non, Queenie », et il s'est calmé. Sa belle bague scintillait, une perle entourée de diamants. Elle était si grosse qu'on aurait dit qu'elle pouvait lui briser le doigt. Il y avait aussi le bracelet, comme une corde en or avec de petites pierres glissant le long de son bras.

Une fille se tenait sur le côté, avec son tablier blanc, remuant les lèvres comme si elle essayait de cracher quelque chose. Je sentais le café qu'elle devait être en train de préparer sur la cuisinière. Il y avait de la crème et du sucre sur la table, comme pour un prince. Une maison pleine d'odeurs de soirées, tellement chaude à l'intérieur. Qui se serait attendu à voir arriver des gens comme nous ? Sur la première page du journal posé sur la table, il y avait une photo de Charlie et de moi assis sur le sofa, trois mille ans avant que tout ait commencé.

La belle dame a regardé le journal, puis a levé les yeux vers Charlie.

« Vous avez tout pigé », a-t-il dit.

La dame n'arrêtait pas de caresser la tête du chien.

« Faites ce que je vous dis, et il n'y aura pas de dégâts, a dit Charlie.

— Qu'attendez-vous de nous ?

— Faites-nous quelque chose à manger », a-t-il dit en agitant sa carabine en direction de la fille.

La fille n'a pas bougé.

« Si vous avez des instructions, donnez-les-moi, a dit la dame. Elle ne peut pas vous entendre. Cela ne veut pas dire qu'elle ne fait pas attention à ce que vous dites. Il faut lui parler de façon qu'elle puisse voir vos lèvres, sinon elle ne vous comprendra pas.

— Qu'est-ce qui lui est arrivé ? a demandé Charlie en fronçant les sourcils.

— Elle est sourde.

— Ah, ouais ? »

Il a secoué la tête et s'est affalé sur une chaise.

« De l'argent plein les poches et vous embauchez une fille qui peut pas suivre vos ordres. Ah ça alors ! »

Il s'est mis à rire.

« Vous la payez combien ? »

La dame n'a pas montré qu'elle avait peur.

« Moira est une bonne fille, a-t-elle dit.

— Ça, je veux bien vous croire. »

Je lui ai jeté un regard méchant. Il n'y avait aucune raison de faire le malin. On la dérangeait, elle, pas le contraire.

« Tu as faim ? m'a-t-il demandé.

— Peut-être. » Je ne savais pas si j'avais faim ou non. Je voulais juste aller m'endormir quelque part.

« Des crêpes, ça te dit ? »

J'ai haussé les épaules.

« Elle adore ça, a-t-il dit à la dame, comme si ça pouvait l'intéresser. Faites-nous des crêpes. »

Il a agité la carabine en direction de la bonne. La fille n'avait rien compris. Elle était paniquée, la main sur le front, et je voyais qu'elle respirait fort à cause de ses épaules qui se soulevaient. La dame a posé le chien par terre, tout doucement, s'est approchée de la cuisinière et a parlé devant le visage de la bonne.

« Moira, allez terminer la poussière. Il n'y a aucune raison d'avoir peur. Ils ont dit qu'ils ne nous feraient pas de mal.

— Il faut que vous sachiez que c'est pas une décision ferme, a dit Charlie en s'appuyant sur le dossier de la chaise et en mettant les pieds sur la table. Elle a intérêt à s'occuper que de la poussière, c'est tout. »

Il a déplié le journal d'un geste brusque et a plongé le nez dedans. Puis il m'a jeté un regard par-dessus.

« Regarde. »

Je ne voulais pas regarder.

« On est célèbres.

— J'ai déjà vu », lui ai-je dit.

La dame a ouvert un placard, en a sorti un bol et elle s'est dirigée vers le frigo. Le chien gigotait en faisant des cercles.

« Viens ici, le chien, ai-je dit. Viens voir Caril.

— C'est pas un chien, a dit Charlie en éclatant de rire. C'est une mouche à merde. »

La dame a refermé le frigo et cassé deux œufs dans le bol.

« C'est un caniche.

— On vous a rien demandé. »

La dame a commencé à remuer le mélange. Les crêpes étaient une préparation toute faite.

« Ma grand-mère a un caniche », ai-je dit.

Charlie m'a tout de suite rendu mon regard méchant. Il savait que ma grand-mère n'avait rien de tel.

« Va voir si la bonne fait pas d'entourloupes »,
m'a-t-il dit en me tendant son couteau. Puis il a
replongé le nez dans le journal. Je ne savais pas du
tout ce que je ferais si je la voyais en train d'essayer
quelque chose. Je savais ce que Charlie voudrait que
je fasse : lui planter le couteau dans le dos. Ça se passerait tout doucement. Il n'y aurait pas un bruit.

Mais la bonne n'était pas en train de faire des
entourloupes, en fin de compte. Elle était dans la
pièce juste à côté, et astiquait une longue table de
salle à manger avec de la cire au citron. Elle faisait
des grands cercles, l'air très calme, comme si elle se
trouvait complètement ailleurs. Très loin, dans un
endroit où j'aurais bien aimé être. Elle était de dos,
et elle ne s'est pas retournée, puisqu'elle était
sourde. Il y avait une carafe pleine de fleurs rouges
au milieu de la table, et j'ai fait le tour dans la
direction opposée à la bonne pour en prendre une.
En me voyant, elle a bondi et fait un bruit comme si
elle étouffait. Ses boucles noires tremblaient, vu que
tout son corps tremblait. Sa peau était devenue très
blanche. J'ai mis la fleur sous mon nez, mais elle ne
sentait rien. C'était l'hiver. Je l'ai tendue à la bonne
par-dessus la table. « Tenez », lui ai-je dit, mais elle
a refusé de la prendre. Elle est restée plantée là, le
chiffon à la main, comme si la fleur était une arme
et que j'étais en train de viser. J'ai caché le couteau
derrière mon dos pour lui montrer que je ne m'en
servirais jamais.

« Ce n'est pas de moi qu'il faut avoir peur, lui ai-
je dit. Mais je peux parler à Charlie. Il m'écoute. »

Elle me regardait, le visage vide comme une
feuille de papier vierge. Je voulais lui dire que je
n'avais pas eu le choix, mais on ne pouvait rien
expliquer à une fille sourde.

J'ai laissé tomber la fleur et je l'ai écrasée avec le talon de ma botte. Les pétales se sont étalés comme un jeu de cartes dans un tour de passe-passe et au milieu se trouvait le cœur, écrasé sur le tapis dans une poussière dorée.

J'ai fait signe à la bonne de baisser les stores, et elle s'est précipitée, tchac, tchac, comme si j'étais la nouvelle patronne et qu'elle risquait de se faire renvoyer. Mais je ne voulais pas être la nouvelle patronne, même si j'avais choisi la maison, et qu'il y avait tout ce dont je pourrais jamais avoir envie à l'intérieur. Huit chaises pour tous les invités. Un lustre en cristal avec de petits emplacements pour les bougies qui datait d'une époque passée. Une coupe de fruits en verre avec de belles couleurs. Tout avait l'air à la bonne place, mais tout d'un coup, ça n'avait plus rien à voir avec moi et Charlie. Il avait dit qu'il ne voulait pas faire couler le sang cette fois-ci. J'essayais de le croire. Mais il y avait toujours quelque chose qui le foutait en rogne.

La bonne est allée dans l'entrée et s'est mise à nettoyer le verre d'une peinture représentant une jeune fille dans une robe bleue, la main posée sur le dossier d'une chaise. Tout était très sombre dans la peinture, sauf les cheveux ; ils étaient blonds. Ils étaient raides comme les miens, mais plus épais et plus lourds, et bien plus jolis, même si Charlie me disait que j'étais la plus jolie fille qu'il ait jamais vue. Mais je n'y croyais plus. Je me sentais laide, et j'avais un trou dans l'estomac de la taille de la lune.

Mes pieds m'ont emmenée près du piano. Le couvercle était relevé, et on pouvait voir tous les marteaux à l'intérieur qui sautaient quand on appuyait sur les touches. Je me suis imaginé la fille morte dans un cercueil avec le couvercle ouvert comme ça et tous les gens arrivant des kilomètres à la ronde pour dire *Comme elle est jolie !* ou bien *Quelle pitié que ça finisse ainsi !* Je n'étais pas sûre que Charlie ait rabaissé sa jupe. S'il ne l'avait pas fait, alors tout le monde saurait que je ne lui suffisais pas. Rien ne lui suffisait, de toute façon.

Je me suis allongée sur le sofa en essayant de ne pas penser. J'ai posé le couteau sur la table à côté d'une rangée de cartes restées depuis Noël, alors que Noël était déjà passé depuis un mois. J'en ai pris une. Sur le dessus, il y avait une photo d'un homme très grand habillé en père Noël debout sur le perron d'une belle maison, et quatre têtes qui dépassaient derrière lui. Il y avait la mère, et trois petits garçons coiffés de petits chapeaux verts à pointe. Ils faisaient tous un grand sourire pour montrer qu'ils étaient la famille la plus heureuse du monde.

Chers Arthur, Jeanette et Lowell,

Joyeuses fêtes, de notre part à tous, ici au pôle Nord.

Jim, Bonnie, Jonny, Gavin et Tommy Reynolds. Nous avons hâte de vous retrouver cet été au lac !!!! Le père Noël dit qu'il a commandé à Lowell une nouvelle paire de skis nautiques.

C'étaient celles qui portaient des prénoms qui restaient fixées dans ma mémoire. J'imaginais des bébés, enveloppés dans des couvertures, déposés dans les bras de leurs mères qui leur choisissaient un nom. *Tu es Bobby*, ou bien *August*, ou bien *Grace*, ou bien *Betty Sue*.

Pendant l'accouchement, ma mère était restée enfermée dans la chambre et personne ne voulait me laisser entrer. « C'est pas très joli à voir, avait dit

244

Barbara, et tu n'es pas assez grande. » Mais elle ne savait pas alors le nombre de choses pas très jolies que j'allais voir.

J'avais aperçu ma mère sur son lit, la tête enfoncée dans l'oreiller, qui poussait et poussait, les veines de son cou ressortant comme des câbles, et des gémissements qui la déchiraient en deux. C'était dans la vieille maison de Belmont, et je ne savais pas où aller, alors je m'étais assise à la table en face de Roe et je l'avais regardé en plissant les yeux.

« Aïe ! lui avais-je dit. Tu vois un peu ce que tu as fait ?

— Et toi, tu sors d'où, à ton avis ? N'oublie pas que quelqu'un a fait la même chose en ce qui te concerne. »

Comme s'il ne savait pas du tout de qui il s'agissait.

Charlie est arrivé par-derrière et a posé les coudes sur le dossier du sofa.

« C'est quoi ? a-t-il dit.

— Ils vont à un lac, ai-je dit en refermant la carte.

— Qui ?

— Les gens qui habitent ici.

— Y a pas de lac dans le coin.

— Peut-être qu'ils y vont en avion. »

Charlie a secoué la tête et s'est affalé à côté de moi. Il a posé la carabine sur la table.

« Pourquoi est-ce qu'on irait en avion à un lac quand on peut aller en avion à la mer ?

— Je sais pas, Chuck. Peut-être que le lac leur plaît.

— Personne n'aime les lacs.

— Si, moi.

— Allez, Caril Ann, t'as jamais vu de lac.

— Qu'est-ce que tu en sais ?

— Je te connais jusqu'au bout des ongles. »

Puis Charlie m'a embrassée sur le front comme si j'étais une petite gamine rigolote qui n'allait jamais nulle part, et qui n'irait plus jamais nulle part maintenant.

« Chuck, est-ce que tu as arrangé sa robe ? ai-je demandé.

— Quoi ?

— Tu as remonté ses bas ?

— Laisse tomber. Elle risque pas de prendre froid.

— C'est pas ça.

— Quoi alors ?

— Tout le monde va dire que tu ne m'aimes pas.

— Je t'ai dit que je voulais juste regarder, a dit Charlie. Y en a pas un qui pourra se tromper sur ce que je ressens. Tout le monde est au courant. »

Charlie a posé ses mains derrière mon cou et l'a embrassé.

« Regarde tout ce que j'ai fait pour le prouver, a-t-il dit à voix basse. Je t'aime. »

La dame nous a servi les crêpes dans la bibliothèque parce que c'est là que Charlie voulait manger. Elle a apporté la nourriture, et ses mains tremblaient. C'est la bonne qui a installé le reste sur la nappe rouge en face de nous. Puis Charlie l'a prise par son tablier et l'a poussée dans la penderie. Tout s'est passé très vite, en un clin d'œil, et quand elle a essayé de crier, rien n'est sorti, et pendant une seconde, j'ai cru que c'était moi qui étais devenue sourde. La dame a avalé sa salive et s'est mise à triturer son bracelet en le faisant tourner autour de son bras. Les petites pierres scintillaient.

« Pourquoi tu as fait ça ? ai-je demandé.

— Il me faut quelqu'un qui entende ce que je dis. J'ai pas confiance en elle. »

Charlie a avalé une bouchée et m'a regardée.

« Tu manges pas ? Je les ai fait faire exprès pour toi.

— Je veux de la confiture », lui ai-je dit, mais en fait je n'avais pas envie de manger. Il y avait une odeur de vieux qui venait des livres sur les étagères, et par la fenêtre, je ne voyais rien d'autre que des kilomètres de blanc. On aurait dit que l'univers flottait au milieu d'un nuage. Les meubles penchaient. Si jamais on tombait par la fenêtre, on tomberait dans le vide, et on continuerait à tomber jusqu'à ce qu'on s'écrase sur la joue quelque part et que tout devienne noir.

On entendait des petits bruits dans le placard. La bonne pleurait. Charlie a levé les yeux au ciel en gonflant les joues et a tranché les crêpes bien droit, comme un homme qui savait toujours ce qu'il faisait.

La dame a pris la confiture et l'a posée à côté de mon assiette ; son bracelet en or a miroité sous la lampe. Quand elle a vu que je le regardais, elle l'a enlevé et m'a montré comment l'accrocher. Sur son cou, je sentais le parfum, pas un truc bon marché, mais qui venait d'un grand magasin en ville, avec de jolies filles qui tenaient les stands et qui portaient des étiquettes avec leur nom. La dame avait les doigts qui tremblaient, et le bracelet a glissé sur la nappe rouge. Elle ne quittait pas Charlie des yeux.

« Vous pouvez le garder, a-t-elle dit, comme si ça lui était complètement égal.

« — Merci », lui ai-je dit bien poliment. Je n'avais jamais rien vu de plus joli.

J'ai étalé la confiture, mais les bouchées ne voulaient pas descendre. Le bracelet me chatouillait le bras. J'entendais le tic-tac de la pendule sur l'étagère. La bonne a fait un bruit comme si quelqu'un essayait de lui faire avaler un oreiller, et Charlie a mis ses coudes sur la table pour se boucher les oreilles. Elle a donné un coup de pied dans la porte. Charlie a secoué la tête.

« Qu'est-ce qu'elle fabrique ? »

C'est par là que tout a commencé. Je sentais bien que tout commençait à foutre le camp. J'ai recraché la bouchée dans la serviette.

« Pourquoi elle la ferme pas ?

— Elle n'entend pas le bruit qu'elle fait, a dit la dame. Elle a peur du noir. »

J'essayais d'imaginer ce que ça pouvait être d'être comme elle, enfermée quelque part sans lumière et sans bruit.

« Elle la fermera jamais ?

— Je vous promets qu'elle s'arrêtera si vous la laissez sortir, a dit la dame.

— Vous voulez dire quoi, précisément ?

— Nous ferons ce que vous voulez.

— Qu'est-ce que t'en penses ? a demandé Charlie en me regardant. Qu'est-ce que je pourrais bien vouloir ? »

Mais il se fichait de ce que je pensais, ça se voyait. Il avait déjà décidé.

Charlie a saisi le couteau.

« Je vais la laisser sortir, alors. »

Il s'est levé pour aller tirer la bonne de la penderie. Elle a secoué la tête rapidement. On aurait dit qu'elle essayait de dire « Non, non ». Elle a plongé son visage entre ses mains en essayant de se dégager, mais ça ne servait à rien. Charlie l'a traînée hors de la pièce.

La dame s'est mordu les articulations, et elle est restée là, toute pâle, les doigts tremblants. J'ai baissé les yeux sur mon assiette, mais je n'avais pas envie de manger. Je triturais le bracelet autour de mon poignet. Et puis je me suis approchée de la fenêtre pour jeter un œil à travers le rideau, mais il n'y avait pas grand-chose à regarder. J'ai refermé le rideau. La dame a pris une inspiration. La pendule continuait son tic-tac. Je ne voulais plus l'entendre.

« Où est le lac ? lui ai-je demandé.

— Dans le Minnesota.

— Vous y allez comment ?

— En voiture.

— Pourquoi vous ne prenez pas l'avion ?

— Ce n'est pas si loin, et puis c'est agréable de voyager en famille », a-t-elle dit en se mordant la lèvre. Je savais ce qu'elle pensait : Est-ce qu'elle reverrait un jour le lac ? À mon avis, non.

Elle s'est mise à débarrasser, empilant les assiettes et les verres sur le plateau. Elle a entassé les couteaux et les fourchettes et les serviettes comme s'il n'y avait plus que ça d'intéressant à faire. Pendant ce temps, je regardais ses bagues, la perle à son doigt, et son alliance. Je m'étais toujours dit que j'aimerais avoir une bague comme ça le jour de mon mariage, pas simplement en or, mais avec de minuscules diamants pour la faire briller

Ma mère n'avait même pas d'alliance pour montrer qu'elle était mariée, mais elle ne s'en était sans doute jamais souciée. Elle passait son temps à la maison, Betty Sue accrochée à sa hanche, l'air vieux et fatigué parce qu'elle aimait Roe et qu'elle n'avait pas d'argent pour s'acheter des crèmes de luxe. Avant Roe, je pouvais me peindre les orteils en rouge assorti aux dessins chinois sur mon kimono, et si je voulais lire un magazine en plein milieu du dîner, ma mère trouvait ça très bien. Elle venait s'asseoir à côté de moi pour le regarder aussi, et elle n'arrêtait pas de me dire que les histoires du magazine n'avaient rien à voir avec la vraie vie et qu'il ne fallait pas que j'y croie.

La dame avait fini de mettre la vaisselle sur le plateau. Elle l'a soulevé, mais il lui a échappé et je me suis dis qu'elle allait se mettre à pleurer. La vaisselle est tombée dans un grand bruit. J'ai fait un bond. Le chien a détalé. Les crêpes, les assiettes, les verres, les cuillers, tout est parti. Il y avait de la confiture sur sa chemise de nuit, et elle s'est agenouillée parmi les dégâts en posant les mains sur ses cuisses comme si elle n'arrivait pas à savoir quoi ramasser en premier. Le chien s'était mis à lécher le beurre, et la vieille pendule continuait son tic-tac, et le cœur de la bonne battait entre les mains de Charlie.

Je voyais les articulations de la dame sur ses jambes, touchant l'os, en se disant : *C'est mou, c'est moi, c'est dur, c'est bien réel. Et s'il n'y avait plus rien d'autre ?* Sa bague scintillait sur le fond bleu sombre de sa robe. Je me sentais mal. Je ne pouvais plus respirer. Je suis allée entrouvrir la fenêtre. J'étais là, une fille qui n'avait quasiment pas de mère, debout à la fenêtre d'une maison qu'elle avait choisie. J'ai pensé au vent ébouriffant les cheveux de ma mère, en me disant que je ne saurais jamais plus où la retrouver. Elle s'était mise à courir, et puis il y avait eu un coup de feu. La balle chantait dans son rêve. La dame a tendu le bras pour ramasser un morceau de verre et l'a posé sur le plateau. Elle a fermé les yeux en s'appuyant par terre.

« Qu'est-ce qu'il fait à Moira ? »

Je n'en avais pas la moindre idée.

Au bout d'un petit moment, le téléphone a sonné en nous faisant sursauter toutes les deux. La dame m'a regardée pour me demander ce qu'elle devait faire. Puis Charlie est arrivé pour répondre à ma place.

« Je croyais que vous aviez dit que personne n'appellerait. »

Dring.

« Elle ne pouvait pas savoir », lui ai-je dit.

Dring.

« Tu es dans quel camp, toi ? »

Dring.

« Le tien, Chuck. »

Dring.

La dame s'est levée. Charlie a armé la carabine.

« Décrochez, comme d'habitude, a-t-il dit. Et pas d'entourloupes. Je vous tuerai si ça me chante. Pas un mot. »

La dame a décroché le téléphone.

« Allô ? » a-t-elle dit, et puis elle s'est tue pendant un moment qui semblait bien long.

« Oui, j'avais oublié. »

Elle a regardé Charlie. Il lui a fait signe de continuer. Son poignet tremblait. Il paniquait.

« Un mal de tête, a-t-elle dit. Non, tout va bien. Je me reposais. »

Elle n'arrêtait pas de faire tourner sa bague avec son pouce. Les brillants, l'argent lisse, les brillants…

« Une autre fois… Au revoir. »

Elle a raccroché et s'est assise sur une chaise. Charlie a respiré un grand coup et a baissé sa carabine.

« C'était qui ?

— Une amie.

— Elle se doute de quelque chose ? »

La dame a secoué la tête.

« Je suis désolée », a-t-elle dit.

Charlie semblait la croire.

« Où est la télé ? a-t-il demandé.

— Dans le petit salon qui donne dans le hall.

— Où ça ?

— Dans l'entrée, au pied de l'escalier. »

Elle a baissé les yeux sur sa robe, touché la confiture et a frotté le beurre entre ses doigts.

« Pourrais-je monter me changer ? »

Charlie a réfléchi.

« Ouais, mais pas d'entourloupes. C'est moi le patron. »

Sa voix s'est étranglée. Il n'avait pas l'air d'être le patron, il ressemblait à un petit garçon dans un jardin en train d'essayer de dégommer un écureuil avec un boomerang. Je voulais poser ma tête contre sa poitrine et lui demander si on pouvait s'arrêter à la bonne, piquer un peu d'argent peut-être, et rentrer à la maison se faire un sandwich, et que je l'écoute me dire combien il m'aimait. Mais je ne rentrerais jamais à la maison. Je savais au moins ça. Caril Ann Fugate n'avait plus de maison.

La dame ne s'est pas changée. Elle n'a même pas enlevé ses chaussures. Elle s'est assise au bord du lit, avec les draps tout froissés et des creux dans les oreillers laissés par les deux personnes qui avaient dormi là. Elle avait le chien sur ses genoux et n'arrêtait pas de lui caresser la tête. J'avais le couteau à la main, mais je ne voyais pas comment je pourrais jamais l'utiliser. La dame s'est allongée sur le côté, a ramené ses jambes contre elle et a mis les deux mains sous sa tête.

« Qu'est-ce que vous voulez mettre ? » ai-je demandé.

Elle n'a pas répondu. Elle restait allongée, immobile comme une statue, comme si elle ne respirait même plus.

Le chien faisait le va-et-vient au bord du lit en secouant la queue comme une patte de lapin, en essayant de se donner le courage de sauter.

Je ne savais pas ce que je pouvais dire ou faire pour qu'elle bouge. Il y avait une photo de la dame sur la commode, avec le bras de son mari passé autour de sa taille, et un garçon entre eux qui devait être leur fils ; ils avaient tous l'air bien contents. J'ai posé le couteau et pris la photo. Le garçon faisait un grand sourire ; il avait le regard ensommeillé et de longs cils et il tenait le caniche par les pattes avant, de sorte qu'on apercevait le ventre du chien. Le garçon avait les cheveux bruns du mari, sans le gris sur les côtés, et une petite fossette au menton, mais il y avait quelque chose de familier dans son visage, quelque chose qu'il avait pris à la dame. J'ai retourné la photo et je me suis approchée de la fenêtre. Un pin craquait dans le vent avec une petite voix âgée, pleurant des larmes contre la fenêtre. Dessous, je voyais des flaques sombres dans des poches de neige blanche. Le collier du chien s'est mis à cliqueter, et ses pattes ont glissé sur le tapis.

« Vous pouvez m'apporter la photo ? » a dit la dame.

Je me suis approchée du lit pour lui tendre le cadre. Elle n'a pas levé les yeux. Ses lèvres remuaient.

« Il a tué Moira, n'est-ce pas ? a-t-elle dit.

— Oh, il l'a sans doute juste attachée ! ai-je répondu.

— Il l'a tuée.

— Qu'est-ce que vous en savez ? »

Elle n'a pas répondu. Elle a fermé les yeux, et puis les a rouverts en laissant échapper un soupir.

« Je n'arrive pas à me réveiller, a-t-elle dit. Je ne rêve pas. Vous voulez bien toucher mon bras ?

— Pourquoi ?

— Parce que Dieu pardonne.

— Mais Dieu n'a pas besoin de me pardonner. Je n'ai rien fait de mal.

— Je vous crois.

— Je n'ai même pas eu le choix.

— Je vous crois.

— Je n'ai jamais rien fait de mal.

— Vous n'avez fait que l'aimer.

— Je l'aime et il m'aime. Il m'aime tellement que ça le rend fou.

— S'il vous aimait, il ne ferait pas ça.

— Charlie m'aime, lui ai-je dit.

— Votre mère vous aime.

— Elle est morte. Elle ne peut pas m'aimer.

— Elle vous aime peut-être de là-haut.

— Peut-être », ai-je répondu, alors que je savais bien que ce n'était sûrement pas vrai.

J'ai tendu le bras pour toucher la dame. Sa manche était douce et chaude et vivante. Le bracelet a frissonné le long de mon bras.

« Je m'appelle Jeanette », a dit la dame.

Elle a approché la photo de son visage.

« C'est mon mari, Arthur, et voilà Lowell. Il a votre âge.

— Où est-il ?

— Loin.

— Vous l'avez envoyé au lac ?

— On l'a envoyé à l'école. C'est mon bébé. »

Je ne voulais pas entendre parler de bébés, ni de tous les efforts qu'il fallait faire pour les avoir. À mon avis, c'était se donner beaucoup de mal pour que les choses se terminent comme ça. On avait des mômes, on les baptisait, tout en sachant que ça risquait de mal tourner.

« Je ne pensais pas que je pourrais aimer quelqu'un plus qu'Arthur, a dit la dame. Et puis notre fils est né, je l'ai pris dans mes bras pour la première fois, il a bâillé, et j'ai su. Voilà Lowell. C'est ça l'amour. »

Elle parlait à toute vitesse, sa voix sortait de nulle part à toute vitesse, et les mots défilaient les uns après les autres, bam bam bam, comme si elle avait attendu toute sa vie pour dire ça.

« Il n'y a pas d'amour comme celui-là. Peu importe ce que mon fils fait ou ce qu'il devient. Je l'aimerai toujours. »

Elle a repris son souffle.

« Comme votre mère. Elle vous aime.

— Je n'ai pas de mère. »

Elle a plongé son visage entre ses mains.

« Sauvez-moi. »

Il y avait un creux dans ses cheveux ; ils étaient tout de travers. Je me sentais mal. Je voulais qu'elle s'arrête. Le trou dans mon estomac s'élargissait, et j'avais l'impression qu'il m'avalait et me brûlait la gorge. La confiture remontait. J'ai pris le couteau pour la faire taire, mais je voyais bien à son expression qu'elle savait que je ne m'en servirais jamais.

« Empêchez-le, a-t-elle dit en me suppliant du regard.

— Je ne peux pas, lui ai-je dit. Je n'ai pas le choix.

— On a *toujours* le choix. »

La dame se faisait des illusions.

« C'est trop tard, ai-je fait en lui tournant le dos.

— Jésus dit qu'il n'est jamais trop tard. »

D'après ce que je savais, Jésus n'avait plus rien à dire. Jésus était mort, cloué à la croix, et ça non plus ça n'était pas une façon très agréable de mourir. J'avais envie d'enlever le bracelet. Je n'aimais pas l'idée qu'elle m'ait donné quelque chose alors que je n'avais pas la moindre chose à lui donner à elle. Je ne voulais pas plus tard continuer à entendre ses chuchotements comme toutes les autres voix que j'avais entendues. Mais je n'arrivais pas à me décider. Il fallait savoir profiter des bonnes choses. Il était trop joli, et je n'avais jamais rien eu d'aussi joli.

« Vous êtes censée vous changer », lui ai-je dit.

La dame s'est relevée, elle est allée à la commode, et a ouvert un tiroir. Elle tremblait de tout son corps, mais elle ne pleurait pas. Elle m'a regardée dans le miroir.

« Si vous ne voulez pas m'aider, alors laissez-moi essayer.

— Comment voulez-vous que je vous aide ?

— Ne tuez pas son père. Ne tuez pas mon mari.

— Ce n'est pas à moi qu'il faut le demander. Je n'ai jamais tué personne », lui ai-je dit.

Je ne pouvais plus la regarder. Je savais déjà comment ça allait finir.

Je suis passée dans la chambre du garçon, avec les posters des Big Red et un trophée en or, un type portant un drôle de chapeau en train de frapper une balle avec un bâton et une boîte de soldats de plomb scotchée au mur. Il y avait un morceau de caillou qui avait l'air d'avoir été ramassé dans un endroit très ancien. Je me demandais quel intérêt le garçon pouvait bien lui trouver. Je me suis allongée sur son lit en fermant les yeux pour essayer de dormir. L'oreiller sentait le chien, mais ça m'était égal. C'était une chambre magnifique, la chambre de quelqu'un de vivant et qui était heureux de l'être. Dans ma tête, je voyais des étoiles, des formes bleues sous mes paupières, des bouches qui s'ouvraient et se fermaient, des langues qui s'enroulaient, et les mains de Charlie me passaient sur tout le corps, la peau, le sang, les os, jusqu'aux rêves minuscules qui couraient dans mes veines. Ma tête descendait en tourbillonnant, comme quand l'orage se calme un peu. La pluie déchirait le chapeau en papier de Betty Sue. Le vent soulevait les cheveux de ma mère.

Et puis j'ai entendu les pas de Charlie dans l'escalier. Un, deux, trois, quatre, cinq, six, sept, et les pas de la dame qui s'éloignaient, jusqu'à ce qu'il les fasse taire. Le chien s'est mis à glapir. J'ai su plus tard qu'une lampe était tombée. Quelqu'un s'est pris les pieds dans le cordon, un corps s'est affalé de tout son long, l'air s'est dissipé à toute vitesse. J'entendais le chien crier à cause de son cou, et puis *shush shush shush*, Roe sur le toit en train de poncer la peinture rouge.

Quand il m'a trouvée endormie dans la chambre du garçon, Charlie a failli se mettre à pleurer. Il a plissé les yeux et son visage est devenu tout rouge. Il a dit que la dame avait essayé de le tuer, vu que je m'étais endormie. Je ne lui ai pas dit que j'avais seulement essayé de dormir.

« Comment est-ce qu'elle a essayé de te tuer ? »
ai-je demandé.

Mais Charlie ne pouvait pas répondre. Il n'avait
pas envie de parler.

« Je ne voulais pas la tuer ; elle m'a forcé.

— Tu voulais le faire depuis le début.

— Non, Caril, c'est pas comme ça que ça a commencé. Pour commencer, je voulais tuer personne.
Mais tout le monde me traitait mal.

— O.K., Chuck, je te crois, lui ai-je dit. Je ne te
traite pas mal, moi.

— Je sais pas. »

Il m'a regardée d'un drôle d'air et puis il est redes-
cendu pour se remettre à lire les journaux. Il n'arrêtait pas.

La nuit arrivait, faisant craquer les arbres de froid,
et on nous cherchait partout, mais nous, on ne bougeait plus, cachés dans un endroit bien tranquille. La
maison était plongée dans l'obscurité. Il n'y avait pas
un souffle. On aurait dit que l'univers était recouvert
de glace. C'était à moi de surveiller le retour du mari.
Il allait rentrer du bureau. Charlie voulait qu'on
prenne leur voiture. Ce serait une belle voiture, qu'il
disait, bien plus belle que toutes celles dans lesquelles j'étais déjà montée.

Je me suis assise sur l'accoudoir du sofa, le dos
bien droit pour ne pas m'endormir, mais j'étais trop
fatiguée. Il était tard. Je ne pensais pas qu'il finirait
par arriver. Je suis remontée à l'étage pour essayer de
faire sortir le chien de dessous le lit dans la chambre
du garçon. J'ai fait des cercles par terre avec la boîte
de chocolats que j'avais trouvée dans le placard,

parce que moi, c'est ce qu'il me faudrait pour me faire sortir de dessous un lit.

« Viens voir, le chien, lui ai-je dit. Viens voir Caril, tout va bien. »

Mais ce n'était pas vrai, et il ne voulait pas sortir. Il était tout recroquevillé contre le mur, gémissant de douleur, alors je me suis assise au milieu du tapis et j'ai avalé tous les chocolats, sans m'éloigner, en le regardant comme un secret. Je lui en ai laissé un, au cas où il changerait d'avis.

Je me sentais mal, et je me suis mise à pleurer, parce que je n'avais servi à rien à la dame. Je voulais que son fils puisse retrouver sa maison comme avant. J'ai pensé à Nig, qui n'avait plus personne pour l'aimer. J'ai posé le chocolat qui restait sous le bord du lit et j'ai éteint la lumière. Tout d'un coup, j'ai vu des phares dans l'allée, comme deux yeux brillants effrayés, qui disaient que son mari était rentré.

J'ai longé le couloir sur la pointe des pieds.

« Chuck », ai-je dit, mais il était déjà au courant. Il attendait dans le noir près de la porte. Je me suis adossée au mur à côté de la lampe qui était tombée et je me suis assise parmi les débris. J'avais les bras serrés autour de mes jambes, les yeux fermés, même s'il n'y avait rien à voir.

Il fait noir. Il n'y a que du noir. Mon souffle s'est coincé dans ma poitrine. La porte s'ouvre en grand. « Jeanette ? », et l'ombre de la lumière s'allume, et Charlie attend. Il y a un silence. Un mouvement par surprise. Il y a le coup de feu. Qui entre et sort par l'autre côté. Le bruit de quelque chose en verre qui explose. Il y a la fumée. Et les pas de Charlie. Et des grésillements dans mes yeux là où je frotte trop fort, et qui dessinent des formes comme des bleus. Un chien, un arbre, une main, un cerveau. Il n'y a pas un bruit. Je jette un œil par-dessus la balustrade, et il y a un homme. Il y a une flaque de sang qui commence à remplacer le tapis. Il y a ses mains. Elles entourent sa gorge. Sa cravate est défaite. Ses yeux sont fermés. Ses lèvres remuent. Je descends tout doucement pour entendre le secret : « Jeanette… Jean… » Il murmure son nom.

Chapitre 17

1991

Dans les pièces encombrées de notre vie antérieure, tout était resté à l'identique depuis l'été précédent, et pourtant tout avait changé, comme le font les endroits restés vides trop longtemps. Je repris la boîte pour la déposer sur la table de l'entrée, puis je passai dans le salon. J'ôtai le drap posé sur le piano et m'assis sur la banquette, effleurant du doigt les touches blanches et froides. Mais l'instrument avait besoin d'être accordé, et j'arrivais à peine à me rappeler un bout de chanson que je jouais quand j'étais petit, un accord tout simple sur des Cosaques en train de danser. Je me dirigeai vers le placard à bouteilles, sans savoir s'il contenait encore quelque chose, ni ce que je ferais s'il était vide. Mais il restait un fond de scotch. Je me servis un verre et m'assis sur le sofa, en face de la fenêtre. En plissant les yeux, je vis les formes et les couleurs se mélanger, et la pelouse s'étira pour se confondre avec le fleuve. Jane avait une fois peint quelque chose qui y ressemblait. Une grande toile rectangulaire, des bandes de couleur et des couches de peinture délimitant la frontière entre la terre et l'eau. Il était un peu déconcertant de se dire qu'elle avait déménagé, tout doucement, qu'elle était partie sans un souffle. Je savais combien c'était facile.

J'essayais de me rappeler quand j'avais vu Jane pour la dernière fois. Elle cueillait des tomates, coiffée de son chapeau de soleil jaune. J'étais resté à la regarder un moment entre les arbres, la main posée sur le pignon tiède de la grange. Je songeai à Susan debout dans la lueur du petit matin, l'ourlet de sa chemise de nuit effleurant le tapis, en me demandant si c'était l'image que je garderais d'elle. La première fois que nous étions allés rendre visite à Jane, nous avions bu du bourbon dans des bocaux à confiture, en faisant semblant de ne pas voir les enfants qui venaient jouer aux espions dans l'encadrement de la porte de la cuisine. En guise de table basse, Jane avait empilé des caisses. Les coussins des fauteuils du salon laissaient échapper leur rembourrage. Pourtant, j'avais observé un étonnant sens de l'ordre dans les tableaux de Jane ; les grandes toiles, avec leur composition symétrique, semblaient conduire l'œil d'un mur à l'autre, comme si chaque tableau avait été porté par un même souffle. On pouvait se frayer un chemin dans le désordre en se laissant guider par les formes. À un moment, Jane était arrivée sans bruit derrière moi, m'avait touché le bras, et j'avais senti un lien s'établir, une sorte de secousse. Plus tard cette nuit-là, alors que les enfants étaient bien sagement couchés, j'avais suivi l'ombre de Susan dans l'escalier plongé dans l'obscurité, la tête encore pleine des tableaux de Jane, et je lui avais fait l'amour comme un possédé, arc-bouté contre le mur pour empêcher la tête du lit de cogner.

Les yeux de ma femme étincelaient, cette nuit-là. Elle était pleine d'idées, et lorsqu'elle avait une idée, elle la mettait immanquablement à exécution. Je la vis donc sans surprise revenir de Kingston avec les enfants, les bras chargés d'une quantité ridicule de matériel de peinture. Au cours des semaines suivantes, le cellier devint leur studio. Susan badigeonna les murs de dessins grossiers de la maison, des chiens, du cheval de Jane, Réséda. Jane était souvent là, conseillant les enfants, et se liant d'amitié avec Susan. J'essayais de garder mes distances, car je ne voulais pas m'en mêler. Une fois, me sentant complètement perdu, je m'étais retrouvé sur le pas de sa porte, venu chercher un peu de réconfort. Elle m'avait offert un verre de bourbon et m'avait parlé comme à un vieil ami. Elle m'avait aidé à reprendre ma place dans le monde.

Assis sur le sofa, face au fleuve, je me demandais maintenant ce que Susan était en train de faire, et si Hank lui manquait comme j'avais manqué à ma mère le dernier automne, quand j'étais reparti en pension. Est-ce qu'elle guettait le bruit de son fils à la porte, comme ma mère avait guetté le bruit de mes pas dans l'allée ? Je me sentis soudain écrasé par le sentiment de notre solitude, par l'idée que les choses auraient pu tourner différemment.

Je me levai pour me resservir un verre. Quelqu'un frappa à la porte de derrière, et je faillis faire un bond. Jane était sur le perron, le nez collé à la vitre. Je me sentis coupable, comme si mes ruminations avaient provoqué cette visite. Elle me fit un salut hésitant de la main en me voyant arriver. Je m'efforçai de dissimuler un peu mon étonnement.

« Je vous ai vu traverser la pelouse tout à l'heure, dit-elle en entrant dans le salon dès que j'ouvris la porte. Je me suis dit que vous veniez me dire bonjour, et puis vous avez disparu. »

Ses cheveux argentés étaient humides de pluie. Une goutte glissa de sa tempe le long de sa mâchoire carrée, et je faillis tendre la main pour l'essuyer.

« Comment allez-vous ? » lui dis-je, avec l'impression d'avoir été surpris en train de faire quelque chose de répréhensible.

Elle semblait avoir vieilli depuis l'année précédente. Sous ses lourdes paupières ridées, son regard était doux, un peu troublé. Je me demandai un instant si Susan avait appelé pour lui demander de vérifier si j'étais là.

« Je vais bien, répondit-elle. Mais j'ai beaucoup pensé à vous et à Susan. »

Je me retins de lui dire que j'étais tout juste en train de penser à elle.

« On est restés absents trop longtemps », fis-je simplement. Je n'étais pas très sûr de mes mains, et les glaçons cliquetaient sur la paroi du verre tandis que j'offrais un siège à Jane.

« On ne vient plus très souvent.

— Oui, vous avez en quelque sorte disparu, tous les deux. » Elle sourit en s'installant avec précaution sur le sofa. « Mais c'est aussi mon cas. Susan est là ?

— Elle est à la maison.

— Elle m'a manqué. Comment va-t-elle ?

— Très bien », répondis-je avec un enthousiasme un peu forcé.

Jane me lança un regard interrogateur et contempla ses mains, faisant glisser un anneau le long de son doigt. À ma grande surprise, je vis que c'était une alliance. J'avais toujours cru que Jane n'avait besoin de personne.

Je finis par briser le silence inconfortable qui s'était installé.

« Je me disais que vous aviez dû déménager. La maison a été repeinte. PVNS. Pas vraiment notre style. » Le jeu de mots était faible, mais j'espérais qu'il la ferait rire.

« Des locataires, dit-elle. Je suis partie au Brésil, et je leur ai dit qu'ils pouvaient faire ce qu'ils voulaient. Ils entamaient une nouvelle vie, et franchement, ça m'était complètement égal. »

J'allai dans la cuisine et lui servis le reste du scotch, en sentant une légère panique m'envahir. L'atmosphère avait changé. Jamais je n'avais vu Jane aussi éteinte.

« Vous êtes allée là-bas pour peindre ? » demandai-je en lui tendant le verre. Ses traits anguleux étaient adoucis par la lumière déclinante.

Elle secoua la tête, but quelques gorgées comme s'il s'agissait d'un médicament, et posa le verre sur la table basse. Puis elle croisa les doigts sous sa cuisse, comme elle l'avait souvent fait quand nous étions en pleine discussion.

« C'est drôle comme la situation est inversée, dit-elle soudain. Vous vous rappelez le jour où vous êtes venu me parler ?

— C'est pour ça que vous êtes là ? Vous êtes venue me parler ?

— Je ne sais pas, Lowell. »

Elle reprit son verre en souriant.

« Je ne suis pas sûr de pouvoir être très utile.

— C'est sûrement plus facile de ne pas l'être. »

Elle détourna le regard, prit un bloc-notes qui se trouvait sur la table basse et se mit à dessiner : des traits noirs et des ombres épaisses d'où émergeaient les feuilles plates de plantes tropicales. Je fermai les yeux, écoutant le bruit rapide du crayon sur la feuille.

« J'étais justement en train de penser à vous », avouai-je soudain. Je bus une gorgée en songeant à la banalité de ma réflexion. Je me levai pour aller à la fenêtre, faisant semblant d'observer le fleuve un moment, puis revins m'asseoir sur le sofa à côté de Jane. Avec le poids du verre dans ma main et le soir tombant, il était plus facile de se rapprocher, d'offrir ce qu'on ne me demandait pas.

« Qu'est-ce qui s'est passé ? lui dis-je, tenté de tendre le bras pour lui toucher l'épaule.

— Je me suis mariée, répondit-elle en levant la main pour me montrer l'alliance.

— Tout s'explique. »

Elle sourit.

« Je suis tombée amoureuse de lui il y a très long-temps, et puis il est parti. »

Je lui demandai où il était parti.

« Au Brésil ; pour vivre sur une île et peindre des feuilles de bananier. »

Elle haussa les épaules et appuya son bras sur le dossier du sofa.

« Des feuilles de bananier ?

— L'amour est aveugle, hein ? »

Elle faillit éclater de rire, et puis son sourire s'effaça.

« Il y avait sans doute autre chose que les feuilles de bananier, mais je ne voulais rien savoir. Les artistes sont égoïstes.

— C'est presque une obligation, non ?

— Non, en fait je ne crois pas. »

Elle termina son verre. Je continuais à siroter le mien, conscient du fait que la bouteille était vide.

« Quand Alistair a appelé, il pleuvait comme aujourd'hui, dit-elle. J'étais tout bêtement assise sur le canapé, en attendant que quelque chose se passe. Il m'a dit qu'il était très malade et qu'il avait peur de mourir. Je ne lui avais pas parlé depuis plus de dix ans. Mais si ridicule que ça puisse paraître, je n'ai même pas eu à réfléchir. J'ai fait mes valises et je suis allée le retrouver.

— Je n'aurais jamais imaginé que vous puissiez faire ce genre de chose, lui dis-je. Mais c'était peut-être la bonne décision. De partir.

— On s'est mariés là-bas. C'était une bêtise, mais il le voulait. On vivait dans un magnifique petit cabanon avec des portes de saloon, comme dans une carte postale, dit Jane. C'était très bizarre. Tout ce soleil et cet air chaud, cette beauté trompeuse, et tous ces flacons de médicaments sur la table de chevet. Il ne les refermait pas correctement, et chaque fois qu'il en prenait un, les cachets se renversaient partout. Je me réveillais en croyant que le chien de mon enfance courait après une balle sur le plancher.

— C'est très bizarre.

— Oui, c'est effectivement bizarre, cette façon dont le passé resurgit », dit-elle.

Pendant un court instant, mon rêve me revint, les mains du pasteur, la voix de ma mère.

On resta assis en silence tandis que la lumière changeait, et j'avais presque l'impression d'entendre le fleuve.

« C'était très difficile, dit-elle soudain. Peu de temps avant la fin, j'ai commencé à prendre des cachets, moi aussi.

— Il n'y a pas de mal à ça, lui dis-je, cherchant à la rassurer. On a tous fait la même chose à un moment ou un autre.

« — Je ne sais pas, dit-elle en secouant la tête. J'aurais dû me montrer plus forte. »

L'après-midi, pendant qu'il dormait, elle allait marcher le long des rochers où des hordes de tortues de mer prenaient le soleil comme des vieillards gris. L'horizon la rassurait, et une fois que les cachets avaient fait leur effet, elle était libérée de ses émotions. Les ombres des palmiers s'étalaient sur le sable doré comme des doigts moelleux ; c'est ainsi qu'elle les décrivait. Elle s'était habituée à se sentir douce et calme.

Un jour, Jane avait fait une chute en glissant sur des algues, et avait été tentée de rester allongée là et de laisser les vagues l'emporter.

« Mais quand je suis rentrée, il n'arrêtait pas de s'accrocher à mon bras », dit-elle. Elle sentait son énergie, son désir de vivre passer dans son corps comme une décharge électrique.

J'imaginai les derniers instants de mes parents. Ma mère en chemise de nuit, mon père, surpris par le froid de l'acier contre sa tempe, se demandant si elle vivait encore. Quand j'étais rentré à la maison, on m'avait donné des cachets pour dormir, mais chaque matin, les nuages noirs revenaient. Au fil du temps, année après année, j'en étais venu à me dire parfois que la seule compensation au monde des vivants, où le changement était perpétuel, était les magnifiques objets qui survivaient au temps.

Adolescent, j'avais commencé une collection au sous-sol de la maison à Lincoln. Il y avait des tiroirs de fossiles et de pointes de flèches, des fragments de poterie sioux méticuleusement étiquetés. Tante Clara essayait en vain de m'arracher à l'obscurité et de m'attirer vers le soleil. Tard le soir, je l'entendais parler à oncle Phillip quand elle me croyait couché.

« Tu te souviens comme il aimait danser quand Jeanette organisait ses soirées ? Il n'est tout simplement plus le même.

— Tu ne t'attends tout de même pas à ce qu'il oublie ce qui est arrivé tant qu'il vivra ici ? avait dit mon oncle.

— On en a déjà parlé, Phil. On a décidé que ça valait mieux. »

Le sous-sol était ma forteresse, loin de tout le monde. Le but de ma collection était de tout ranger selon un ordre bien précis de façon à donner aux objets une signification particulière. Il y avait les premiers amphibiens restés prisonniers de la roche lorsque l'eau s'était retirée des plaines. Il y avait la pointe de flèche des Indiens Pueblos du parc national de Bandolier. Les reliques des premiers peuples américains, et puis les découvertes plus récentes, le couteau à manche de nacre que j'avais trouvé coincé sous les fondations d'une cabane de pionnier près de la route, juste au nord d'Alliance.

« Il servait à scalper ? avais-je demandé.

— Plutôt à étaler le beurre », avait dit mon père en riant.

Je sentis la main de Jane sur mon genou, et j'ouvris les yeux, m'attendant presque à trouver Susan à côté de moi.

« J'ai rapporté ses tableaux, dit-elle. Je ne peux même pas les regarder. »

Je ne savais pas ce qu'elle voulait que je réponde.

Elle resserra son étreinte.

« Si je suis venue, reprit-elle, c'est pour savoir comment vous avez réussi à surmonter ce qui est arrivé à vos parents. »

Je la regardai un long moment, essayant d'imaginer la façon dont elle me voyait. Mais je n'avais pas réussi à le surmonter, pas vraiment. Je faillis lui parler de la boîte que je ne me décidais pas à ouvrir, et de mon mariage brisé.

Au lieu de cela, je pris Jane dans mes bras. Elle semblait presque s'y attendre. Nos joues se croisèrent, s'effleurèrent, et je sentis les plis moelleux de sa peau, l'odeur d'alcool de son haleine, en me demandant ce que Susan dirait. Je me mis à examiner la pierre turquoise qu'elle portait autour du cou. Elle était striée de veines sombres. Je l'appuyai contre sa peau et observai la marque rouge laissée par la pierre.

« Quelle chance que vous vous soyez rencontrés, Susan et vous ! dit-elle doucement en jouant avec la pierre. Vous semblez vous aimer d'une façon toute particulière. »

Je baissai la tête. Je me sentais petit et égoïste.

« Vous trouvez ?

— Oui », dit-elle.

Son regard glissa sur moi, elle se mit à contempler le fleuve, et je compris que son esprit était parti ailleurs.

Plus tard, après le départ de Jane, je montai à l'étage sans regarder le portrait de famille que Jane avait peint de nous, tout en ayant l'impression que j'étais observé. Je me rendis dans la chambre de Mary et m'allongeai par terre, les bras repliés derrière la tête. La pluie picorait la fenêtre. Je tâchai de trouver le calme en contemplant les nuages champêtres flottant sur le plafond bleu. Mais au détour de chaque pensée, j'étais confronté au fait que j'avais laissé Susan seule, que nos enfants devenaient adultes, que la vie semblait se retirer tout doucement.

Je me mis à penser au camarade de classe de Hank qui était mort, et au fait que j'avais laissé Susan s'occuper de tout. Un jour, le petit garçon ne s'était pas réveillé. Les secours avaient découvert la mère de bonne heure un samedi matin, faisant les cent pas devant la fenêtre, le corps rigide dans ses bras, lui donnant de grands coups dans le dos pour le ranimer. Mais il était trop tard. L'autopsie n'avait rien révélé.

Le petit garçon, Adrian, était venu une fois à la maison peu de temps avant ce printemps-là. Hank et lui avaient joué au base-ball toute la journée. J'avais passé l'après-midi à lancer la balle, pendant que Mary, jacassant, trottait partout sur ses petites jambes, ses longs cheveux noirs flottant derrière elle. Lorsque la balle s'échappait, elle courait la rattraper, et la rapportait lentement entre ses mains comme si elle était à la tête d'une grande procession médiévale. Hank avait jeté sa batte en tapant du pied, se plaignant que sa sœur ralentissait le jeu, alors que le petit garçon, lui, faisait preuve d'une grande gentillesse et applaudissait chaque fois que Mary allait récupérer la balle.

« Arrête d'applaudir. Elle gâche tout », avait dit Hank en donnant des coups de pied dans la pelouse.

J'ai lancé une balle lente en direction de mon fils de six ans ; je l'ai vu se camper sur la base, jambes écartées, ajuster la batte, et renvoyer la balle comme un pro, peut-être par colère, ou par dépit, je n'en sais rien. Tandis que l'orbe blanc décrivait un lent arc de cercle dans le ciel, je m'étais émerveillé de la force de mon fils, soudain jaloux de tout son potentiel. « Bravo, fiston ! » dis-je en serrant tellement les mâchoires que je crus que mes dents allaient se briser. Le vent emporta la balle en plastique sur la droite, et elle descendit en spirale vers le fleuve, disparaissant derrière le mur en ciment. Pendant un moment, le temps avait semblé s'arrêter ; le brillant avenir de mon fils était imparable, tout autant que la maîtrise de son premier vrai coup de batte.

Le petit garçon, notre invité, avait applaudi avec un grand sourire. Il savait qu'il ne réussirait jamais ce genre de coup, mais il ne semblait pas s'en soucier. Adrian, dont la mère travaillait à la bibliothèque, passa le reste de la journée avec nous. Il picora son déjeuner et s'assit dans le salon, regardant par la fenêtre. Sa peau était si blanche et ses cheveux si clairs qu'il avait presque l'air d'un exosquelette sans rien à l'intérieur, une relique que le moindre coup de vent emporterait. Il était facile d'oublier sa présence.

Quand sa mère arriva enfin, on le découvrit dans le salon, en train de danser avec Mary au son d'une petite chanson d'un des disques en plastique de ma fille. Ils ressemblaient à deux adultes, Mary rougissant timidement, et ce petit garçon étrange regardant droit devant lui comme un petit lord anglais. Il tenait la main de ma fille dans la sienne et la guidait en petits cercles sur le tapis du salon, et c'est cette image qui m'était revenue sans cesse le soir où la maîtresse de l'école nous avait appelés pour nous apprendre la nouvelle.

Je reconnais que j'avais en quelque sorte démissionné après ça. Je refusai d'assister à la réunion de parents d'élèves, mais Susan me força à l'accompagner. Je lui dis que je resterais à la maison avec les enfants, mais elle les confia à Jane et exigea que je participe. On se coinça dans des rangées de tables minuscules, à côté de parents aux visages sombres chuchotant entre eux. *Adrian Wells, c'était lequel ? Pauvre gosse, comment est-ce arrivé ?*

Miss Mackey – Danielle – qui n'avait guère plus de vingt-cinq ans, était debout à une extrémité de la pièce, minuscule et parfaite, le regard troublé et humide, ses yeux bleus écarquillés par le chagrin. Elle semblait ne pas savoir quoi dire, et pourtant, au lieu d'être irrité par sa confusion, je ne pouvais m'empêcher de contempler la courbe ravissante de ses épaules sous les minces bretelles de sa robe, et l'épaisse chaîne militaire en argent de chez Tiffany nichée dans le creux délicat de son cou. J'admirais la force de ses bras menus, le fin tracé de ses muscles au moment où elle alla ouvrir la fenêtre pour laisser entrer l'air frais de cette soirée de fin de printemps. Il y avait quelque chose de très doux dans la brise, un parfum de fleurs qui me semblait venir du dehors, mais lorsque miss Mackey revint se faufiler entre les rangées, je compris que le parfum venait d'elle, une eau de toilette fleurie, ou bien un lait de toilette.

Je n'ai aucun souvenir du sujet de la discussion, ni des décisions prises, mais après la réunion, alors que les parents s'attardaient en petits groupes serrés, je me mis à examiner les paniers remplis de matériel de dessin et de jeux pour les enfants, en essayant d'effacer l'image du petit garçon ravi de danser avec ma fille. Je grattai les traces familières de colle sur les tables à dessin et fis l'inventaire d'une corbeille à fruits pleine d'ours en plastique aux couleurs de l'arc-en-ciel. Je les alignai un à un sur une étagère.

« Qu'est-ce qui ne va pas dans ce tableau ? » demandai-je à Susan qui arrivait derrière moi.

Elle m'observa un moment comme pour dire : *Est-ce qu'il y a la moindre chose qui aille bien ?*

« Regarde les oreilles. Elles sont toutes mâchonnées, lui dis-je. On dirait plutôt des chauves-souris, tu ne trouves pas ? Des jouets pour chien. Pas étonnant que Hank suce continuellement son pouce.

— Tu t'inquiètes des microbes ?

— Pas vraiment.

— Quoi alors ? Miss Mackey ? » demanda-t-elle, pleine d'espoir, en exerçant une pression des doigts au creux de ma paume tandis que nous allions retrouver la sécurité de notre vieille Buick garée sur le parking. « Tu as peur qu'elle n'ait pas assez d'expérience pour faire face à la situation ?

— Elle me fait penser à des fleurs de cornouiller », dis-je soudain sans réfléchir, en démarrant.

Susan se cala dans son siège, attentive à la route comme si elle était au volant, et prit une brusque inspiration.

« Si tu insinues qu'elle est trop délicate pour supporter un changement de température, dit-elle rapidement, je vois ce que tu veux dire. »

Elle baissa la vitre avec un peu d'excitation, une pointe d'énergie désespérée que j'avais du mal à comprendre. Elle passa la tête hors de la portière, la tête au vent, puis écarta les cheveux qui lui couvraient les yeux et se redressa d'un mouvement brusque.

« Lowell ?

— Oui, chérie ? » dis-je en posant la main sur son genou comme dans une pièce de théâtre. Je mourais d'envie de lui balancer des horreurs, quelque chose qui pourrait la blesser. J'ignore pourquoi.

« Je sais que ce n'est pas vraiment le moment de t'embrasser, mais j'en ai tout de même envie », dit

274

Susan sur un ton pressé. Elle souleva ma main posée sur son genou et pressa mes doigts contre ses lèvres comme si elle avait peur que je ne m'échappe.

Tout en glissant le doigt le long de la cuisse de Susan, je pensais au lait de toilette de miss Mackey On avait dû lui paraître bien vieux, bien éloignés d'elle. Mon visage était plus émacié qu'il n'aurait dû l'être. Ma barbe de trois jours avait des pointes de gris, et mon dîner avait en partie atterri sur ma chemise.

« D'où te vient cette excitation ? » demandai-je à Susan, même si je n'avais pas vraiment envie d'entendre sa réponse.

Elle appuya son visage chaud contre mon cou, peut-être pour me tirer de l'univers confortable dans lequel j'étais en train de me réfugier.

« On forme une bonne équipe pour faire face aux difficultés, tu ne trouves pas ? » murmura-t-elle.

Je hochai la tête. Je ne voulais pas la contredire. La soirée était magnifique. C'était la pleine lune, et le long de la route, près du terrain de base-ball, je vis deux paires d'yeux dorés qui nous regardaient passer.

Une semaine plus tard à peine, je me réveillai dans le noir et découvris que le lit était vide et froid à côté de moi. La nuit semblait troublée, et au lieu de plonger la tête sous les couvertures, je me levai pour aller dans le couloir obscur. Je vis un trait de lumière sous la porte de Hank. Derrière, j'entendais ma femme murmurer doucement.

J'ouvris la porte et la découvris, juchée au bord du lit, remontant les couvertures sous le menton de notre fils. Elle nota ma présence et me jeta un regard soucieux, mais je ne suis pas sûr que mon fils avait conscience que j'étais là.

« Mary dort les yeux à moitié ouverts, et quelquefois on ne voit plus que le blanc », dit-il, ôtant son pouce et l'essuyant sur son pyjama en pilou.

« Ça te fait peur ?

— Pas quand je suis là. Si je suis là et qu'elle arrête de respirer, je peux la réveiller. »

Elle lui promit que ça n'arriverait pas.

« Il ne faut pas avoir peur, dit Susan à Hank en repoussant ses cheveux sur son front. C'est mon rôle, pas le tien. »

On retourna au lit sans se toucher, comme des étrangers, sans dire un mot ni l'un ni l'autre. On resta allongés dans le noir pendant des heures, semblait-il, repassant dans notre tête ce qui était arrivé à notre fils. La tension de Susan était palpable, et elle se décida finalement à parler.

« Hank surveillait Mary pour être sûr qu'elle n'allait pas mourir dans son sommeil. »

Je me souviens d'avoir eu une sensation étrange dans la gorge.

« Ce n'est pas seulement à cause d'Adrian. »

Je tressaillis en entendant le nom du petit garçon.

« Tu sais ce qu'il m'a dit ? Il avait dans l'idée que grand-mère et grand-père Bowman s'étaient endormis un soir, et ne s'étaient jamais réveillés. »

Je savais qu'elle me tenait pour responsable. L'obscurité me rendait claustrophobe.

Susan se redressa. Elle s'appuya contre la tête de lit et j'entendis un craquement.

« Il faut que tu expliques, dit-elle. Il faut que tu leur en parles. Ton passé est le nôtre, et si tu ne veux pas l'affronter, ce sont tes enfants qui hériteront du problème. »

Je raidis brusquement les bras le long de mon corps.

« Je sais.

— Vraiment, Lowe ? Est-ce que tu sais le temps qu'il m'a fallu pour régler le problème de ma mère ? »

Son ton était acide. Nous étions tous deux accrochés l'un à l'autre dans une étrange danse immobile. Je posai la main sur sa cuisse chaude et souple.

« Je te demande pardon », lui dis-je.

Elle se rallongea d'un seul mouvement et jeta ses bras autour de mon cou, pressant son corps contre le mien.

« Les enfants savent parfaitement quand on leur cache quelque chose », dit-elle à voix basse.

Quelques jours plus tard, elle leur raconta tout. J'étais allongé dans le salon en train de lire une biographie de Duchamp lorsque Susan vint s'asseoir sur l'accoudoir du canapé. Elle avait manifestement quelque chose à me dire, mais ne trouvait pas ses mots.

« On est allés se promener au phare, les enfants et moi, finit-elle par annoncer. Je leur ai dit ce qui était arrivé à tes parents, du mieux que j'ai pu. »

Qu'attendait-elle de moi ? Des remerciements ? Je m'imaginais la scène, les enfants assis tout contre elle sur la plate-forme du phare touristique, les jambes dans le vide.

« Je ne leur ai pas donné de détails, juste le strict nécessaire. J'ai pensé que ça valait mieux, ajouta-t-elle.

— C'est-à-dire ? »

Elle restait là, bien droite, en se mordant la lèvre, et je crus un instant qu'elle voulait ajouter quelque chose.

« C'est drôle, non ? finit-elle par dire. Il arrive tellement de choses affreuses, et personne ne sait jamais ce qu'il est préférable de raconter ou non. »

Chapitre 18

1962

Peu de temps avant Noël, on était allongées par terre, Cora et moi, en train de réviser un examen, quand Mrs. Lessing frappa timidement à la porte pour annoncer qu'elle allait faire des courses et demander si Cora avait besoin de quelque chose. Je me redressai rapidement et tournai quelques pages de mon livre d'histoire, en essayant de me donner l'air sérieux.

Je n'avais jamais vu Mrs. Lessing quitter la maison auparavant, et elle semblait mal à l'aise, comme si le monde extérieur ne lui convenait pas. Elle avait attaché ses cheveux en chignon serré, mais son manteau était mal boutonné. Il paraissait bien léger pour la saison.

Cora n'avait apparemment rien remarqué, et elle se mit à débiter une longue liste de choses : des céréales, du beurre de cacahuète, des petits gâteaux, du sucre d'orge, et une crème spéciale dont elle avait entendu parler dans un magazine et qui était censée estomper les taches de rousseur. J'avais l'estomac qui grognait. J'avais trop faim pour pouvoir me concentrer sur mes révisions.

Les chaussures à lacet de Mrs. Lessing, qui étaient noires et brillantes plus tôt dans l'après-midi, étaient maintenant pleines de peinture, mais elle semblait ne pas s'en soucier. Je tâchai de trouver le courage de dire quelque chose pour lui montrer que je m'intéressais à ce qu'elle faisait.

« Qu'est-ce que vous étiez en train de peindre, Mrs. Lessing ? demandai-je alors qu'elle tournait les talons.

— Oh, dit-elle, regardant son manteau et s'affairant avec les boutons. Rien d'important. Des décorations. » Puis elle disparut. Si nous avions été seules, Mrs. Lessing se serait confiée à moi, comme le font les mères et les filles entre elles, comme dans le dernier numéro du magazine *Life* avec la photo de Jackie Kennedy tenant Caroline serrée contre elle. Mrs. Lessing m'aurait peut-être raconté tout ce qu'elle faisait dans l'atelier, et la manière dont le passé ne voulait pas la lâcher. Je lui aurais parlé de ma mère qui était partie, et je lui aurais dit que je ne pouvais pas m'empêcher de me demander ce que j'avais fait. *Rien du tout*, aurait répondu Mrs. Lessing. Elle m'aurait caressé les cheveux et assuré que tout irait bien. Elle m'aurait dit que j'étais quelqu'un d'important.

« Qui a gagné la bataille de Hastings ? » demanda Cora en ouvrant son cahier.

Je me retournai sur le dos, les bras derrière la tête.

« Je ne sais pas, dis-je. Hastings ?

— Tu veux vraiment avoir une mauvaise note ? dit Cora en poussant un soupir dégoûté.

— Non », répondis-je.

Je me fichais bien de mes notes, surtout en histoire. On se fichait bien de la France quand des gens étaient assassinés pratiquement sous vos yeux et que des innocents finissaient par en faire les frais parce qu'ils se croyaient responsables. Mrs. Lessing s'était construit sa propre prison. « Tu passes trop de temps au grenier », avais-je entendu Mr. Lessing dire, ce à quoi sa femme avait répondu : « Mais je ne peux rien faire d'autre. » Je me demandais s'il était plus facile pour elle d'être là-haut, seule avec ses pensées, et si en revenant sur terre, elle pensait trop à ce qui s'était passé dans la maison voisine.

Cora descendit chercher quelque chose à manger, et je commençai à m'agiter. Tâchant d'oublier la nourriture, je me rendis dans le couloir et jetai un œil en haut de l'escalier menant au grenier. La porte était ouverte et un puits de lumière tombait, déposant un carré lumineux à mes pieds. Sans hésiter, je montai éteindre.

L'atelier de Mrs. Lessing était le plus bel endroit, le plus triste que j'aie jamais vu. Il y avait des ailes accrochées sur les murs en bois brut, certaines si grandes qu'elles me faisaient presque peur. J'allai toucher les plumes, raides et cassantes de peinture. Caressant du doigt une cage en fer, je vis à l'intérieur une minuscule boîte rouge pendue à un fil. Dans un coin, près de la petite fenêtre en losange, il y avait un globe terrestre sur un reposoir en bois. Au bord de l'inanition, je m'agenouillai, et fis tourner ses latitudes et ses crêtes sous mes doigts. Là où il s'arrêterait, c'est l'endroit où se trouverait ma mère : l'océan Arctique. Je l'imaginais prisonnière sous la glace, le regard sans vie, les poings gelés à l'endroit où elle avait essayé de se dégager. Elle était allée là pour se faire du mal. Mrs. Lessing tenterait de me réconforter, de me faire revenir dans le monde des vivants. Et on se cacherait ici toutes les deux, dans le grenier, pour se raconter nos histoires.

En découvrant la pile de cadeaux de Noël posés sur une table pliante, ma gorge se serra et les larmes me montèrent aux yeux. J'ouvris une boîte de magnifiques barrettes que Mrs. Lessing avait sans doute décorées elle-même ; un guide illustré sur les oiseaux d'Amérique du Nord publié par l'Audubon Society, un boomerang acheté pour Toby, un manteau en laine rouge avec des boutons dorés qui devait être pour Cora. J'enfonçai mon visage dans le col pour respirer l'odeur douce des parfums des grands magasins. C'était la même odeur de neuf qui traînait encore dans quelques-uns des vêtements que ma mère n'avait jamais portés. J'essayai le manteau, serrant l'étoffe contre moi. L'intérieur était doublé d'un magnifique satin ivoire très doux. Je le sentais glisser le long de mes poignets. Dehors, le soleil disparaissait derrière le toit des Bowman, et leur maison était inondée de lumière violette. Il y avait dans le soir tombant quelque chose qui me donnait envie de retrouver un souvenir que je n'arrivais pas à situer. J'ôtai le magnifique manteau rouge et le remis dans la boîte.

Je caressai lentement des doigts les plumes et les pots de peinture sur la table, laissant venir les larmes. Il n'y avait personne pour me voir. Un cahier était ouvert à côté d'un bocal plein d'eau où trempaient des pinceaux. Mrs. Lessing avait dessiné une corde dans la marge et le bout effrangé se transformait en mots :

Je pense à mes enfants, voyez-vous, je pense au linge à laver pour m'empêcher de penser à vous. Une chemise blanche après l'autre ; comment est-ce que j'arrive encore à les repasser ? Il faudra bien que ce sentiment s'épuise et finisse par abandonner...

J'entendis des pas en haut de l'escalier, et en me retournant, je vis Cora qui me regardait, ses yeux pâles tout plissés, comme le jour où elle m'avait surprise devant la maison des Bowman. D'un geste, j'essuyai mes larmes sur mon pull.

« Tu n'as pas le droit d'être ici, lança-t-elle. Personne, d'ailleurs.

— Ta mère avait oublié d'éteindre, dis-je d'une voix rauque.

— Qu'est-ce qui ne va pas ? » demanda Cora en croisant les bras. Mais son ton était méfiant.

J'avais les yeux rougis, les joues maculées de larmes.

« Je ne sais pas, dis-je en secouant la tête, la main agrippée au rebord de la table parce que j'avais peur de m'évanouir sur place. C'est rien. »

On redescendit et je fis semblant de réviser, mais ce n'était plus la même chose. Cora ne me faisait plus confiance ; quelque chose avait commencé à nous séparer.

Le dernier jour de cours avant les vacances, je vis Faye Hallock qui glissait des cartes de Noël dans les casiers du couloir. Il ne me vint même pas à l'idée de vérifier si elle m'en avait donné une. Il y avait peu de chances ; elle n'avait jamais voulu s'asseoir à côté de moi en classe. Mais en rangeant mes livres à la fin de la journée, je vis une enveloppe tomber par terre, une enveloppe blanche avec mon nom écrit dessus au stylo doré. Je n'arrivais pas à y croire. Je ne la montrai pas à Cora. La carte de Faye resta cachée dans une poche secrète de mon sac comme un bijou volé. Ma mère aurait aimé l'idée de Faye. Faye était son genre de fille, jolie et communicative, avec un style bien à elle.

Cet après-midi-là, assise devant le secrétaire de ma mère, je caressai du doigt le sapin de Noël en paillettes sur la carte. Faye avait mis des cœurs partout sur les *i*. Je restai là un long moment, essayant de reproduire son écriture ronde et parfaite dans une lettre que j'écrivais à Lowell.

Cher Lowell,

J'aimerais tant être ton amie. Je crois que nous avons des choses à nous dire.

Mais mon écriture était tremblée et bizarre. Je n'y arrivais pas. Soudain, j'eus le sentiment que les choses n'iraient jamais bien, malgré tous mes efforts pour me débrouiller seule.

Je pris le paquet de cigarettes neuf que j'avais caché dans le tiroir et sortis dans le jardin. Le froid me mordait la peau à travers mes boutonnières et irritait mes poumons. Je m'en fichais. Je m'imaginais jetant en tas mon manteau, mon bonnet et mes moufles et me mettant à marcher, marcher, marcher dans la nuit glaciale. Je m'allongerais dans un tas de neige près de la vieille ligne de chemin de fer à la sortie de la ville, et je regarderais les étoiles jusqu'à ce qu'elles ne fassent plus qu'une seule lumière à l'extrémité du ciel. C'est comme ça qu'ils découvriraient mon corps. Ma mère se sentirait sans doute suffisamment coupable pour revenir auprès de mon père, mais moi je serais morte.

Le soir, nous restions seuls, mon père et moi, recroquevillés contre le froid. Il passait souvent de pièce en pièce, comme s'il était à la recherche de quelque chose, mais il n'avait pas grand-chose à dire. Ma mère disparaissait des conversations pendant des journées entières. Comme tout le reste. Notre existence se résumait maintenant au silence et au froid. Comme par mégarde, on se retrouvait parfois face à face, arrachés à nos pensées, dans les couloirs plongés dans l'obscurité. On rêvait peut-être tous deux à ma mère sur la Riviera, ou un peu moins loin, partie sur les traces du fantôme de Starkweather.

Un matin, je me réveillai au bout d'un rêve, malade d'angoisse. Starkweather et Caril Ann lancés à toute allure dans la neige au volant de la Studebaker dorée de ma mère, venant tuer mon père. Tout s'était arrêté. La maison semblait prisonnière d'elle-même, ensevelie sous une couche de glace. Je sortis lentement de mon lit, me glissai le long du couloir et poussai doucement la porte de la chambre de mes parents. Je vis mon père dans son pyjama rayé, enchevêtré dans les draps, enroulé autour d'un oreiller. Il était allongé sur le côté, les mains collées sous ses joues, ses cheveux fins effleurant son front. Ses épaules se soulevaient au rythme de sa respiration profonde. Il avait besoin d'une coupe de cheveux et d'un bon rasage. Il ne ressemblait pas du tout à un père. Il ressemblait à un chiot sans sa mère, prêt à se rouler par terre et à faire le mort. Je m'approchai dans la lumière douce et m'agenouillai près du lit, essayant de lire ses rêves. Mais son visage était neutre. Il s'écarta de moi et poussa doucement un long ronflement.

Le soir où je vis enfin Lowell, j'avais l'impression qu'il n'avait jamais fait aussi froid. J'étais restée plus tard que d'habitude pour aider les Lessing à décorer leur sapin avec des oiseaux miniatures et des éventails en plumes attachés avec du ruban rouge. Mrs. Lessing avait recueilli les plumes en avril et en mai, au moment où les oiseaux migrateurs – les colverts, les mergules, les hirondelles, les oies des neiges, les cormorans – arrivaient du sud et survolaient les marais en direction du Canada. En cherchant bien au bon moment de l'année, on pouvait trouver des plumes brillantes dissimulées parmi les hautes herbes, de minuscules souffles de couleur qui avaient effleuré le ciel. Mrs. Lessing avait décoré certaines plumes avec de la peinture argentée ou dorée, et je les voyais chatoyer dans la lumière des bougies. « Ils arrivent tous en même temps, disait-elle en racontant l'approche des oiseaux. C'est magnifique. » Mais son ton était si triste que c'était presque douloureux de l'écouter. On aurait dit que Mrs. Lessing était elle aussi prête à s'envoler.

Mr. Lessing descendit de l'escabeau où il était monté pour installer l'étoile en haut de l'arbre, et s'arrêta au-dessus d'elle en se mordant la lèvre, le sourcil froncé comme s'il ne savait pas quoi faire. Il se pencha pour lui toucher l'épaule.

« Corrine… », dit-il.

Mais Mrs. Lessing se dégagea. Je voulais rester pour leur dire de ne jamais plus lui donner de linge sale. C'était au-dessus de ses forces. Sa tête était trop pleine d'autres choses. Ils auraient dû être plus reconnaissants. Elle leur avait choisi des cadeaux magnifiques.

Je voulais savoir ce qui allait se passer, mais Cora me jeta un regard, et je la suivis dans le jardin d'hiver, où elle sortit le jeu de dames. Je tendis l'oreille pour écouter la voix de ses parents. Mais tout était redevenu silencieux. Ils étaient peut-être dans les bras l'un de l'autre, ou bien Mr. Lessing était en train de mettre sa femme au lit avec une bouillotte et un verre de lait chaud pour calmer ses nerfs. Peut-être qu'il lui frottait le dos, ce que j'aurais bien aimé que quelqu'un me fasse.

Dehors, le ciel était tout noir. La maison des Bowman se dressait comme une ruine oubliée derrière la palissade blanche. La seule lumière que je pouvais voir, c'était notre lanterne qui jetait des ombres sur la table et le visage rond de Cora. On était sur un bateau, naviguant sur les vagues sombres en direction d'une île hantée, sans la moindre terre à l'horizon. Je songeai au chat toujours enseveli dans son tombeau, les yeux blanchis comme des nuages, et Mrs. Bowman enveloppée dans un drap. Je m'imaginais qu'elle nageait toute seule dans le noir.

Cora aligna ses pions.

« Tu prends les noirs, dit-elle. Tu commences. »

J'installai mes pions sur l'échiquier et j'en avançai un.

« Ta mère est triste à cause des meurtres ?

— Comment veux-tu que je sache ? » soupira Cora.

Elle poussa lentement sa dame sur la surface de l'échiquier et me regarda. Elle savait que je n'avais pas envie de jouer. Elle savait bien ce que j'avais envie de faire, mais elle ne comprendrait jamais pourquoi.

J'aurais voulu éclaircir un peu les choses. Le monde était tellement gigantesque. Je me levai pour aller à la fenêtre observer la maison des Bowman. Un nuage passa devant la lune. Je ne voyais que le squelette de la palissade et les rectangles vides des fenêtres.

« À ton avis, ils pensaient à quoi au moment de mourir ? demandai-je.

— Qui ? »

Je me retournai pour lui faire face.

« Tu sais bien qui. »

Mon ton insistant me surprit.

« Tu penses trop à *ça*, dit-elle comme une grande personne qui souligne sa remarque.

— Tout est gelé. C'est plus fort que moi ; je me dis que c'était exactement pareil le jour où c'est arrivé.

— Tu n'étais même pas là, dit-elle. Ils avaient déjà enlevé toutes les décorations de Noël, et il y avait juste un petit peu de neige.

— Tu te souviens d'autre chose ? Ils ont laissé des empreintes ?

— Mais je n'en sais rien. Qu'est-ce que ça peut faire ? Tout le monde savait qui l'avait fait, de toute façon. Les empreintes ne servaient à rien. Les empreintes étaient obsolètes. »

Elle était assise, l'air supérieur, parce qu'elle connaissait toutes les réponses. Obsolète était dans le test de vocabulaire la semaine précédente. Cora l'avait écrit correctement.

Tout à coup, je compris quel ennui ma mère avait pu ressentir. J'étais fatiguée de Cora et d'avoir toujours les mêmes conversations.

C'est de Lowell Bowman que j'avais besoin. J'ouvris mon sac en faisant semblant de chercher mon paquet de cigarettes, sortis un livre et posai la carte de Noël de Faye Hallock par-dessus. En levant les yeux, je compris que j'avais commis une erreur. Les yeux de Cora étaient si tristes ! Ils brillaient dans la lumière de la lanterne, comme des flaques sombres et sans fond. Mais on ne pouvait pas changer ses sentiments envers quelqu'un. Je n'arrivais pas à avoir pitié d'elle. Si j'avais été Cora, j'aurais été une meilleure fille.

Elle prit la carte. Je la regardai l'ouvrir. Elle l'examina un instant puis la repoussa en travers de la table. Ses joues devinrent rouges.

« C'est pas important », lui dis-je.

Cora avait les yeux fixés sur l'échiquier, écrasant l'un contre l'autre les deux pions qu'elle tenait dans sa main.

« Tu as changé », dit-elle.

Elle se mit à mâchouiller le côté de son pouce, puis cacha brusquement sa main sous la table. Je voulais lui dire d'arrêter de mâchouiller, d'arrêter de gigoter.

« Tu n'arrêtes pas de penser à ma mère. Je t'ai raconté cette histoire parce que je croyais que tu étais mon amie.

— J'essayais juste de l'aider.

— Et comment crois-tu y arriver ? Tu te regardes sans arrêt dans le miroir. Quand tu fumes, tu fais semblant d'être dans un film. Mais tu n'es pas dans un film. Tu es comme moi. Tu es comme nous. »

Je ne voulais pas qu'il y ait le moindre nous.

« Cora… », lui dis-je, mais aucun autre mot ne sortait. Je n'arrivais même pas à lui faire ce petit cadeau. Une ombre glissa sur son visage. Une lumière s'était allumée dans le salon des Bowman. C'était Lowell. C'était sûrement lui, de retour pour les vacances. Il enleva sa veste et l'accrocha au dos d'une chaise, puis passa la main dans ses cheveux. Je ne savais pas de quelle couleur ils étaient ; je distinguais seulement la teinte claire de sa chemise. Il fallait que je voie de plus près. Alors que je m'approchais de la fenêtre, il se pencha pour scruter l'obscurité au-dehors, comme s'il savait que j'étais là, comme s'il attendait, puis il tourna les talons et disparut. Il m'avait peut-être vue debout dans la lueur de la lanterne, comme une silhouette distante venue d'un temps lointain. Peut-être que lorsqu'on aurait fait connaissance, c'est le souvenir qu'il garderait de moi.

J'entendais Cora ranger les pions. Elle éteignit la lanterne. L'obscurité nous enveloppa.

« C'est lui », murmurai-je.

L'air s'était immobilisé entre nous. Il y avait tous les bruits qui composent le silence, un bourdonnement, un ronflement, un battement.

« Ce que tu voudrais, c'est que ça te soit arrivé à toi, finit par dire Cora.

— N'importe quoi !

— Si, je crois que c'est vrai. Ce qui fait presque de toi aussi une meurtrière. Ta mère est sans doute partie parce qu'elle avait peur de toi. »

On resta un moment dans l'obscurité sans bouger. Je sentais la silhouette ronde de Cora à côté de moi, j'entendais sa respiration. Je n'avais plus rien à perdre. Je remis mes affaires dans mon sac, le jetai par-dessus mon épaule et déverrouillai la porte du jardin d'hiver.

« Où vas-tu ? murmura-t-elle.

— Chez moi.

— Je ne te crois pas. »

Peu importait ce qu'elle pensait. Je sortis dans la neige. L'air froid mordit ma peau, mais ça m'était égal.

« Sue... », dit Cora.

Je continuai à avancer dans la neige tandis qu'il passait devant la fenêtre, tenant une bouteille ou quelque chose, je ne savais pas quoi. Je l'avais à peine entrevu. Alors qu'il se penchait derrière le canapé, l'arbre de Noël s'alluma. Lorsqu'il se redressa, il y avait une lumière douce tout autour de lui, et je m'approchai de la palissade. Un pin murmurait dans le vent. J'entendis Cora arriver derrière moi, ses bottes s'enfonçant dans la neige craquante. J'escaladai un petit monticule, trébuchai et me retins aux piquets de la palissade. Le froid gagnait mes pieds au fur et à mesure que mes bottes se remplissaient des couches de neige accumulées au cours des semaines précédentes. Lowell disparut, et je me rapprochai encore, de peur de le perdre pour toujours. Un instant plus tard, il était revenu dans l'encadrement de la fenêtre, s'affalant sur le canapé, les pieds sur un accoudoir, la nuque posée sur l'autre. Il avait les cheveux bruns, raides et coupés court, presque une coupe militaire, ce qui le faisait ressembler à ce que les magazines appelaient un homme, un vrai. Il paraissait si proche. Il ouvrit un livre, et j'essayai de voir ce que c'était. Je voulais savoir ce qu'il lisait.

Cora me saisit par l'épaule. Je me mis à escalader la palissade. Elle tira sur mon manteau.

« Arrête ! »

Mais je n'avais pas l'intention de m'arrêter. Je me dégageai, et tombai la tête la première dans un talus de neige près de la roseraie. Les étoiles tournoyaient au-dessus de ma tête. Je plongeai mon visage entre mes mains pour m'essuyer les joues avec mes moufles. Mais Lowell Bowman ne m'avait pas entendue. Il n'avait pas bougé un muscle. Le vent léger dans les arbres étouffait tous les bruits.

« Tu n'as pas intérêt à revenir », siffla Cora.

Je savais que je ne pourrais pas revenir. J'avais pénétré par effraction dans un autre monde, j'avais dépassé les bornes, mais ça m'était égal. J'étais devenue quelqu'un d'autre. Quelqu'un de plus courageux. Je n'avais jamais été sûre de moi. Je sentais mes joues brûlées par la neige, mais à l'intérieur de la maison des Bowman, la lumière du salon était chaude et rouge, douce comme l'intérieur d'un cœur. Mon sac pendait à mon épaule, lourd d'humidité. Je m'approchai le plus près possible, et je restai là cachée derrière le pin, juste à portée de la fenêtre. De quelle couleur étaient ses yeux ? Quels mots se baladaient dans sa tête ? Il bougea les pieds. Des chaussures de tennis. Il remonta les genoux et appuya le livre contre ses cuisses.

Des paquets de neige mouillée qui étaient entrés dans mes bottes commençaient à fondre autour de mes mollets. Je les sentais à peine.

Il jeta soudain son livre et se leva avec un mouvement d'impatience. Mon cœur fit un bond, mais je n'avais pas peur. Il portait une chemise de toile bleue rentrée dans son jean. Il était tout maigre. *Il doit tout le temps mettre une ceinture*, me dis-je. Ça faisait partie des petites choses qu'on sait sur quelqu'un qu'on connaît bien, comme le fait que ses chaussettes n'étaient jamais assorties, ou bien le motif de ses caleçons, s'il y avait des trains et des cow-boys ou bien des carreaux et des rayures dessus.

Lowell s'approcha du sapin, prit quelque chose sur une branche, et examina sa paume. Je voulais savoir ce que c'était. Un objet précieux qui datait des anciens Noëls quand ils étaient tous les trois réunis ; c'était sûrement ça. Il posa l'objet au milieu de la table de salon. Je me rapprochai encore en essayant de ne pas faire de bruit. Je jetai un œil par-dessus le rebord de la fenêtre, le cœur secoué. C'était une décoration de Noël aux couleurs brillantes, un grand oiseau aux ailes peintes en or. Il me rappelait les ornements de Mrs. Lessing. Lowell s'assit, les coudes sur les genoux, les yeux fixés dessus comme s'il essayait de le faire bouger du regard. Et puis tout d'un coup, sans savoir pourquoi, je compris, comme on comprend parfois tout simplement les choses, qu'il était rongé par la culpabilité. Il n'avait aucune raison de se sentir coupable. Il était là, étrange et plongé dans ses pensées, pris par des sentiments que les garçons du lycée ne comprendraient jamais. Mais moi je comprenais ce que ça voulait dire d'être seul.

Je voulais absolument connaître ses pensées, savoir s'il pouvait sentir ma présence comme moi j'avais toujours senti la sienne. Je m'approchai encore. Comme dans un rêve, j'enlevai ma moufle, regardant ma main qui se tendait. Je m'imaginais en train de le toucher, appuyant le bout des doigts sur sa joue. Il croirait que j'étais le vent, un fantôme, un petit courant d'air. Je touchai la vitre. Mon souffle déposa un cercle sur le carreau.

Lowell se leva et s'approcha de la fenêtre ; je me plaquai contre le mur de la maison, en jetant un coup d'œil par-dessus mon épaule. Il appuya les deux mains contre la vitre et je le vis froncer les sourcils. Il toucha le cercle laissé par mon souffle et se recula d'un mouvement brusque, tandis que je courais me réfugier près du pin. Je trébuchai et m'étalai de tout mon long dans mes traces de pas. Le contenu de mon sac se déversa comme une avalanche. La glace m'écorchait la langue. J'avais l'impression que ma gorge était pleine de coton. Je me dépêchai de ramasser mes livres. Tout était bien réel ; le sol, le ciel, les traces de pas. Mais tout à coup, je voulais que tout cesse de l'être.

J'entendis la porte du patio s'ouvrir, et vis la fente de lumière et la neige briller dans le noir. Je ne pouvais rien faire. Mes traces de pas ressemblaient à des cratères. Je tentai de me frayer un chemin le long de la palissade, m'enfonçant à chaque pas, luttant vainement contre un courant invisible. Je m'arrêtai pour reprendre mon souffle. J'allais sentir ses mains m'agripper, m'entraîner quelque part. Mais je n'entendais pas un bruit, rien ne bougeait. Il ne m'avait pas suivie. Je savais que j'avais dû lui faire peur, étant donné les circonstances. Il avait dû sursauter au moindre bruit. Il n'y avait pas si longtemps, les assassins de ses parents s'étaient trouvés exactement au même endroit.

« Qui est là ? »

Je retins mon souffle. Mes pieds étaient lourds, comme dans un cauchemar. Tout mouvement en avant était impossible.

« Qui est là ? »

Il se tenait au coin de la maison et sa silhouette noire se détachait sur la lumière venant du salon. Il tourna les talons, suivant ses propres empreintes, et scruta l'obscurité. Il avait sûrement le cœur qui cognait.

Je faillis m'étouffer toute seule, et poursuivis rapidement mon chemin le long de la palissade pour arriver enfin en trébuchant dans South 24th Street. J'avais dans la bouche comme un goût de métal rouillé. Je courus dans la rue, tantôt éclairée par la lumière des réverbères, le cœur cognant dans ma poitrine. Pour les familles passant bien au chaud dans leurs voitures, j'étais tout à fait ordinaire ; juste une fille, en retard pour le dîner, filant sur le trottoir avec des morceaux de neige accrochés à son manteau. Mais à l'intérieur, je n'étais plus la même. J'étais une presque criminelle, la petite amie de Starkweather, qui laissait l'amour la rendre folle. Je suivais la même voie qu'elle, j'empruntais la même route dangereuse.

Je jetai mon sac, mon bonnet et mon manteau en tas près de la porte de la cuisine et me brossai les cheveux pour enlever la neige comme si rien ne s'était passé. Mon père entra en se grattant la tête, le journal à la main. Il avait des pantoufles aux pieds. Je ne l'avais jamais vu porter des pantoufles.

« C'est dangereux de te promener à la tombée de la nuit.

— Tu t'inquiètes ?

— Je suis ton père.

— Je n'étais pas loin.

— Pas besoin d'aller loin pour qu'il arrive quelque chose, dit-il en frappant le journal. La plupart des accidents de voiture se produisent à moins de deux kilomètres de chez soi. Et personne n'attache sa ceinture. Le cerveau humain semble incapable de concevoir sa propre fin.

— Oh », dis-je en regardant mes pieds. J'avais peur qu'il ne se rende compte que j'étais en train de faire des bêtises. Mais la flaque autour de mes chaussures avait l'air triste et ordinaire, et ne révélait rien de l'endroit où j'étais allée.

Mon père soupira.

« Le problème, c'est que ta mère imagine qu'elle vivra éternellement. Elle peut partir, revenir des années plus tard, et rien n'aura changé. »

Je l'observai un moment en essayant de deviner s'il avait trop bu. Son corps semblait avoir rapetissé, sa tête penchait comme si elle était trop lourde pour qu'il puisse la relever. On avait changé tous les deux.

Je montai dans ma chambre et vidai mon sac par terre. Tout était humide de neige à l'intérieur. Un stylo avait fui et fait une minuscule tache d'encre bleue sur le tapis. Je voulais sauver la carte de Faye Hallock, mais je ne la trouvai nulle part. Je vérifiai deux fois toutes les poches. Mon cœur devint tout léger, libéré de la pesanteur. Je secouai les livres sans sentir leur poids. Il fallait que j'appelle Cora.

« C'est moi, lui dis-je.

— J'ai vu ce qui s'est passé. Il a failli te surprendre, dit-elle. Tu es malade.

— Est-ce que j'ai laissé quelque chose chez toi ?

— Je n'ai plus envie de te parler. »

Je n'avais jamais entendu autant de haine dans sa
voix. Puis elle raccrocha.

Qui est là ? avait-il demandé. Voulait-il vraiment
savoir ? Je voyais mon nom écrit en lettres d'or
briller comme un phare dans la neige à l'endroit où
j'étais tombée.

Des jours entiers s'écoulèrent, sans nouvelles de
ma mère ni de Cora. Je cessai de manger, essayant
d'oublier ce que j'avais fait. Je lus une dernière fois
la coupure de journal. Les pages avaient jauni et
étaient devenues toutes fines tellement je les avais
manipulées. J'examinai de près Starkweather et Fugate
avant de me débarrasser de l'article en le mettant au
fond de la poubelle de la cuisine. Je dis une étrange
sorte d'adieu à Carol King, Bob Jensen, Moira Dun-
phey, et Jeanette et Arthur Bowman. Je n'avais pas
l'intention d'effrayer leur fils. Je montai dans ma
chambre et m'allongeai sur le côté, en ayant l'impression d'avoir perdu quelqu'un de cher. Cette nuit-là, je
m'endormis en pleurant.

Le jour de Noël, on partit en voiture, mon père et
moi, pour aller voir tante Portia et oncle Freddy à
Omaha, en faisant semblant que tout allait bien. Mais
personne n'était dupe. Capital perdait de l'argent ;
j'avais entendu mon père le dire à quelqu'un au téléphone, et tout le monde pensait que ma mère était

partie à cause de ça. Elle avait profité de ce qu'il avait des ennuis. Ils ne voyaient pas combien son départ avait à voir avec moi.

Au dîner, oncle Freddy parla de Devaney, l'entraîneur, et de la victoire des Cornhuskers contre l'équipe du Michigan. Claridge, le *quarterback*, était en pleine ascension. Ils allaient former une équipe solide, maintenant, car ils avaient fini par régler tous les problèmes de l'année précédente. Mon père était d'accord. Les Huskers avaient un brillant avenir devant eux.

Alors que je rapportais une pile de vaisselle sale, tante Portia me coinça dans la cuisine.

« Bouchon, dit-elle en me tenant à bout de bras par les épaules, tu as étalé la purée sous ta serviette.

— Je n'avais pas faim, tante Portia.

— Tu es toute maigre », dit-elle.

Je sentis un sourire tressaillir sur mes lèvres. J'observai la silhouette ronde de tante Portia qui gonflait son tablier, en essayant de retrouver la ravissante petite fille aux longues tresses auburn qui se tenait à l'ombre de l'orme. Mais je ne voyais plus aucune ressemblance avec ces photos jaunies. Maintenant, ses cheveux étaient gris et coupés court, et ses jambes aussi épaisses et massives que des buses de chantier. Les femmes adultes pouvaient-elles être jalouses d'adolescentes ? J'avais envie de lui demander : *Qu'est-ce qui t'est arrivé ?*

« Papa m'a dit que tu écrivais des petits mots d'amour et que tu les laissais traîner partout dans la maison.

— Ah bon ? »

Je hochai la tête.

« Ce n'est pas bien de sa part. Il se moquait tellement de moi. C'était juste un jeu », dit-elle, écartant le souvenir d'un geste de la main. Mais elle avait les yeux rêveurs, comme lointains.

« J'étais bien naïve à l'époque, et j'avais des idées grandioses sur la façon dont les choses devaient se passer.

— À cause de Hans et Elsa ? »

Tante P. posa la vaisselle sur l'égouttoir et se retourna.

« Tu n'as plus le droit de rêvasser, maintenant. Il faut que tu prennes soin de ton père. Est-ce que tu sais ce qu'on ressent quand on perd quelqu'un de cette façon ? »

Je passai de pièce en pièce, examinant les nouveaux meubles en grignotant des cacahuètes dans des bols en argent. J'entendais Jimmy Stewart dans le petit salon où mes cousins regardaient *La vie est belle* à la télé. Mon père et oncle Freddy fumaient des cigares derrière le sapin de Noël recouvert de givre artificiel, soufflant de grands nuages boursouflés par la fenêtre comme deux gamins qui auraient chipé des cigarettes. Je pris leurs verres à moitié pleins sur la table de salon, puis allai les vider dans les toilettes. Je vins les reposer sur les sous-verres, comme je les avais trouvés. Plus vite mon père aurait terminé son verre, plus vite on rentrerait à la maison.

Brusquement, le Nouvel An arriva, et on se retrouva en 1963. On avait prévu, Cora et moi, de mettre par écrit nos résolutions, de les jeter au feu, et de boire du champagne en douce pendant que mon père était sorti. Nous n'avions jamais vraiment bu d'alcool ni l'une ni l'autre. Au lieu de ça, je restai assise à la fenêtre de ma chambre, scrutant l'obscurité, en me demandant comment quelque chose d'aussi important qu'une année entière pouvait basculer d'un jour à l'autre dans le néant. On se réveillait, et on se retrouvait tout d'un coup en 1945, et la guerre allait se terminer, ou bien on était en 1950 et un demi-siècle s'était écoulé. Ou bien on était en 1958, et on ne reverrait jamais ses parents.

La maison était bien silencieuse. Ailleurs, il y avait des cierges magiques et des mirlitons et des petits chapeaux de réveillon. Partout dans Lincoln, les gens étaient soûls comme des bourriques et se bécotaient comme des perdus parce qu'il était minuit et qu'ils voulaient attirer la chance. Ils voulaient passer le reste de leur vie ensemble. Je me demandais si Lowell savait avec qui il voulait passer le reste de sa vie. Je me demandais si quelqu'un voudrait jamais passer un peu de temps avec moi, ou bien si mes parents n'étaient que le début, les premiers d'une longue liste de gens différents qui me trouveraient trop ordinaire pour s'intéresser à moi.

Je redoutais la rentrée. Mon cerveau inventait d'horribles scénarios. Lowell avait trouvé l'enveloppe portant mon nom et avait accusé Cora de venir l'espionner la nuit avec ses amies. Ou bien, pis encore, Mrs. Pritchard avait trouvé la carte, et était en train d'en tirer ses propres conclusions. Elle avait interrogé Mrs. Lessing, après s'être rappelé cette adolescente bizarre et mal à l'aise qui s'était aventurée dans son jardin. Oui, c'était le jour où le blizzard a commencé.

Je découvris une bande dessinée sur les chats parmi les livres de mon grand-père et je décidai de l'offrir à Cora. Il devait appartenir à mon père ou à tante Portia quand ils étaient petits, mais j'écrivis sans hésiter le nom de Cora, et *Noël 1962, Affectueusement, Susan* sur la page de garde. C'était l'excuse idéale. Mon cœur était tout gonflé de générosité. Il me fallait juste reconnaître ma faute pour être pardonnée.

Je me levai de bonne heure et me maquillai avant de partir au lycée. Je traçai soigneusement l'intérieur de mes paupières au crayon noir, pour souligner mon regard et l'adoucir et agrandir mes yeux. Des yeux de biche. Tant que j'avais l'air soigné, personne ne pourrait deviner ce que je pouvais ressentir. J'avais pris le crayon de ma mère, et la couleur noir fumée donnait à mon visage une sorte de profondeur, comme si des trésors de mystère, des trésors d'expérience, se cachaient au fond de mes yeux. J'avais tracé des lignes fines, car je ne voulais pas avoir l'air d'une traînée et être envoyée chez le proviseur, comme certaines filles qui se peignaient les lèvres en rouge vif et déboutonnaient trop leur chemisier. Dans les magazines, on disait que le secret du maquillage, c'était de faire croire qu'on n'en portait pas, ce qui ne semblait pas être le cas des Égyptiens ni des stars de Hollywood. J'imaginais que j'étais une princesse égyptienne, et que mon corps était devenu longiligne et anguleux comme l'un de ces anciens hiéroglyphes dans notre manuel de civilisation.

En apercevant Cora dans le couloir du lycée, j'agitai la main mais elle fit semblant de ne pas me voir. Mon cœur s'arrêta. Je ne trouvais pas le courage d'aller lui parler. *Pour qui est-ce que tu te prends ?* me dirait-elle, et je ne saurais pas quoi répondre. J'avais été bête de croire qu'un livre pourrait changer quoi que ce soit. Comme jeter cet article. J'étais toujours la même personne. Rien n'avait changé du tout. Faye était appuyée contre son casier, ses livres serrés contre sa poitrine, riant avec Steve Bunt, un beau mec qui savait ce qu'il voulait, et qui ne s'abaisserait jamais à parler à une cinglée, à quelqu'un qui espionnait aux fenêtres, à quelqu'un comme moi.

En cours d'anglais, on lut un poème sur une rose malade.

Cora plissait les yeux vers moi, en martelant sa table avec sa gomme, le regard méchant, comme pour dire, *C'est toi la rose la plus malade que j'aie jamais vue.*

« Selon vous, que représentait cette rose pour William Blake ? » demanda Mrs. Wimmet.

Elle avait de la craie sur le nez. Personne ne dit un mot.

« Quelqu'un ? Que signifie cette métaphore ? »

Je fis semblant d'étudier le poème en cherchant une réponse, même si j'en avais déjà une. La rose malade, c'était moi.

« Oui, Cora ? »

Mon estomac se retourna.

« La rose a perdu sa beauté et sa pureté, dit-elle. Peut-être qu'elle a été souillée parce qu'elle a mis son nez là où il ne fallait pas.

— Les roses n'ont pas de nez », lança quelqu'un.

Je sentais que tout le monde me regardait. Pour la première fois depuis un mois, nous n'étions pas assises ensemble, Cora et moi. Ça se voyait. La honte me montait aux joues. Mais elle ne s'arrêta pas là. Quand Mrs. Wimmet lui demanda de clarifier la métaphore centrale, elle dit : « Un amour impie. Qui vient d'un cœur impur. » Tout le monde se mit à ricaner.

Impie. Quelque part dans un coin sombre à l'intérieur de moi, j'avais eu envie que Nils m'imagine nue. Il y avait en moi quelque chose de bizarre qui m'attirait vers les fenêtres, qui me précipitait dans des endroits où je n'aurais pas dû aller, qui me donnait envie de faire des choses inimaginables. Comme

301

la fois où j'avais volé du vin et essayé d'embrasser un professeur de danse. Je fus prise d'un nouveau frisson de honte des pieds à la tête, comme si cette gaffe datait de la veille. Je faisais partie du problème. Je faisais partie du mensonge. Je n'étais pas différente de Caril Ann.

Je ne sais pas du tout d'où vient cette obscurité. Le soleil brille, et les trottoirs scintillent, et je marche dans Calvert Street sans manteau. Ma tête est si légère que je ne touche pas le sol. Tout est vide à l'intérieur de moi. Je regarde d'en haut. Une chose minuscule et bleue me donne un coup de poing au creux de l'estomac. C'est le froid et la faim. Mais ça m'est égal. On est en plein milieu de la journée. Le soleil est impossible. Au loin, je vois le phare d'une voiture. Je ne sais pas où je vais.

Un chien minuscule aboie derrière une baie vitrée et grogne à mon passage, jetant son corps contre la vitre, encore et encore, et puis je disparais. Je ne sais pas où je vais. Mais je sais ce que j'ai fait. Je suis partie avant la fin des cours. J'ai tout laissé derrière moi. Les arbres autour du terrain de golf tracent des griffures noires dans le ciel. La terre s'étire comme un rouleau blanc sans fin. Le sol craque sous mes pieds. Je m'allonge, peut-être au niveau du neuvième trou. La neige me pique le dos, les bras. Je ne sens plus mes doigts. Je ne sens plus mes pieds. Je ne ferme pas les yeux. Le ciel fait partie d'un autre univers ; il est bleu et il tourbillonne comme ce qui se trouve à l'intérieur de moi.

Je tourne la tête, et je vois quelqu'un avec un chapeau qui s'approche rapidement de moi à travers les arbres. C'est sûrement Lowell. Mais en fait, c'est un homme qui porte de gros souliers de travail, et il tient un sécateur à la main. Qu'est-ce que je vais dire ? *Laissez-moi dormir, je suis fatiguée d'avoir si faim de tant de choses ? Personne ne m'aimera jamais. Si on pouvait voir l'avenir, pourquoi choisirait-on de partir seul à travers le monde ? Je songe aux criminels et à leurs petites amies, aux soldats et à leurs lettres, tous morts, et je suis bien sûre que quelqu'un les a aimés.*

Je regarde le sécateur tomber dans la neige avec un bruit sourd. Il sourit et agite la tête. « Coucou ! » dit-il. Il enlève son manteau et m'enveloppe dedans ; c'est de la peau retournée, et je sens l'odeur de l'animal. Le chapeau est noir. Des cheveux gris s'en échappent. Il enfile ses gros gants sur mes mains et me soulève. J'observe tout de l'extérieur. Je ne sens pas grand-chose. Je suis trop fatiguée pour résister.

Il me dit que je suis folle d'être dehors sans un vêtement, et qu'est-ce que j'essaye de faire, de me suicider ? Est-ce que je vais bien ? Est-ce que je me souviens de mon nom ? Est-ce que je peux marcher ? Je marche, mais je ne parle pas. Il a passé son bras autour de moi. Il me frotte le dos.

« J'étais juste en train de tailler une branche cassée à cause de la glace à côté du treizième trou. Et puis je rentre au club, et je te vois allongée là. Nom de Dieu ! dit-il. Tu m'as filé une sacrée frousse. Et si je n'étais pas arrivé ? Tu serais restée là jusqu'au printemps, ma petite chérie ? »

Petite chérie ne me va pas. On dirait qu'il parle de quelqu'un dans une chanson. On marche en silence. Le froid me fait mal. Mes doigts me démangent à cause des nerfs qui se réveillent. J'ai l'impression que le gel m'a figé les yeux grands ouverts. Je claque des dents. J'ai trop froid pour avoir honte. Mes articulations craquent. Je veux juste avoir chaud.

Il pousse la première porte venue, la porte en verre, et m'entraîne dans le bar. Il me dit que normalement il aurait dû me faire entrer par-derrière – c'est le jardinier du club – mais bon. On est en plein milieu de l'après-midi. Il y a du feu à l'intérieur. Ce qui compte, c'est que j'aille bien. « Reste là », dit-il. Je l'entends au bar expliquer à Rick comment il m'a trouvée. À sa manière de raconter, on dirait une histoire amusante, comme la façon bizarre dont les amoureux se rencontrent.

« Elle ne veut pas dire son nom.

— Je crois que c'est la fille de Mrs. Hurst », dit Rick.

Je contemple les flammes. Il m'apporte une cuvette d'eau pour me réchauffer les mains. Tu veux un hamburger ? Je secoue la tête. Des frites ? Non. L'eau est froide. « Aïe ! dis-je en essayant de les enlever.

— Laisse-les. »

Rick enroule ses doigts autour de mes poignets et replonge mes mains dans la cuvette. Son alliance scintille. Il y a de l'eau parmi les poils blonds au dos de ses mains, comme de la rosée sur l'herbe.

Il est barman. Il connaît les secrets de tout le monde. Il me parle des moments dans la vie des gens où ils perdent pied et croient que tout est fini. Ils veulent juste s'allonger et en finir. Tout le monde ressent la même chose de temps en temps. Et quand on est jeune, et qu'on n'a pas encore senti la douleur, on a l'impression que quelqu'un vous a évidé le cœur au rasoir. Mais en fait, il continue à battre. Il y avait une fille dans son lycée, Deirdre Lynch, qui lui donnait envie de mourir. Il voulait se jeter d'un pont, mais il n'y avait pas de ponts. Il avait pensé à se pendre à un arbre. À se Lyncher. Tu piges ? Et après Deirdre, il y avait eu des filles qui lui avaient donné envie de faire pire. Il éclate de rire. Ce que je veux dire, c'est que ce n'est jamais aussi dur qu'on croit. On reste assis en silence. Je ne lui raconte pas mon secret. Il me tapote l'épaule et se lève pour aller essuyer le zinc. Je ferme les yeux.

Quelqu'un avait appelé mon père. Il savait où me trouver. Il arriva en tenue de travail, avec sa cravate rouge, son manteau mal boutonné comme s'il avait quitté précipitamment une réunion.

« Mais qu'est-ce qui s'est passé ? demanda-t-il d'une voix pressante. Je te croyais au lycée. Tu vas bien ? »

Je hochai la tête, mais je sentais monter les larmes. Je voulais me cramponner au manteau de mon père et me laisser glisser à terre. Je voulais laisser tomber.

« Dieu merci, Boyd était là. »

Mon père me prit dans ses bras et écrasa mon visage contre son gilet. Je sentais ses boutons tordus et froids contre ma joue. Je sentais encore le vent entre les plis de son manteau.

« Tout le monde me déteste, lui dis-je.

— Tu es ma petite fille, dit mon père. Comment est-ce qu'on pourrait te détester ? »

Sur le parking, on s'arrêta pour regarder le ciel qui devenait orange, s'estompant rapidement comme une allumette qu'on venait d'éteindre. Il me prit par la main et posa un baiser sur ma tête.

« Ne t'avise pas de t'en aller, toi aussi », dit-il.

Chapitre 19

1991

J'étais devant la fenêtre de la chambre à contempler le fleuve. La lumière avait presque disparu ; de l'autre côté de la rive, les ombres noires des arbres effleuraient le ciel. À la galerie, Francesca devait être en train de brancher l'alarme avant de partir, laissant mes collections attendre tranquillement dans le noir.

L'éclat chatoyant d'un bateau fantôme glissa dans le brouillard, et je vis l'image de ma femme, assise dans le salon, se préparant à faire face à mon humeur, quelle qu'elle soit, à mon retour à la maison. Je songeai à l'appeler pour lui dire que j'avais l'intention de rester ici quelques jours, quelques semaines. Peu importait maintenant ce que je dirais, elle comprendrait. Mais je n'avais pas le courage de l'écouter fondre en larmes à cause de quelque chose que j'avais fait.

J'enlevai mon alliance et la posai sur la table de chevet, en me disant que je ne méritais pas de la porter. Quelque chose en moi avait envie d'embrasser Jane. Je me dégoûtais, et pourtant, il avait semblé tellement plus facile de donner ce qu'on n'attendait pas. Susan attendait toujours tant. Je lui avais été reconnaissant de la manière dont elle était venue me trouver.

Je sentis un frisson soudain et avalai une gorgée de scotch, en me persuadant que je pourrais aller acheter une autre bouteille dès que j'aurais fini mon verre. Mais l'alcool ne réussit pas à m'engourdir. Le liquide glacé laissa juste une traînée brûlante dans ma gorge et me fit grelotter. Les jambes mal assurées, je me dirigeai vers le placard à linge pour prendre une couverture. Les étagères étaient encombrées d'argenterie ternie et de cartons à moitié vides remplis d'objets qui avaient appartenu à l'oncle de Susan. Le simple fait de les voir là m'irrita, bien plus que de raison.

En attrapant un peu trop brusquement une couverture en patchwork en haut des étagères, je fis tomber un carton plein de lettres. Les enveloppes de Douglas s'éparpillèrent sur la carpette, et je me dis que j'allais brûler toutes ces cochonneries. Susan avait la manie de tout conserver. Elle ne pouvait rien jeter. On avait quitté le Nebraska pour venir ici où on ne connaissait personne ; comme des pionniers à l'envers, plaisantait-on souvent alors. Et malgré cela, elle s'était désespérément accrochée au moindre souvenir.

Je me rappelais l'avoir vue dans la grange en train de lire les mots tracés par son oncle, au bord des larmes. L'idée de poster cette lettre à un ancien petit ami m'avait paru inutilement spectaculaire. J'avais été soulagé de l'entendre dire qu'elle ne le ferait pas. Je remis les enveloppes en tas dans le carton, mais je m'aperçus que l'une d'elles portait un cachet de la poste et était adressée à Susan. Je m'assis aussitôt dans le couloir, le dos appuyé au mur, et l'ouvris.

Le 3 octobre 1982

Chère Mrs. Bowman,

Vous êtes trop aimable de m'adresser la lettre de Douglas, même si la vôtre a mis du temps à me parvenir, car je vis désormais à Atlanta, où je travaille pour une compagnie aérienne. Et pour répondre à votre question, oui, vous avez fait ce qu'il fallait. Comme vous le dites vous-même, l'amour ne se rencontre pas si facilement, et il est réconfortant de savoir qu'un être autrefois cher se souvient. À dire vrai, j'ignorais que Douglas était malade. J'ai été bouleversé en apprenant qu'il nous avait quittés. J'ai lu sa lettre dans la salle d'attente de l'aéroport de Baton Rouge, et j'étais là, parmi la foule, à espérer de tout mon cœur qu'il s'était enfin réconcilié avec lui-même.

Vous me demandez pourquoi, selon moi, votre oncle n'a jamais envoyé cette lettre, et je vais vous le dire d'emblée : il ne pouvait pas accepter ce qu'il était. Il semble que j'étais une partie cachée de lui-même, et qui devait le rester. En fin de compte, je ne crois pas qu'il se soit jamais confié à quiconque, excepté à votre mère. Et pour répondre à votre question, oui, je l'ai rencontrée une fois. Elle vivait à New York, et travaillait pour un artiste. Elle avait pris le train pour venir passer la nuit à Port Saugus. Je me souviens qu'elle portait un pull rouge vif et une écharpe enroulée autour de la tête. Ce n'est pas le genre de tenue qui va à tout le monde, mais votre mère la portait avec beaucoup de chic. Elle a essayé sur nous ses nouvelles recettes et a brûlé tous les plats, en trébuchant dans la cuisine sur ses talons hauts Je me souviens qu'on avait beaucoup bu et qu'on s'est allongés pour regarder les étoiles. Je crains d'avoir oublié le sujet de nos conversations, mais elle vous en a sûrement parlé.

Vous me dites que certaines épreuves récentes vous font douter de votre rôle auprès de ceux qui vous sont chers. À votre place, je ne m'en inquiéte-rais pas outre mesure. Vous êtes sans aucun doute une personne remarquable.

Avec toute ma considération,
Michael Downs

J'avais honte de moi, je me sentais égoïste. J'allai au bout du couloir, la lettre à la main, pour exami-ner le portrait que Jane avait peint de nous. Hank et Mary étaient assis sur le banc à côté de la porte d'entrée, et on était debout derrière eux, Susan et moi, avec la maison à l'arrière-plan. Je scrutai le visage de ma femme pour tenter de découvrir ce qu'elle cherchait, parce qu'un artiste était sûrement capable de sentir ce qui m'échappait. Mais Susan semblait sereine, concentrée. Ses yeux étaient pleins de bonté, et elle tenait les enfants embrassés avec tant de naturel, comme si elle n'avait jamais eu à forcer son empathie. Les couleurs étaient magnifi-ques, éthérées ; leur assurance donnait au tableau comme une allure Renaissance. C'est moi qui avais un air fantomatique, et mes traits paraissaient plus hésitants.

Cet été-là, avant que Jane peigne le tableau, je me sentais en permanence agité et irritable. J'avais reçu un coup de fil d'une épouvantable émission télé, m'invitant à participer à un débat sur les personnes

victimes de traumatismes. Je ne m'étais jamais consi-
déré comme faisant partie de cette catégorie. « Non,
merci, je ne suis pas intéressé », avais-je répondu à la
femme qui insistait, montrant bien trop de sollicitude
à l'autre bout du fil. Elle faisait trop de manières,
était trop persuasive. Son ton m'avait scandalisé. Et
pourtant, j'étais trop choqué pour me montrer impoli.
En raccrochant, je m'étais demandé comment ils
m'avaient retrouvé, et qui était responsable. Je n'en
avais pas parlé à Susan. Je voulais simplement
oublier l'incident, et pourtant je n'y arrivais pas.
Comment avaient-ils pu se croire autorisés à envahir
ma vie privée ? J'avais soudain le sentiment que tout
le monde m'espionnait. Que ma famille racontait des
secrets. J'avais l'impression qu'on m'enfonçait des
choses dans la gorge.

Les pluies du printemps avaient gonflé le fleuve, et
le coin où on laissait généralement les enfants se bai-
gner fut interdit. Ils ne tenaient pas en place. La plupart du temps, Susan était là, et emmenait Hank à ses
leçons de golf ou de tennis, ou bien allait avec Mary
aux écuries, pour qu'elle puisse monter Réséda, le
cheval de Jane, ou bien nettoyer le fumier de son box.
Après ces expéditions, ma femme et ma fille de sept
ans rapportaient l'odeur du foin, du cuir et du crottin
dans leurs vêtements, en échangeant des sourires de
connivence.

Quand Susan était absente, les enfants se traînaient
dans la maison en se plaignant de la chaleur. Ils voulaient que je les conduise à la piscine municipale,
mais j'avais autre chose à faire, et j'étais préoccupé.
J'avais réussi un coup ; le Corning Glass Museum
m'avait acheté une coupe en porcelaine de Delft vert
concombre, fine comme du papier, dans un état
impeccable. Mais les affaires ralentissaient en été, et

Port Saugus était bien éloigné des circuits habituels des grands collectionneurs et des experts des musées les plus réputés. Je commençais à me rendre compte que notre installation ne serait pas permanente. Tôt ou tard, il nous faudrait abandonner cette maison où Susan avait dit qu'elle voulait élever nos enfants.

Un après-midi, elle fit irruption dans la grange pour m'annoncer qu'elle voulait demander à Jane de réaliser un portrait de toute la famille. Je sortis une pile de livres en faisant semblant d'être occupé.

« Qu'est-ce que tu en penses ? » demanda ma femme, le visage radieux. Nous quatre, plus les chiens devant la maison où notre vie commune avait véritablement commencé.

« Je pense que je n'ai pas le temps maintenant », répondis-je sans lever les yeux d'un livre sur les bronzes antiques. Je redoutais sans doute déjà de lui apprendre qu'on devrait s'en aller.

Susan passa la main sur le rebord de la fenêtre et fronça les sourcils en découvrant la poussière au bout de ses doigts, ce qui m'irrita.

« Qu'est-ce que tu as à faire, Lowe ? »

J'invoquai tous les préparatifs nécessaires avant de trouver une pose satisfaisante ; l'idée même était insupportable. Quoi qu'il en soit, nous n'étions pas ce genre de famille. On n'avait pas l'air suffisamment à l'aise pour passer à la postérité en effigie. Ce genre de famille n'existait peut-être même plus. Mais Susan continuait à me regarder en souriant comme si j'étais cinglé.

« Jane peint d'après photo. On n'aura pas besoin de garder la pose pendant dix jours.

— Et on n'a pas de photo ?

— Je veux que ce soit elle qui la prenne, parce qu'il n'y en a pas de récente, dit-elle. Et c'est important.

Elle arrivera à peindre un bel ensemble. Quelque chose qui méritera d'être conservé, tu ne crois pas ? »

En fin de compte, je dus céder ; je savais que Susan continuerait calmement à insister.

Le jour de la photo, Susan avait passé la matinée à arranger des fleurs, à toiletter les chiens et à habiller les enfants. Mais Jane arriva en avance, et ma femme n'était toujours pas prête. Elle ne savait pas où était passée Mary. J'aidai Jane à installer l'appareil, et l'emmenai dans la grange voir ma collection. Il y avait beaucoup de grâce et d'aisance dans ses mouvements, et elle paraissait avoir pris note de tous les efforts que j'avais consacrés à remettre l'endroit en état, depuis le plancher jusqu'aux rampes lumineuses, en passant par les colonnes fuselées que j'avais trouvées chez un marchand de pierres du côté de Balmville, tout ce que Susan ne remarquait jamais.

Par la fenêtre ouverte, je sentais l'odeur de la pelouse fraîchement tondue du matin. Susan était dans le pignon de la maison, le sécateur à la main, appelant notre fille. Le téléphone sonna et elle alla répondre ; j'entendis ensuite son rire léger, retenu, puis le craquement étouffé des branches tandis qu'elle se mettait à tailler la haie, le téléphone coincé sous le menton.

« Alors, qu'est-ce que vous en dites ? » finis-je par demander en me détournant de la fenêtre. Jane passa le doigt le long d'une fissure dans un buste en marbre d'Athéna, comme si, d'un simple toucher, elle pouvait recoudre ce visage antique.

« Un vrai sauve-qui-peut, dit-elle, le regard plein de quelque chose qui ressemblait à de l'excitation.

— Un sauve-qui-peut ?

— Comme quand on ramasse des objets à toute vitesse et qu'on file au hasard.

— Ah, je vois ce que vous voulez dire. »

Dernièrement, j'avais l'impression que mon existence tout entière avait été une sorte de voyage sans but, non projeté, mal organisé, où les scènes s'enchaînaient rapidement les unes aux autres tandis que j'observais depuis les coulisses. J'aimais Susan. Bien entendu, je l'avais toujours aimée, mais quand Jane s'assit pour examiner une bague datant de la Rome antique, le ventilateur lui souffla les cheveux dans le visage et j'eus envie de tendre la main pour repousser les mèches blondes derrière ses oreilles.

Un étrange silence s'installa, et j'abandonnai un instant Jane au milieu des objets pour aller voir où tout le monde était passé. Susan n'était plus à côté de la haie, et le téléphone avait été posé dans l'herbe. J'entendais le bourdonnement du signal de la ligne occupée. Le soleil était aveuglant, l'air lourd d'humidité. En traversant la pelouse pour raccrocher le téléphone j'eus soudain le sentiment que quelque chose n'allait pas, et je partis en direction du fleuve à travers l'herbe haute du jardin.

En arrivant près du mur, je vis Susan et Mary. Elles se trouvaient en plein milieu du courant, et ma femme tirait ma fille vers la berge. Le temps que je les rejoigne, Susan était déjà sortie de l'eau profonde, tenant notre fille sous les bras. Les cheveux de Mary lui mangeaient les traits comme une liane sombre, puis elle se mit à cracher et à tousser, et quand ses cheveux glissèrent de son visage, je vis que sa peau était rougie, et qu'elle plissait les yeux pour retenir ses larmes. J'avais envie de pleurer de soulagement. Hank était dans l'eau jusqu'à la taille, suçant son pouce avec acharnement, les joues pleines de larmes.

« Sors de l'eau, lui dis-je, mais il ne bougea pas. Sors de là, Hank. »

Je me précipitai vers lui en chaussures, chaussettes et pantalon de treillis, pour tenter de les secourir, mais ils étaient déjà hors de danger. La robe d'été de Susan, trempée, collait aux kilos en trop dont elle n'avait pas réussi à se débarrasser après avoir arrêté de fumer, et pourtant en la regardant emporter notre fille, inerte et débraillée, loin du courant, je parvenais à distinguer ses muscles. Elle s'assit sur la berge, prit Mary dans ses bras et la serra contre elle. Elles scintillaient au soleil comme les rescapées d'un naufrage.

« Qu'est-ce qui s'est passé ? demandai-je en enfonçant les mains dans mes poches.

— Tu as failli te noyer. Tu te rends compte des conséquences ? dit Susan en secouant Mary par les épaules.

— Est-ce que quelqu'un peut m'expliquer ce qu'elle faisait dans l'eau ? demandai-je.

— Tu as dit que Jane allait faire un beau tableau de nous, dit Mary à Susan comme si l'explication suffisait.

— Tu as désobéi.

— Je voulais juste finir de nager.

— C'est complètement ridicule, dis-je.

— C'est une enfant, rétorqua Susan en me lançant un regard méchant.

— Ce n'est pas une excuse. Et il aurait pu t'arriver quelque chose à toi aussi.

— Je n'avais pas le choix. Qu'est-ce que tu aurais fait à ma place ? »

J'avais raccroché le téléphone. Je fermai les yeux, mais je les voyais toujours, ma fille et ma femme, blotties sur la rive. Je voyais toujours le téléphone, et je compris alors que je n'étais pas fait pour être un père ni un mari. Il était sans doute impossible de compter sur moi pour quoi que ce soit.

« Tout va bien, dit brusquement Susan comme si rien ne s'était passé. Allons nous préparer pour la photo.

— Qu'est-ce que tu racontes ? On a évité une catastrophe de justesse.

— On évite des catastrophes de justesse tous les jours, dit-elle. On ne s'arrête pas de vivre pour autant. On continue, voilà tout, Lowell.

— Toi, peut-être. »

Elle ne s'arrêtait jamais, elle ; elle continuait jusqu'à l'épuisement. Je tournai les talons et descendis sur la berge, pataugeant dans mes chaussures pleines d'eau, mon pantalon trempé me grattant les mollets.

« Où vas-tu ? » cria Susan.

Je partis en direction du sud, fouillant les roseaux à la recherche de Dieu sait quoi. Susan n'essaya pas de me suivre. Je continuai jusqu'au pont à bascule, puis jusqu'au phare où un troupeau d'oies se mit à battre des ailes en sifflant à mon passage, pour m'empêcher de piétiner leurs nids. Je poursuivis mon chemin le long de la berge, parmi des appâts qu'on avait jetés, des tessons de bouteilles, une sandale.

Les gens assis dans des fauteuils de jardin, plissant les yeux dans le soleil, me regardaient passer devant leur propriété, comme si je n'étais qu'une petite tache lumineuse, un effet d'optique. Mon air décidé, mes mains enfoncées dans mes poches, mes épaules rentrées les empêchaient peut-être de me demander ce que je faisais là. J'étais un gentleman chargé d'une mission importante, laissant rapidement derrière lui des femmes en bikini pleines d'huile de coco en train de se faire rôtir au soleil, des barbecues, des potagers, des pontons en ruine, des nuages de fioul à bateau, et des drapeaux oubliés de la fête nationale flottant dans la brise. J'essuyai la sueur qui coulait de mon front et poursuivis ma route, et pourtant, à chaque pas, mes chaussures mouillées mordaient un peu plus mes chevilles, rendant de plus en plus évidente l'absurdité de chaque geste, la futilité de mon escapade.

En arrivant devant la maison d'Ed Ryer, je commençais à avoir très soif. Un petit groupe s'était rassemblé sur la terrasse pour prendre l'apéritif.

« Ce ne serait pas Lowe Bowman ? » s'écria quelqu'un. Je fis un signe de la main et traversai la pelouse pour ne pas me montrer impoli.

« Quelle surprise ! dis-je en montant sur la terrasse.

— C'est toi la surprise. » Peg Ryer éclata de rire, mais en voyant dans quel état j'étais – peut-être mes chaussures, la boue sur le revers de mon pantalon – son sourire s'effaça.

« Tu as marché toute cette distance ?

— On a perdu un chien, dis-je, ayant recouvré un peu d'assurance.

— Un chien de ta chienne ? » Ed éclata de rire en me donnant une claque dans le dos, et je me forçai à rire aussi.

« Un beagle, à vrai dire. J'ai vu des empreintes dans la boue et j'ai commencé à les suivre, mais je n'ai rien trouvé pour l'instant. »

Je parlais posément, essayant de ne pas avoir l'air complètement détraqué.

« Un beagle. C'est cette race-là qui suit les odeurs à la trace ? demanda Peg.

— J'étais sur le point de laisser tomber, dis-je en hochant la tête.

— Reste prendre un verre, proposa Ed.

316

— Pourquoi pas ? dis-je en levant les bras au ciel dans un geste d'exaspération feinte. Un seul, alors. »

Je bus donc deux verres, peut-être trois, chez les Ryer, en m'efforçant de ne pas céder à la panique, en m'efforçant de ne pas penser à ma famille qui attendait mon retour.

Il commençait à se faire tard, et l'un des invités proposa de me raccompagner en voiture, mais je refusai. Le soleil se couchait derrière le toit, les nuages étaient striés d'un rouge de braise humide. Je fis mes adieux et repris mon chemin en sens inverse le long de la rive, mais dès que j'eus dépassé le coude du fleuve, je fis demi-tour dans l'allée de leurs voisins et rejoignis la route. Je n'avais aucune envie de rentrer chez moi soûl et abattu. Je n'avais aucune envie d'expliquer l'incompréhensible : pourquoi j'avais saboté le portrait, pourquoi l'accident de Mary m'avait poussé à abandonner ma famille au lieu de la protéger. Je partis donc en direction du village.

Je me rendis chez Mickey et m'assis au bar. Le barman me demanda quel poison je voulais, et je commandai une vodka tonic, en éclatant de rire.

« Je ne bois que du bourbon, dis-je en secouant la tête d'un air incrédule.

— Il y a toujours un début à tout », dit le barman. Puis, sentant peut-être que j'avais besoin de raconter mes malheurs, il fila à l'autre bout du comptoir décharger le lave-vaisselle.

L'endroit était presque vide. Une petite femme aux joues creusées enfilait des pièces dans la machine à sous, et donnait de grands coups dans le côté quand le résultat n'était pas à la hauteur. Deux hommes coiffés de casquettes de chantier, peut-être des ouvriers de la scierie, entamaient une partie de billard.

Le verre n'eut aucun mal à descendre. J'en pris donc un autre, puis un troisième, jusqu'à ce que la situation commence à me paraître moins dramatique. Ma fille avait failli se noyer, mais elle ne s'était pas noyée. Une quasi-catastrophe avait été évitée. Qu'aurais-je pu faire d'autre ? En buvant mon verre, j'avais conscience que mon corps ne m'obéissait plus. Mes mouvements m'étaient devenus étrangers. J'avais le regard trouble, et chaque gorgée me tombait sur l'estomac. Je commandai un dernier verre et pris le chemin du retour, les jambes flageolantes.

Il s'était sans doute écoulé deux heures, mais elles n'avaient duré qu'un instant pour moi. La lune pleine brillait au-dessus du fleuve, et j'admirai sa symétrie. J'observais les nuages translucides se fondre dans la lueur blanchâtre, en me disant que les tableaux de Jane me guidaient parmi les débris comme si j'avais eu des fils attachés aux jambes, et puis je m'étalai de tout mon long. Je me souviens d'avoir trouvé parfaitement absurde le fait que mes pieds refusent de coopérer, mais je ne me rappelle pas avoir ressenti la moindre douleur lorsque les cailloux m'écorchèrent les genoux, faisant couler de longues traînées de sang à travers mon pantalon, ni m'être tordu le poignet en m'appuyant sur une barrière.

Je me retrouvai devant la maison de Jane, frappant à sa porte, avec l'impression d'être totalement perdu. Elle entrouvrit, défit la chaîne de sécurité, et m'invita à entrer.

« Ah, vous voilà, dit-elle doucement.

— Ah, vous voilà, vous. »

Je me pris les pieds dans le paillasson, mais parvins à me redresser.

« J'ai gâché le portrait.

— Oubliez le portrait, dit-elle. Où étiez-vous passé ?

— J'ai marché le long du fleuve.

— Susan sait que vous êtes rentré ?

— Bien sûr, lui dis-je, irrité que ma femme ait réussi à s'immiscer dans la conversation.

— Et vous allez bien ?

— Je vais bien. »

Je vis son regard qui descendait le long de mes jambes. Mon treillis était déchiré, et le sang avait traversé le tissu.

« Mais je boirais bien un verre.

— Peut-être un verre d'eau.

— Peut-être pas un verre d'eau. Où est le bourbon ? J'aime bien boire dans ces bocaux », dis-je en m'asseyant sur le canapé.

Elle parut réfléchir un moment pour décider s'il serait plus facile de m'apaiser ou d'essayer de me renvoyer chez moi.

« Vous êtes une artiste. Vous devriez comprendre l'excès, lui dis-je. Mais ne vous dérangez pas. Je peux aller me servir moi-même.

— Ça ne me dérange pas. »

Elle disparut dans la cuisine.

J'avais la tête dans du coton, la bouche sèche, et depuis le canapé, je voyais les lumières de ma maison clignoter à travers les feuilles agitées par la brise. Cette proximité avec la maison qui m'avait en quelque sorte rejeté me rendait encore plus mal à l'aise. Il n'y avait pas de rideaux, alors je fermai les yeux.

Jane revint dans la pièce, me tendit le bourbon et s'assit sur le canapé à côté de moi. À en juger par la couleur, je me disais qu'elle l'avait sans doute dilué, mais je vidai mon verre sans faire de commentaire.

« Un bon petit verre, bien léger », dis-je en abattant le bocal, qui rata la table et tomba par terre. « J'ai fait du dégât.

— Ça ne fait rien, Lowell. Les dégâts ne m'ont jamais dérangée, dit-elle en me tapotant le genou. On a tout de même pris la photo. Je vous ajouterai au tableau. »

À son contact, j'eus l'impression que tout me revenait d'un seul coup. Je me pris la tête entre les mains, me frottant le front du bout des doigts, puis je m'allongeai, la tête sur les genoux de Jane.

« Je suis désolé. Vous devez me trouver bien présomptueux.

— Ce n'est pas du tout ce que je crois, dit-elle en posant la main sur mon épaule.

— Je crois que j'ai trop bu », lui dis-je, tout en sentant les effets de l'alcool s'estomper.

J'étais étendu, les yeux fermés, en me demandant ce que je devais faire. Je posai la main sur mes yeux, et mes épaules se mirent à trembler, et je ne sais pas combien de temps s'écoula avant que quelqu'un parle.

« Tout va bien », dit-elle. Mais ce n'était pas la voix de Jane, et en levant les yeux, je vis ma femme accroupie près du canapé, passant les doigts dans mes cheveux de plus en plus clairsemés. Elle me prit dans ses bras et m'aida à me relever, me soutenant pour sortir de la maison. Je devais m'appuyer sur elle pour ne pas trébucher.

« Je ne sais pas du tout ce qui me prend, Susan.

— Ne t'en fais pas, dit-elle, alors que nous tracions notre chemin parmi les arbres. Je comprends. »

Puis elle me conduisit à l'étage, à l'abri dans notre chambre, où je ne me sentais plus trop à l'abri. Elle m'aida à me déshabiller, m'assit sur le lit et se mit à nettoyer mes plaies.

« J'ai essayé, lui dis-je.

— Tu n'as aucune raison de t'en vouloir », dit ma femme, et c'est à ce moment-là que je dus m'endormir.

Au petit matin, je me réveillai parfaitement sobre, avec un sombre pressentiment. Je me dis qu'il fallait que je bouge, et j'allai chercher un verre d'eau. En revenant de la salle de bains, je vis que Susan avait allumé la lampe et s'était redressée dans le lit, se frottant les yeux.

Je m'assis au bord du lit et me pris la tête entre les mains. J'aurais tant voulu la poser sur ses genoux. Le moment était idéal pour lui dire combien je lui étais reconnaissant, que je l'aimais. Elle avait sauvé la vie de notre fille. Elle essayait de me sauver, moi.

« Je ne vaux rien, Susan, lui dis-je. Tu devrais me quitter.

— Je ne te quitterai jamais.

— Tu devrais.

— Non. Je ne pourrais jamais quitter quelqu'un que j'aime. »

Je relus la vieille lettre que Michael Downs avait envoyée à ma femme, me forçant à imaginer quelle raison avait bien pu la pousser à lui écrire. *Je veux savoir si on m'aime, si on m'a jamais aimée, et maintenant je suis mariée à un homme qui ne connaît pas la réponse.*

Six ans après que ces lettres eurent été postées, la mère de Susan fut enterrée à Greenwich, dans le Connecticut, aux côtés d'un homme au nom italien qu'elle n'avait jamais épousé. Quelqu'un appela Thatcher Hurst pour lui apprendre la nouvelle. Le lendemain, le vieil homme prit l'avion à Lincoln pour se rendre à New York, en dépit de sa santé précaire. Susan, son père et moi étions restés comme des étrangers un peu à l'écart de la cérémonie au pied de la tombe. Je me balançais gauchement d'une jambe sur l'autre, mal à l'aise, me demandant pourquoi ils avaient voulu venir. Mais ils étaient dans les bras l'un de l'autre, pleurant devant la tombe comme s'ils avaient tous les deux perdu quelqu'un qui avait tenu une place considérable dans leur existence. Susan m'apprit plus tard que c'est l'ironie de la situation qui l'avait fait pleurer. Maintenant que sa mère était morte, elle saurait enfin où la trouver. Mais l'explication me paraissait trop simple. Et j'étais là, à côté d'elle, me disant que j'aurais dû faire quelque chose, mais sans le faire vraiment. Je n'avais même pas cherché à lui prendre la main.

Je repliai les lettres, les remis dans leur enveloppe, et descendis au rez-de-chaussée, mon verre à la main. Je m'assis sur le canapé et posai les pieds sur la table de salon, un peu hébété. Mes mains tremblaient, comme si l'absence d'alliance m'avait en quelque sorte déséquilibré. Le brouillard avait épaissi, et la lumière lourde déclinait à l'arrivée de la nuit. Elle ne le saurait peut-être jamais, mais je finis par faire ce que ma femme attendait de moi. J'allumai la lampe, posai le carton sur mes genoux, et soulevai le couvercle.

Chapitre 20

1958

Charlie nous emmenait vers le nord, en direction de Valentine, et on était toujours ensemble. Il n'y avait personne sur l'autoroute. Aucun phare. Juste le paysage. J'avais le front appuyé contre la vitre et je regardais l'univers gelé qui défilait, puis j'ai fermé les yeux, oubliant presque où je me trouvais. Charlie m'a réveillée d'un coup de coude dans les côtes.

« Je t'ai vue, Caril Ann. Tu peux être sûre. C'est pas bien de dormir pendant que je fais tout le boulot. »

En l'entendant, j'avais envie d'enfoncer la tête sous les couvertures, mais évidemment, il n'y avait pas de couvertures, juste le manteau de la dame étendue morte dans sa belle maison. J'ai mis la main devant la bouche de chauffage pour faire circuler le sang, et puis j'ai recroquevillé les jambes en fixant un moment le bout de mes chaussures. La glace dessinait des images sur le pare-brise.

« Je vais conduire un bout, ai-je fini par dire.

— Tu sais où on se retrouverait si je te laissais faire ? Dans le fossé. Tu ne sais même pas conduire. Tu te rappelles la dernière fois ?

— C'est pas la même chose. »

Et puis je me suis dit tout d'un coup que c'était peut-être là que tout avait commencé, moi au volant de la voiture de Charlie, en tête-à-queue sur la route, et que si ça recommençait, je pourrais faire un tête-à-queue en sens inverse, et tout serait changé.

« Tu es trop jeune, de toute façon, a dit Chuck. C'est pour ça que t'as besoin de moi. Tu es sans défense. Comme un petit oiseau. »

J'ai regardé droit devant moi en croisant les bras pour lui montrer qu'à cause de lui, la situation n'aurait pas pu être pire. J'essayais de me dire que je n'étais pas vraiment fâchée, malgré tout. Charlie était devenu différent, et les choses ne se passaient pas toujours bien entre nous, mais je savais qu'il m'aimait quand même. Je savais aussi qu'il avait peur ; la nuit tombait, enveloppant la voiture dans une sorte d'obscurité bleue comme la glace. Le froid était cassant, et Charlie ne savait pas du tout où on allait dormir. Ni si ce n'était pas un peu risqué, bien que la route ait l'air déserte.

On était restés un petit bout de temps dans la maison de Lincoln, bien tranquilles dans le noir, parce que Charlie avait besoin de se reposer. Mais je n'arrivais pas à dormir correctement avec tous ces gens morts autour, même avec Charlie à côté de moi. J'essayais de rester en place comme Charlie m'avait dit de le faire, mais il y avait une sale odeur partout. Je suis montée tout doucement à l'étage, et j'ai aspergé le tapis de parfum pour essayer de couvrir l'odeur, mais ça ne servait à rien. Je suis allée dans la penderie chercher le chemisier à jabot de la dame et son manteau parce que j'avais froid. J'ai pris un collier en diamant qui dépassait d'une boîte, et je l'ai mis dans ma poche. Ça ne me faisait rien. Après tout, la dame n'en aurait plus besoin.

Charlie n'a pas fait attention à mon nouveau chemisier, et je n'ai pas mentionné les diamants. On n'avait même pas parlé de ce qui s'était passé, on avait juste continué. On savait ce qui nous attendait. On avait filé en douce de la maison ce matin-là avant le lever du soleil, et on s'était baladés dans la voiture du monsieur mort pendant un moment, en essayant de trouver un plan. On entendait raconter des histoires à la radio, au sujet des trucs dingues qu'on avait faits, lui et moi. Mais ils se trompaient sur une chose. Ce n'était pas Charlie et moi. Moi, je n'avais rien fait du tout.

Toute la journée, j'avais dessiné les choses que je voyais avec mon crayon gris. Je regrettais de ne pas avoir emporté ma boîte de couleurs, mais ça n'avait pas d'importance, puisque presque tout était gris et gelé. J'avais déjà rempli tout un carnet. J'essayais de trouver de jolies choses, comme les collines de sable couvertes de neige qui jetaient des ombres les unes sur les autres, ou bien un arbre dénudé émergeant de la plaine, sans rien d'autre sur lui que le givre. J'avais pensé à dessiner un diamant, mais je savais que je n'arriverais pas à le faire briller comme il faut. Il y avait aussi des choses tristes. Je les regardais quand même, parce que je me disais qu'un jour, je serais une artiste, et les tableaux célèbres ne sont pas toujours jolis. Un jour, je peindrais le pauvre chat écrasé sur la route comme une peluche mâchouillée, juste au nord de Broken Arrow. Ou bien le wagon de marchandises incendié qui riait au soleil. Ou bien le visage tout rabougri de Charlie au-dessus du volant. À une station-service à Grand Island, j'avais dessiné son expression ; il n'avait pas assez d'argent pour faire le plein, mais il essayait de cacher sa colère. Ce n'était pas sa faute, avait-il dit. Lui au moins, il avait fait sa part. J'avais travaillé sur les ombres de mon dessin pendant un bon bout de temps, ajoutant même du noir à ses cernes. J'ai déchiré la page pour la lui montrer. Charlie l'a prise tout en conduisant. Puis il l'a roulée en boule, il a descendu la vitre, et a jeté mon dessin sur la route déserte. Je me suis retournée pour le regarder disparaître.

« Hé, j'ai travaillé dur, ai-je dit.

— Nom de Dieu, Caril Ann, je suis pas aussi moche que ça. Arrête de dessiner bêtement. »

J'ai fait de mon mieux pour ne pas me sentir insultée parce qu'il trouvait mon dessin moche. « Comment ça se fait que je t'aime, alors, si t'es si moche ? » J'étais de mauvaise humeur, mais je lui ai quand même tapoté le genou. J'essayais d'être très gentille. C'est ce que je faisais toujours, comme si c'était mon boulot. Quelquefois, il était vraiment mesquin. J'essayais de me dire que j'étais la seule chose qui comptait pour lui. Je souriais en y pensant, pour m'empêcher de pleurer, en essayant d'oublier tout le reste. Mais je n'y arrivais pas. La voiture était toute grise à l'intérieur, il y avait des sièges hauts et des petits trucs brillants partout, et je me suis mise à jouer avec la radio pour essayer de trouver une chanson au milieu de toutes les publicités. Aucune des stations ne parlait de nous, et j'ai fini par en trouver une qui jouait *Poor Little Fool*, ce qui était bien, parce que j'étais folle de Ricky Nelson. J'ai commencé à somnoler. Pendant un moment, je me suis dit que tout allait bien.

Mais la nuit arrivait, et le réservoir était presque à sec. Dehors, un fantôme de lune était accroché dans un ciel bleu délavé. « Hé ! » hurlait Charlie chaque fois que je fermais les yeux. Il a montré du doigt le tableau de bord comme s'il n'arrivait pas à en croire ses yeux.

« Bordel de merde, l'aiguille est dans le rouge ! a-t-il dit en se tournant vers moi. Et tu fais quoi pendant que je conduis, à part rêvasser ? Pourquoi tu m'as pas dit qu'on n'avait plus d'essence ? »

Je n'ai pas répondu. J'avais faim, mais je ne le dirais jamais à Charlie. Je ne lui ai pas dit que les crêpes qu'on avait mangées si longtemps auparavant avaient fondu dans mon estomac comme si elles n'avaient jamais existé. Je n'avais pas mangé grand-chose, assise là dans cette bibliothèque, avec la lumière d'hiver passant par la fenêtre et la bonne sourde qui faisait des bruits dans la penderie, des bruits que tout le monde entendait. En haut, dans la chambre, la dame m'avait dit : *S'il vous aimait, il ne ferait pas ça.* Mais elle ne savait pas. Elle ne pouvait pas comprendre. Je n'aurais pas voulu être à sa place, à la merci d'un coup de tête de Charlie.

Charlie s'est mis à tapoter nerveusement le volant. Il avait le cou rentré dans les épaules. Il m'a regardée fixement un moment. Puis il s'est penché et m'a pincé le bras.

« Allô ? a-t-il dit en collant la main à son oreille comme s'il était au téléphone. Allô, mademoiselle, pourriez-vous me passer la fille de mes rêves ? »

C'était un petit jeu entre nous, mais cette fois-ci, au lieu de prendre la communication, j'ai levé les yeux au plafond, observant les ombres qui défilaient.

Charlie s'est tourné brusquement vers moi et m'a regardée dans l'obscurité de la voiture comme s'il essayait de lire mes pensées. J'ai fait semblant de bâiller. En mettant la main dans la poche du manteau, j'ai senti le collier ; j'aurais voulu qu'il m'emporte ailleurs, et j'ai tourné la tête vers la fenêtre. On n'entendait plus que des grésillements à la radio, des voix qui arrivaient et qui repartaient. De la gomina, du sirop antitoux. J'ai fini par l'éteindre. Je me demandais si on avait déjà trouvé la dame.

Charlie a frappé le volant du plat de la main. Il a tendu le bras pour tirer sur le col de mon manteau.

« Pourquoi t'as fait ça ? Ils vont peut-être parler de nous.

— Ils ne parlent pas de ce que tu as fait, toi, lui ai-je dit. Tout le monde s'en fiche. »

La lune est devenue argentée et elle brillait telle-ment qu'on n'avait pas besoin des phares. On était encore loin de Valentine. Charlie ne savait pas s'il restait un litre ou bien cent dans le réservoir de la Packard. Au bout d'un moment, c'était plus fort que moi.

« Maintenant, tu n'y peux peut-être rien, mais c'est pas très malin de te retrouver en panne sèche alors que t'en as réchappé jusqu'ici après tous les trucs dingues que t'as faits. »

Charlie a ouvert la bouche et j'ai vu son souffle sortir comme une fumée blanche.

« Le seul truc dingue, c'est que je t'aime, Caril Ann », a-t-il.

Je voyais briller les larmes qui s'étaient accumu-lées au bord de ses paupières. Il en a essuyé une du tranchant de la main en reniflant.

C'était cruel de lui dire une chose pareille. Il était très fatigué. Il avait tellement fait. C'était cruel parce que je savais qu'il ne me ferait jamais aucun mal. Tout ça, c'était pour moi, disait-il depuis le début, tout ce qui s'était passé à Lincoln, et puis tout ça maintenant. Après Valentine, il y aurait la réserve de Pine Ridge, que Johnny Magpie nous laisserait traverser, et puis un endroit appelé Saskatchewan, où on s'installerait tranquillement pour le restant de nos jours, et j'avais les diamants pour nous aider à démarrer. Je me demandais si les gens nous comprendraient, à l'autre bout du monde. J'avais imaginé de nouvelles choses à peindre, des grands bois de cerf à dessiner correctement, et le soleil au-dessus des montagnes, ce que je n'avais jamais vu.

Je voulais lever les bras au ciel et pleurer et éclater de rire. C'était tellement fatigant, parfois, de faire plaisir à tout le monde. Au lieu de ça, j'ai embrassé Charlie en signe de réconciliation. Je l'ai embrassé très fort. J'ai laissé courir mon petit doigt en cercles sur son jean.

« Je veux te faire des bébés, ai-je murmuré à son oreille, parce qu'il n'y avait rien d'autre à dire.

— T'es trop jeune pour avoir des bébés, a répondu Charlie. Le bébé te casserait en deux en essayant de sortir. »

Il ne clignait pas des yeux et continuait à regarder la route. Ses yeux se sont séchés. Il regardait droit devant lui comme si je n'existais pas.

Alors qu'on passait devant un fouillis de buissons, j'ai vu la grange par-dessus son épaule, juste à temps. Je l'ai montrée du doigt en agrippant la manche froide de sa veste de cuir. La grange noire se dressait sous la lune, un peu à l'écart de la route. C'était une vieille chose à moitié en ruine, sombre et froide, avec des planches cassées. Au bout du champ, près d'une petite bosse, il y avait une maison. Il n'y avait que la lumière du perron d'allumée. Derrière la grange, il y avait une lisière d'arbres. Charlie a tourné à gauche et il a quitté l'autoroute pour passer entre les buissons, sans me dire un mot alors que c'était moi qui l'avais repérée. Il appuyait tout doucement sur l'accélérateur, sans faire le moindre bruit, comme s'il essayait de ne pas réveiller l'univers.

Il a fini par parler, pour s'expliquer.

« On n'a pas le choix. S'il faut le refaire pour de l'essence, je le referai, Caril Ann. Ça me sera complètement égal.

— Je sais, Charlie », j'ai répondu simplement.

Ça lui serait complètement égal, il n'y avait aucun doute là-dessus. Il aurait fait sauter la planète pour un chien en peluche s'il s'était dit que j'en avais vraiment envie.

Charlie a fait grincer les pneus sur la glace et on a avancé en cahotant derrière la grange, jusqu'à un bouquet d'arbres couverts de givre où se trouvait un tracteur enseveli sous un tas de neige qui avait atterri sur le siège. On pouvait tout voir à la lueur de la lune. Les portes de la grange étaient un tout petit peu entrouvertes. Charlie a coupé le moteur, et le tableau de bord s'est éteint. L'univers était silencieux. Charlie est sorti de la voiture. Il n'y avait pas de vent. L'air froid m'a mordu les joues. J'ai mis le collier dans la boîte à gants pour que Charlie ne le trouve pas. Il a pris la carabine sur le siège arrière. « Sors de la voiture », a-t-il dit.

J'ai boutonné le manteau, en serrant les pans contre moi. Charlie m'a ouvert la portière et m'a prise par le coude pour me faire sortir. D'habitude il n'était pas aussi brusque. Il était en pétard et très énervé. Il le regretterait plus tard, et il essayerait de me faire des câlins, mais je le repousserais. Je savais que je pourrais le faire. J'avais de quoi me débrouiller toute seule. Je me suis accrochée à son bras. On a dérapé sur le sol gelé en se rattrapant l'un à l'autre comme des amants qui venaient de se retrouver. Je voyais ses yeux qui brillaient faiblement dans l'obscurité, et qui m'examinaient. La carabine a cogné contre mon bras. Ma main a heurté le canon. Tout fait encore plus mal quand il fait froid, et le choc m'a coupé la respiration. On a continué notre chemin jusqu'à la grange. À l'intérieur, il faisait tellement noir que ce n'était pas la peine de chercher un jerrycan d'essence, et je me rappelle l'odeur du bétail et le bruit que les animaux faisaient en remuant dans leur box. Une pâle lumière bleue tombait sur le visage de Charlie, et il m'a prise par le bras.

Je me suis dégagée et j'ai continué à avancer dans le noir comme si je n'avais peur de rien. Il m'a suivie.

« Caril Ann, t'es où ? » soufflait-il.

Il ne voyait pas grand-chose dans le noir, et il avait perdu ses lunettes quelque part.

« Passe-moi ton manteau. On va boucher la fenêtre pour pouvoir mettre un peu de lumière. »

Charlie tenait la carabine, debout au milieu de l'obscurité, appuyé sur sa jambe arquée. On aurait dit qu'il était son ombre, déboussolé par les choses qu'il n'arrivait pas à voir. Il n'essayait même pas de me rejoindre. Il restait planté là.

« Te fâche pas, Caril Ann, dit-il. T'as personne d'autre que moi. »

Mais il se trompait, parce que j'avais les bijoux de la dame.

Puis j'ai enlevé mon manteau, en défaisant un à un les boutons glacés, parce que Charlie n'avait qu'un tee-shirt en dessous, et j'avais pitié de lui, et puis le manteau n'était pas à moi de toute façon. Je l'ai lancé dans sa direction. Il a atterri sur son bras, et

331

les boutons se sont mis à chanter gaiement en heurtant la carabine. Mais la nuit n'avait rien de gai.

On n'a pas réussi à trouver d'essence, on avait faim et froid, on était fatigués, alors on a éteint la lumière, on a décroché le manteau de la fenêtre pour s'envelopper dedans. J'ai défait mon chemisier, en espérant que les choses viendraient naturellement. On l'avait fait dans des garages, et dans un chantier derrière le bâtiment du Capitole, presque sur le viaduc de O Street, et une fois dans le camion de son patron, tellement il en avait envie. Mais maintenant, Charlie n'en avait pas envie. Il s'est retourné dans un petit tas de paille.

« J'ai bien envie d'aller voir dans la maison pour faire bouger les choses. Il n'y a rien d'autre à faire, a-t-il dit.

— Plus tard. »

Il a marqué une pause.

« Caril Ann », m'a-t-il chuchoté à l'oreille.

Je sentais son haleine contre ma peau, comme du coton tout mince.

« Ce qui me tient, c'est toi. Si jamais on me descend, tu seras là pour pleurer.

— Bien sûr, Chuck. Chut. »

Il a niché sa tête sous mon bras. Il me regardait dans l'obscurité, les yeux brillants comme un petit animal effrayé. Je me demandais s'il allait se mettre à pleurer.

« Tu crois que je suis un voyou, ou bien juste un rebelle ? » a-t-il demandé.

J'ai réfléchi un moment à ce qu'il voulait que je réponde.

« Un rebelle, lui ai-je dit. Pas un voyou. Comme James Dean.

— Non, dit-il. C'est le contraire.

« — O.K. Chut. »

Il faisait froid, mais je gardais mon chemisier ouvert, et si j'avais eu une jupe, je l'aurais relevée comme l'autre Carol, celle qui était morte. Je me suis mise à lui gratter la tête sous ses cheveux gominés jusqu'à ce que sa poitrine s'alourdisse de sommeil sous le manteau.

J'étais allongée, raide comme un piquet, écoutant sa respiration. Puis j'ai roulé sur le côté sans rien faire bouger et je me suis levée. Le bracelet a glissé le long de mon bras, froid et lourd contre mon poignet. La paille me grattait les cheveux et le dos, et je retenais ma respiration. Mais Charlie restait là, dans une flaque de lune, comme un bébé, avec ses cheveux en pointe enduits de cirage pour cacher le roux, tout avachis sur son front. Je me suis faufilée par la porte aussi vite qu'une tache d'huile et j'ai couru à travers le champ. Le maïs mort murmurait sur les côtés, et il n'y avait que la grosse lune accrochée dans le ciel qui m'observait. J'avais tous les muscles tendus, mon cœur battait et je frissonnais. S'il ne pensait pas à moi, il faudrait bien que je le fasse à sa place.

J'ai suivi la lumière du perron qui me faisait signe pour me confier un méchant petit secret. Je me sentais faible parce que je n'avais pas mangé ni dormi comme il faut depuis longtemps, et je serrais mes mains enfoncées dans mon pantalon pour me tenir chaud. Je m'imaginais fondre dans la neige, laissant derrière moi les empreintes de mes bottes de cow-boy comme dans les légendes indiennes, et les gens les découvriraient des jours entiers après qu'on aurait réussi à passer. « Qui était cette dame masquée ? »

diraient-ils. Et peut-être qu'elle serait juste derrière eux, qu'elle ferait de jolis petits dessins avec du sang pendant qu'ils seraient en train de rêver, et elle les laisserait sur l'oreiller comme des symboles. *S.O.S. sauvez-vous.*

Je me suis approchée de la maison, jusqu'à la porte de derrière, d'une couleur différente du bois blanc. Je me suis avancée avec précaution vers la maison avec toutes ces fenêtres givrées en essayant de ne pas faire de bruit. Il n'y avait pas un souffle et rien ne bougeait. Il y avait trois marches, et je me suis dit que j'allais essayer la porte avant d'ouvrir une fenêtre et de sauter à l'intérieur comme un cambrioleur. J'ai ouvert la moustiquaire avec à peine un petit grincement. La poignée a tourné dans ma main. Je suis entrée et j'ai refermé derrière moi. Je suis restée immobile, appuyée contre la cloison en retenant mon souffle, en m'attendant à ce qu'un chien en rogne se jette sur moi. Je le voyais tout fiche en l'air, me mordre et réveiller la maison avec ses aboiements. Mais non. Ça ne s'est pas passé du tout de cette façon. Une vieille bestiole à moitié galeuse est sortie d'un coin sombre et est arrivée sur moi en remuant la queue comme si elle voulait s'amuser, comme si j'étais la meilleure chose qui lui soit jamais arrivée. Le chien était si vieux qu'il pouvait à peine marcher ; tout courbé, les griffes cliquetant sur le sol, il s'est approché pour me lécher la main sans pousser le moindre grognement. Je me suis penchée sur la vieille carne pour lui gratter l'oreille, et on est devenus amis pour la vie.

Je me trouvais dans une longue cuisine sombre. La lumière de la lune entrait par la fenêtre, éclairant un évier à côté duquel il y avait de la vaisselle, et un frigo électrique qui faisait des bruits que je n'avais jamais entendus. On s'est approchés du frigo, le chien et moi, comme si on n'avait rien à craindre. J'ai ouvert lentement la porte en métal. Je me suis mise à genoux, le chien tout près de moi, mes cheveux raides tout emmêlés sur mes yeux, mon bracelet tout brillant de mon succès. C'était de la vraie nourriture, pour faire de longs dîners en famille. Ça ne ressemblait pas du tout aux placards de la dame à Lincoln, avec ses petits biscuits à la menthe très chic et ses chocolats. Il y avait un reste de poulet enveloppé de cellophane, un saladier de petits pois et de purée de pommes de terre, et une boîte de conserve remplie de minuscules grains de maïs doré. Il y avait aussi des choses sucrées : un bocal de poires au sirop, et un truc au chocolat sur une assiette, avec des morceaux de croûte cassés, sans doute une tarte au pudding. J'ai tendu la main pour enlever le plastique et j'ai plongé le doigt. J'ai mis le sucré dans ma bouche, et puis j'ai trempé un morceau de croûte dans le pudding et j'ai mordu dedans. C'était tellement bon, ça fondait dans ma gorge. J'ai pris un autre morceau du bout du doigt et je l'ai tendu au chien, qui était à mon épaule, en train de haleter dans mon cou. Il a tiré sa langue chaude sous son vieux museau et je l'ai sentie s'enrouler avec gratitude autour de mon doigt. Il s'est mis à lécher.

« Tu aimes bien Caril, hein, mon vieux ? » ai-je dit à voix basse en lui tapotant la tête.

À ce moment-là j'ai entendu le bruit d'une chaise qu'on repousse, et j'ai compris que je n'étais pas seule. Mon cœur s'est emballé. En retirant la main du frigo, j'ai heurté l'assiette et la tarte s'est écrasée en tas à mes pieds. J'étais agenouillée là, incapable de bouger, lorsque la lumière s'est allumée brusquement.

Un homme était debout près d'une table en bois collée au mur, me dévisageant comme s'il m'avait imaginée et qu'il me voyait maintenant en face de lui. Sa main était encore posée sur l'interrupteur, et je retenais ma respiration. Il tenait un verre d'alcool près de son visage. Pendant un instant, on aurait dit qu'il n'arrivait pas à le lâcher, et qu'il s'y accrochait pour se persuader qu'il ne rêvait pas. Il n'a pas dit un mot. Ses cheveux avaient un peu de gris et retombaient sur ses sourcils. Il portait un pyjama bleu à rayures et rien par-dessus. Apparemment, je l'avais tiré d'un profond sommeil. Le chien léchait la tarte écrasée autour de moi. Je n'entendais que le bruit que faisait sa langue en glissant sur mes bottes.

« Edna sait toujours ce qui est bon », a dit l'homme en tendant son verre en direction du chien tacheté, qui était en train de passer sa grosse langue rose le long d'une traînée de chocolat. L'homme a lâché le mur en laissant retomber le bras le long de sa jambe.

J'ai respiré à fond.

« Edna mérite d'avoir tout ce qu'elle veut », ai-je dit, comme si j'avais de bonnes raisons de me trouver là. Je me suis écartée un petit peu du métal froid de la porte du frigo. Mon pied a écrasé un morceau d'assiette.

« Drôle de nom pour un chien. »

Je me suis penchée pour lui caresser la tête sans quitter du regard l'homme qui n'avait pas bougé. Je ne voulais pas donner l'impression d'avoir peur, mais j'étais prête à me sauver s'il faisait un geste. Mon cœur était tendu comme un ressort sur le point de claquer.

« Je lui plaisais tellement que je me suis dit pour sûr que c'est un mâle », ai-je dit.

L'homme a trouvé ça drôle, et je me suis sentie toute contente. Il a souri un tout petit peu. Il semblait me dévisager. C'était bon signe qu'il ne sache pas qui j'étais, là debout dans sa cuisine. Après tout, il n'y avait pas de quoi sourire à ce sujet-là. J'ai ramené mes cheveux sur mes yeux et je l'ai observé à travers le rideau de mèches.

« Cette vieille chienne est la seule femme qui me reste, a-t-il dit. C'est la seule qui me soit fidèle. »

Il s'est laissé tomber sur la chaise et a posé son verre sur la table. Il a appelé la chienne et s'est mis à lui caresser la tête.

« Quelqu'un doit vous aimer beaucoup pour vous faire toute cette bonne nourriture que vous avez là, lui ai-je dit en montrant le frigo. Désolée d'avoir cassé l'assiette », ai-je ajouté en regardant par terre.

Je ne voyais pas comment expliquer ma présence et le fait d'avoir trempé mon doigt dans la tarte. Je pouvais seulement faire comme si la situation était normale.

« J'attends ma femme. Je suis là depuis deux nuits à attendre qu'elle franchisse cette porte en traînant sa valise. J'étais sûr que c'était elle quand j'ai entendu la porte, mais ce n'était que toi », a-t-il dit, comme si j'avais dû m'excuser d'être moi, et pas sa vieille. « Une gamine.

— Je ne suis pas aussi jeune que j'en ai l'air. »

J'ai avancé un peu la poitrine sous mon chemisier en rejetant mes cheveux en arrière.

« Ce n'était pas très malin de sa part de s'en aller », ai-je dit.

L'homme regardait au fond de son verre et a levé les yeux vers moi.

Il a baissé son bras, pris une bouteille à côté de sa chaise, et l'a posée au milieu de la table. Il a croisé les jambes, regardé la bouteille, puis il a levé les yeux vers moi comme s'il n'arrivait pas à comprendre qu'on se trouve ensemble au même endroit.

« Puis-je vous offrir un verre, alors, madame ? » a-t-il dit avec un petit sourire ironique.

Il s'est adossé à sa chaise, a balancé la jambe et posé son pied nu contre le montant de la table. Je n'avais jamais vu de pied aussi long ni aussi pâle. L'homme a croisé les bras sur son pyjama. La bouteille a remué et a failli tomber. L'alcool s'est mis à faire des vagues.

« Vous prendrez du bourbon ? »

Il a fermé les yeux comme si la lumière lui faisait mal. Puis il s'est penché en avant et il s'est pris la tête entre les mains.

J'ai caressé du bout des doigts le dossier d'une chaise en métal. Par la porte ouverte, mon regard plongeait dans un couloir chaud et sombre. J'imaginais sa femme longeant le hall en pleine nuit. Je l'imaginais avec du rouge à lèvres, et la coiffure chic dont j'avais toujours eu envie, tirant avec précaution une valise sur le tapis pendant qu'il dormait. Je l'imaginais fermant la porte sans se retourner ; et pourquoi aurait-elle fait ça, quitter cette grande maison toute chaude et tout le reste, pour aller chercher quoi ? J'avais pris mon poignet dans l'autre main et j'ai relevé un peu la manchette de mon chemisier pour que l'homme puisse voir le bracelet en or que je portais, et qu'il se rende compte que je n'étais pas une traînée que le froid avait déposée là.

« Votre femme est partie à Hollywood ? ai-je demandé. Parce que c'est là que je vais. »

Il a ouvert les yeux. Il m'a regardée un moment comme si je venais d'apparaître, et il a plissé les yeux comme s'il était contrarié. Puis il a éclaté de rire, et pendant une minute, tous les soucis se sont effacés de son regard. C'était tout de même étonnant de faire cet effet-là à un homme si triste. Il a frappé des mains sur la table comme si j'étais la chose la plus rigolote du monde. Je l'aurais peint dans des bleus sombres, avec du charme. Mon dessin lui aurait plu. Il l'aurait accroché sur le frigo avec un joli petit aimant.

« C'est peu probable, ma mignonne, a-t-il dit. Ma femme n'a pas beaucoup de talent. Vegas lui irait mieux. »

Il s'est versé un autre verre et l'a avalé d'un coup comme un cow-boy qui a l'habitude, alors que c'était un homme élégant, avec ce long nez, ce regard profond, et ce teint pâle. On voyait une petite ombre de gris sur son menton.

« On m'a dit que je passerais bien à la télé, lui ai-je dit. Mais mon vrai talent, c'est la peinture, et la conversation civilisée. »

J'ai tout d'un coup trouvé le courage de tirer une chaise et d'aller m'asseoir en face de lui. J'ai tendu le bras par-dessus la table pour qu'il puisse voir le bracelet.

« Je l'ai eu avant de partir. C'est un bien de famille. »

Il a posé les yeux sur le métal brillant ; apparemment, il avait l'air de trouver ça normal. Il a pris mon poignet entre ses mains soignées, et il a regardé mon visage un moment. Il a lâché mon poignet et s'est resservi un verre sans cesser de me dévisager. Dans la bouteille, le liquide sombre était descendu en dessous de l'étiquette.

« Prends un verre avec moi, a-t-il dit.

— Je ne bois pas d'alcool, ai-je dit tout doucement, comme ça m'arrive quelquefois. Vous avez du soda ? »

J'ai glissé mes mains sous mes cuisses. Je nous imaginais, lui et moi, et le tableau qu'on formait, assis à la table. On était immobiles dans le cadre lumineux de la cuisine, comme une jolie petite image au milieu de la nuit noire et glacée. Dehors, le vent secouait les restes du maïs mort en bâillant à travers les collines désertes. Charlie était peut-être en train de se retourner dans son sommeil, ou bien il voulait se réchauffer en me prenant à bras-le-corps, et il ne trouvait qu'une poignée de foin. L'idée m'a paru incroyable.

L'homme a hoché la tête, comme s'il voulait avant tout me faire plaisir. Il s'est levé pour aller chercher un soda, puis il a laissé tomber la bouteille. La vieille chienne s'est mise à la pousser le long de la plinthe, mais l'homme n'a pas fait un geste pour la ramasser. Il en a pris une autre et a fait sauter la capsule sur le rebord de la table. Il avait l'air très agité en posant le soda devant moi, et puis il s'est reculé. Il a passé ses longs doigts dans ses cheveux et les a gardés là un instant. Son regard est devenu bizarre, et il m'a regardée de haut en bas, assise dans sa cuisine, comme si je venais d'apparaître.

« Comment as-tu réussi à arriver ici toute seule ? » a-t-il demandé.

Je ne savais pas quoi répondre. Je croisais et décroisais les doigts autour de la bouteille.

« Je viens de Lincoln », lui ai-je dit.

Ça avait l'air d'être une bonne réponse. Il a mis les mains sur ses hanches en s'éclaircissant la gorge.

« Il y a quelqu'un d'autre qui a pénétré sur ma propriété et dont tu devrais me parler ? »

Il n'avait pas l'air fâché, peut-être jaloux, comme s'il voulait avant tout savoir ce qu'il en était de nous deux.

J'ai baissé les yeux vers le goulot de ma bouteille, les cheveux me tombant sur le visage pour cacher ma rougeur, comme je le faisais au lycée quand je ne connaissais pas la réponse. Je le sentais qui me dévisageait, qui attendait.

Puis j'ai relevé la tête en le regardant droit dans les yeux pour qu'il se rende compte qu'il était le seul qui comptait pour moi. Il avait les yeux marron et un regard doux qui semblait comprendre. J'ai secoué la tête énergiquement.

« Non, seulement moi. Juré, craché. »

Il a hoché lentement la tête.

« Pardonne-moi mon impolitesse. Un besoin naturel. »

Il a gardé les yeux baissés un moment et s'est dirigé vers la porte. Il a tourné la tête par-dessus son épaule pour me regarder.

« Ne bouge pas, ma mignonne. »

Son sourire ressemblait à un grand verre d'eau dans un désert sec et vide. Puis il a disparu dans le couloir.

Entre nous, les choses allaient bien, tandis qu'elles n'allaient plus avec Charlie. J'avais oublié la fille morte avec sa jupe relevée. Je suis restée assise sans bouger, en sirotant mon soda. Je ne pensais pas à partir. Il y avait quelque chose entre cet homme et moi. J'en étais sûre. J'étais assise, écoutant les bruits de la maison, les pas de l'homme quelque part, une porte qui se fermait, le nez humide de la chienne reniflant l'assiette cassée par terre. La chienne s'est allongée au pied de ma chaise avec un grand soupir. Elle a posé son museau gris sur ses pattes. J'étais en train de me demander ce que j'allais faire au sujet de Charlie et de sa carabine, mais je ne m'inquiétais pas trop. Il ne me ferait jamais de mal. Le lendemain matin semblait bien loin, quand il se réveillerait avec l'envie de faire du grabuge, et qu'il me trouverait à côté de lui comme si je n'avais pas bougé de la nuit, regardant la lune à travers une planche brisée de la grange.

L'homme est revenu au bout de quelques minutes. Il s'est arrêté sur le seuil de la cuisine. Il ressemblait à une esquisse de couleur pâle sur un fond noir de suie. Il a levé la main pour se gratter la tête, en me regardant assise là, sirotant son soda en plein milieu de la nuit. Je lui ai fait un sourire pour l'encourager un peu. J'ai replié ma jambe sur la chaise et j'ai posé le menton sur mon genou. Mes cheveux se balançaient autour de ma jambe. Je l'attirais du regard. Il s'est approché de ma chaise. Il avait enfilé des chaussettes qui bâillaient au bout de ses orteils quand il marchait. Son pyjama était mal boutonné et tout froissé comme s'il l'avait enlevé pour aller aux toilettes et qu'il l'avait remis n'importe comment. Il avait l'air de ne pas savoir quoi faire, et moi j'étais assise là. Je me suis dit tout d'un coup que quelqu'un comme moi pourrait sauver quelqu'un comme lui. Je pourrais le mettre au lit, ramener les couvertures sous son menton. Personne n'en saurait rien si je restais allongée là pour toujours, enfouie dans les grincements d'un lit en cuivre. Je ne voyais pas d'inconvénient à prendre mes propres décisions, à choisir quelqu'un qui appréciait mes talents et lâcher Charlie comme une vieille peau sur le bord de la route, le vent hurlant entre ses dents parce que j'étais partie.

L'homme m'a regardée fixement. Je n'ai pas tendu le bras pour lui serrer la main, je ne me suis pas mise à pleurer sur tout ce qui s'était passé. Je ne me suis pas jetée à ses pieds pour le supplier de me cacher dans une vieille chambre oubliée à l'étage. J'étais debout à côté de lui, et je n'avais jamais senti ce genre de solidité. Je me suis mise en équilibre sur la pointe de mes bottes. J'ai glissé la main sous son col, là où il avait manqué un bouton. Mon doigt a effleuré sa joue. Il avait les cheveux dans les yeux. Il a baissé son regard vers moi, et ses lèvres, tout près, avaient une forte odeur de whisky que j'aurais voulu enrouler autour de moi comme une vieille couverture, comme si j'étais toute petite. Il n'a pas fait un geste. Je sentais l'espace vide tout proche entre ses jambes comme une cible que je n'étais pas sûre d'atteindre. J'avais passé des nuits à dormir dans des voitures ou des maisons pleines de cadavres. Je sentais le vieux à cause de toutes les vilaines choses que j'avais vues. Elles s'accrochaient à moi comme un arrière-goût. Mais j'ai fait comme si j'étais la plus belle femme du monde. J'ai fait comme si j'étais chez moi. J'ai continué. J'ai pris le bouton entre mes doigts et je l'ai fait glisser dans la boutonnière.

« Laissez-moi vous arranger, lui ai-je murmuré dans l'oreille. Vous êtes tout défait. »

L'homme a retiré mes doigts un à un. Il les a fait glisser entre ses mains. Il a caressé mon pouce avec le sien. Il a serré les os. Il les a écrasés les uns contre les autres. Il m'a regardée. Il s'est penché pour poser ses lèvres au creux de mon oreille. Puis il m'a repoussée. Je me suis affalée sur une chaise. Ma tête a cogné la table.

« File d'ici avant que j'appelle le shérif », m'a-t-il dit.

Je me suis jetée dans la grange, tremblant de froid ; Charlie n'était plus endormi près de la fenêtre. La lune éclairait comme un spot la paille vide tout écrasée à l'emplacement de son corps. Je ne savais pas du tout depuis combien de temps j'étais partie ni depuis combien de temps il était réveillé. J'ai senti un tremblement bizarre et incontrôlable me traverser tout le corps. J'ai fouillé du regard la pénombre bleue de la grange. J'avais envie de vomir partout parce que j'avais tout gâché. J'avais envie de me jeter au pied du ciel vide. Les vaches ont remué et ont commencé à beugler dans leur petit paradis de chaleur. Je me suis mise à pleurer ; je détestais cet homme et ce qu'il avait fait. Je m'entendais pousser des petits cris comme le caniche noir que j'avais vu à Lincoln, caché sous le couvre-pied plein de sang dans la chambre du garçon, et qui avait le cou brisé par la carabine de Charlie.

Sa tête était tordue bizarrement et il glapissait de douleur. J'avais été contente que le garçon ne soit pas là pour voir son chien dans cet état-là. J'avais été contente pour sa mère aussi, trop amochée pour qu'elle puisse jamais voir tout ce qu'on avait fait. Mais il n'y avait aucune raison de faire du mal au petit chien.

« T'étais passée où, Caril Ann ? »

Charlie était assis sur une balle de foin, le manteau de la dame jeté en travers des épaules. La carabine était posée sur ses genoux. Le métal brillait sous la lune, comme une surprise qui m'attendait dans l'obscurité. Mais il n'était pas pointé vers moi, ce qui voulait dire que Charlie ne pouvait pas savoir tout ce qui s'était passé dans la maison. Sinon, il se serait tiré une balle dans la tête à cause de ce que j'avais fait. C'était donc à moi d'arranger la situation, et c'était une grande responsabilité.

« Je suis allée faire pipi, Charlie », lui ai-je dit.

Je ne pouvais pas m'arrêter de pleurer ni de trembler, ni d'avoir la gorge nouée ; j'avais mal au cœur de le voir là avec sa carabine, et de penser à cet homme qui m'avait poussée contre la chaise.

Charlie m'a regardée en secouant la tête.

« Où ça, Caril Ann ? Sur la Lune ? Tu me prends pour un imbécile ?

— Non ! »

Je continuais à pleurer en donnant des coups de pied dans la balle de foin du bout de ma botte. Je sentais la morve couler, et les larmes, et je savais que personne de bien ne voudrait jamais de moi.

« Arrête de me mentir, a-t-il dit. Nom de Dieu, Caril Ann, tout ce que tu veux, mais pas ça. »

Il s'est mis debout. La carabine traînait par terre comme un morceau de son pied. Il n'y pensait pas.

Je me disais que la situation pouvait encore s'arranger, qu'il ne pouvait vraiment pas savoir dans quel pétrin on se trouvait. Il tremblait d'une sorte de folie, mais pas parce qu'il me détestait.

« Je ne suis pas un imbécile. Je connais des tas de choses dont t'as pas idée, parce que je suis toujours là pour te protéger. C'est facile pour toi. C'est plus difficile pour moi. Quelquefois, j'en ai marre. »

Je retenais mes larmes. Je me suis essuyé le nez d'un revers de manche. J'ai réfléchi un moment pour trouver un moyen d'arranger la situation. Il fallait que je l'aime ; je n'avais pas le choix.

Je me suis approchée de lui, pour qu'il se sente fort. Mes larmes continuaient à couler. J'étais mal en point à l'intérieur.

« Je suis allée voir si je trouvais de l'essence par-derrière », lui ai-je dit.

Je l'ai serré contre moi une minute. Il sentait le cirage et la gomina. Il était une coquille, un garçon avec des jambes tellement arquées qu'un cochon aurait pu passer dessous ; tout le monde se moquait de lui, et il avait la joue parsemée de boutons.

« Je suis désolée d'être partie », lui ai-je dit.

Il a plissé les yeux en attrapant mes cheveux d'une main.

« T'aurais pas dû faire ça, mais ça sert à rien de pleurer. »

Il s'est reculé pour me regarder. J'avais le cœur qui hurlait dans mes oreilles parce que je savais que je méritais de me trouver là, même si j'avais horreur de ça. Il a mis le manteau de la dame sur mes épaules. Je n'en voulais plus, mais je l'ai serré autour de moi.

« C'est pas ta faute si tu sais pas comment ça fonctionne, a dit Charlie en me tapotant la tête. Tu peux juste suivre le mouvement. Moi, je sais une ou deux choses. À l'école, ils essayent de dire qu'il faut se conduire comme il faut et être gentil, mais ça marche pas comme ça.

— Tu as raison, Charlie, ai-je dit en reniflant.

— Les gens jettent un œil sur toi et se disent que tu vaux rien parce que tu ramasses les ordures, a-t-il ajouté. C'est pas juste.

— Je sais, lui ai-je dit. Personne ne viendra sonner chez toi à la saint-glinglin. »

Charlie a souri, content que je donne la conclusion à sa place. Je me suis penchée pour l'embrasser sur la joue. Sa peau était froide, je sentais des poils de barbe, et une odeur de lait tourné. J'ai baissé les yeux en remuant les pieds dans la poussière. Je les observais comme s'ils ne faisaient pas partie de moi et qu'ils bougeaient sans que mon cerveau leur dise où aller. J'étais désolée de ce que j'allais devoir faire. La carabine était lourde contre la jambe mince et arquée de Charlie. J'ai pensé au visage de l'homme dans la maison ; il suffirait d'un rien pour qu'il se retrouve

comme tous les autres visages que j'avais vus dernièrement, au bout du canon de la carabine, allongés sur
le sol propre des cuisines ou dans des chambres pleines de dentelle, tout seuls, le regard vide, sans qu'il
leur reste la moindre petite prière à Charlie, sans le
moindre signe de ce qu'ils étaient ni de ce qu'ils
avaient fait avant qu'on débarque dans nos sales petites bottes. C'était le prix que je devais payer.

« Elle est chargée ? » ai-je demandé en faisant un
signe de tête en direction de la carabine. J'ai resserré
mes bras autour de Charlie comme si j'avais été
capable de chevaucher sa balle à travers un cœur.
J'aurais voulu redevenir la même qu'au début, quand
il m'avait trouvée ce jour-là dans la cabane de
l'arbre, en train de pleurer sur tout ce qui avait mal
tourné, et que j'avais choisi de l'aimer parce qu'il
m'avait choisie, moi. Sa colère m'avait semblé bien
plus réelle que tout ce que j'avais connu jusque-là.

« Oui, a dit Charlie. Elle est prête.

— J'ai peur, Charlie, lui ai-je dit. J'ai peur qu'il
sache qu'on est là. »

Je ne pleurais plus.

« C'est qui ?

— Je ne sais pas. Le fermier dans la maison. J'ai
vu les lumières allumées dans la maison. Je crois
qu'on est fichus », ai-je dit en enfonçant mon visage
dans son épaule.

Les muscles de Charlie étaient tendus comme des
ressorts. Il me serrait tout contre lui.

« Peu importe qui il est. On n'est pas fichus », a dit
Charlie.

Il m'a repoussée et s'est mis à se peigner avec les
doigts.

À cette seconde-là, je me suis dit que je n'avais
jamais eu le choix à propos de quoi que ce soit.

J'avais l'impression que j'aurais toujours à payer pour quelqu'un d'autre à cause de ce qui s'était passé.

Je me suis appuyée sur le rebord de la fenêtre. J'ai baissé les yeux sur le bracelet de la dame et je l'ai fait tourner autour de mon poignet. Ses diamants me paraissaient très lointains. Charlie faisait les cent pas derrière moi, en train de s'énerver.

« Caril Ann, je crois qu'après ça, il faudra larguer la Packard.

— Je ne veux pas la larguer », ai-je répliqué, mais Charlie observait la lune et n'avait pas entendu. Avec toutes mes pensées tristes, les larmes se sont remises à couler, mais Charlie ne se rendait compte de rien au son de ma voix. Je ne faisais pas un bruit. J'ai levé le bras pour frotter mon nez sur ma manche. C'est à ce moment-là que j'ai cru apercevoir quelque chose, une trace argentée qui attirait mon œil vers les buissons. Un mouvement rapide qui me rappelait Charlie et la façon dont on se déplaçait ensemble. C'était quelqu'un, un homme, et c'est à ce moment-là que je me suis doutée qu'ils nous avaient trouvés.

Je ne les avais pas imaginés rampant dans le noir autour d'une grange près de Valentine, sur le terrain plein de bosses, avec à peine le chuchotement de leurs pas dans le maïs gelé, prêts à se jeter sur nous dans l'obscurité. C'était plutôt à nous de faire ça. J'avais imaginé que ça se passerait juste après qu'on aurait quitté Lincoln, pendant qu'on regarderait derrière nous, le cou tordu à la rencontre des balles, ou alors bien plus tard, très loin du Nebraska, dans un monde vert où on se serait cru libre. Mais on adapte ses choix aux circonstances. Cette fois-ci, je voyais clairement les choses, et je pouvais décider de la suite.

Je me suis écartée de la fenêtre. Je me suis plaquée contre le mur.

« Charlie », ai-je dit à voix basse.

J'essayais de rester immobile sans paniquer. J'essayais de savoir quoi faire. J'avais joint les poignets derrière mon dos et je tripotais le bracelet parce que je n'en voulais plus. J'ai fini par trouver la fermeture et j'ai commencé à la défaire avec mes ongles. L'or m'a chatouillé la peau en tombant entre les lattes du plancher.

« Quoi ? a demandé Charlie. Qu'est-ce qui se passe ? »

Il avait cessé de faire les cent pas. Je voyais ses yeux grands ouverts à la clarté de la lune ; il était dans un coin de la grange et me regardait.

Je n'ai rien dit à ce moment-là. J'avais la voix coincée.

« N'aie pas peur, a-t-il dit, j'ai tout prévu.

— Non, c'est pas ça. »

Mon cœur battait très fort contre ma poitrine. Je lui ai montré la fenêtre sur le côté. J'ai relevé la tête.

« Je veux qu'on garde la Packard.

— On peut pas, a dit Charlie. C'est pas bon pour nous. En plus, la radio est bousillée.

— Comme tu veux. » Ma voix n'avait même pas tremblé. J'ai traversé la grange en m'éloignant de lui.

« Te fâche pas, a dit Charlie. On en trouvera une autre. »

Je n'ai pas répondu. J'ai continué à lui tourner le dos. Je n'ai pas regardé en arrière. J'étais comme ce magicien à la foire de Lincoln qui avait sorti une pièce de mon oreille au mois d'août. Je faisais mon propre tour de magie. C'est comme ça que je le ressentais. Il pouvait se passer n'importe quoi n'importe où. Il fallait juste faire un choix et s'y tenir. J'ai ouvert la porte de la grange et l'univers noir s'est déplié devant moi. À ce moment-là, je pouvais voir aussi loin que Valentine. Les collines de sable se sont soulevées pour venir retrouver mon cœur. Les lumières se sont mises à clignoter. Et puis le vent m'a mordu les yeux et je ne pouvais plus rien voir.

« Au secours ! » ai-je crié de toutes mes forces dans le vent désert. Ma voix a rencontré le silence. L'écho se répercutait à l'infini.

« Nom de Dieu, Caril Ann ! j'ai entendu dire Charlie.

— Il est caché dans la grange ! » ai-je hurlé. Je me suis avancée, mais tout d'un coup, c'était plus fort que moi, je ne savais plus quoi faire. J'ai regardé par-dessus mon épaule pour voir s'il pointait la carabine dans ma direction. Je me disais que c'était peut-être terminé et que j'étais fichue, qu'il avait fini par en avoir assez. Mais Charlie était debout dans l'ombre sans la carabine. Il ne l'avait même pas à la main. Il ne me viserait jamais avec, quoi que je fasse. Je le savais maintenant. Je le voyais à travers l'obscurité, les bras tendus vers moi, ses mains vides tournées vers le ciel au-dessus du toit.

Tout d'un coup, ils ont braqué des lumières sur moi. Ils m'ont crié de m'écarter de la grange. J'ai laissé échapper un sanglot. Je ne voyais rien. Je suis partie en trébuchant vers l'endroit où ils devaient se trouver. J'ai levé les mains devant moi pour leur montrer que je n'avais rien à cacher, même pas le bracelet. Un policier m'a sauté dessus. J'ai senti ses doigts s'enfoncer dans mes bras.

Je l'ai regardé en plissant les yeux.

« C'est pas la peine de faire ça. J'essaie de vous aider. »

Mais il m'a tout de même passé les menottes brutalement, comme si j'étais une vraie tueuse, alors que je n'avais rien fait. J'ai appuyé ma joue contre son badge, mais il ne voulait pas me tenir gentiment. Il m'a repoussée comme un déchet, et il m'a fait tenir tranquille pour regarder Charlie se faire sortir de la grange par deux autres policiers. Au lieu de se débattre, Charlie pleurait, le menton rentré dans sa poitrine comme s'il avait perdu tous ses moyens.

« Quel bébé ! ai-je dit à voix basse. Je ne pleure pas, moi. »

Chapitre 21

1963

J'eus l'interdiction de sortir seule tout le reste du mois de janvier, alors je tâchai de m'occuper à la maison. Je construisis un bonhomme de neige dans le jardin, coiffé de la toque de ma mère. J'errais dans la maison en buvant son café de luxe, écoutant Mark Dinning chanter à son jeune ange. Mon père m'appelait tous les jours de son travail pour s'assurer que j'étais bien rentrée du lycée. La plupart du temps, je suivais ses consignes. J'étais contente de savoir qu'il s'inquiétait pour moi, mais la maison paraissait tellement sombre, petite et sinistre que j'avais l'impression que je risquais de disparaître. Le dernier samedi de janvier, mon père se rendit à Omaha pour une cérémonie d'inauguration. Avant de partir, il me dit que ma mère allait bientôt revenir. Il le sentait.

« Tu lui as parlé dernièrement ? demandai-je.

— Ce n'est pas nécessaire.

— Comment sais-tu qu'elle va revenir, alors ?

— Dix-sept ans de mariage. »

Il enfila son manteau. Mon père se faisait des illusions. Il ne connaissait pas du tout ma mère. Elle changeait trop souvent.

« Qu'est-ce que tu sens, exactement ?

— Oh, je ne sais pas ! » dit-il en empoignant sa valise et en rabattant son chapeau sur ses yeux comme Humphrey Bogart. « C'est comme s'il se préparait quelque chose. Comme si quelque chose de bien allait se passer. »

Sa cravate était de travers. J'avais envie de l'arranger. *Sais-tu seulement où elle est ?* avais-je envie de demander. Mais je savais bien qu'il n'en avait pas la moindre idée.

« J'en ai assez de rester à la maison toute la journée, lui dis-je.

— C'est ce qui arrive quand on se conduit bizarrement. Mais je ne vais pas m'étendre là-dessus. Lorsque ta mère reviendra, elle te trouvera en un seul morceau, et pas à moitié congelée dans un tas de neige, dit-il en ouvrant la porte. Sois sage, Bouchon. Si je rentre à temps, on ira dîner au restaurant. »

Je rangeai soigneusement dans leurs tiroirs les pulls de ma mère que j'avais portés, et je m'assis au bord du lit défait, observant les branches grêles de l'orme se détachant sur des nuages d'un gris de plomb. J'essayais de deviner si ma mère se trouvait quelque part près d'ici, en train de regarder par une fenêtre identique le même ciel vide, en songeant à rentrer à la maison. Je fermai les yeux et me mis à chercher dans les coins obscurs de mon cerveau en essayant de la capter, de lire ses pensées, de la sentir comme mon père avait dit qu'il pouvait le faire. On était du même sang, ma mère et moi. Ç'aurait dû être facile. Mais je n'avais jamais rien compris à ma mère, sauf la force inexplicable qui l'avait attirée vers Nils. Le danger. Le désir d'être désirée jusqu'à baisser le rideau. Un pas déclenche une avalanche. Le désir d'attirer l'attention de quelqu'un peut vous mener n'importe où. L'amour pouvait vous propulser hors de votre orbite. On ne pouvait pas contrôler l'atterrissage.

Tandis que je regardais le bonhomme de neige en train de fondre avec le chapeau abîmé de ma mère, je compris soudain que je ressentais ce qu'elle avait dû ressentir. Si je restais un moment de plus dans cette maison où rien ne changeait et rien ne se passait, j'allais mourir. C'était un samedi tranquille et gris de janvier, et je ne voulais plus être seule. Je voulais que Cora me pardonne d'avoir escaladé la palissade. Je voulais que quelqu'un me dise que je n'étais pas si mauvaise. Je pris un bain, et me brossai les cheveux jusqu'à ce qu'ils brillent. Je mis un peu de maquillage et sortis de la maison en emportant le livre sur les chats.

Je marchais la tête basse, parce que j'avais l'impression que si je regardais autre chose que mes deux pieds avançant l'un devant l'autre, quelqu'un m'arrêterait, me prendrait par les épaules et me ramènerait chez moi comme une prisonnière. Je tournai au coin de la rue et je me retrouvai rapidement devant la maison des Lessing. J'hésitai. Il n'y avait pas un bruit dans South 24th Street. On aurait dit que tout le monde était parti. Il n'y avait personne dehors en train de dégivrer un pare-brise ou bien de répandre du sable sur les marches verglacées, et il n'y avait pas de lumière aux fenêtres des Lessing. La porte du garage était fermée. J'irais déposer le livre sur le perron à l'arrière de la maison, là où Cinders avait perdu la vie. Cora se rappellerait ainsi tout ce que j'avais fait, comment j'avais bravement traversé le jardin pour porter le chat mort jusqu'au tombeau. Elle déciderait alors si elle voulait ou non qu'on redevienne amies.

Je pris une inspiration et me mis à contourner la maison ; je me baissai en passant devant les fenêtres du jardin d'hiver, au cas où Cora se serait trouvée là, à lire ou à arroser les plantes. C'est elle qui s'en chargeait. Je me dis tout à coup qu'elle avait peut-être elle aussi ses raisons d'observer ses voisins, des raisons qui n'avaient rien à voir avec le lien entre Lowell et moi. Elle sentait peut-être elle aussi un lien, une attache avec ce qui s'était passé. Cora m'avait dit un jour que les voitures ralentissaient en passant et que les gens montraient la maison du doigt. Je ne les avais jamais vus, mais je la croyais. Tout le monde voulait voir l'endroit où s'était déroulée cette chose si horrible.

Mais il n'y avait rien à voir. Les rideaux du salon des Bowman étaient tirés. Je ne distinguais rien. Lowell devait être reparti au lycée. Il avait probablement oublié la carte que j'avais laissée tomber sous sa fenêtre. Ou peut-être qu'il l'avait emportée avec lui. Il avait peut-être passé des soirées seul dans le lit de son dortoir à essayer de percer le mystère de mon identité ou à se demander ce que cette intruse pouvait bien vouloir. Je ne connaissais pas moi-même la réponse. Je ne savais pas du tout ce qui me poussait à revenir.

À l'arrière de la maison, j'observai les fenêtres des Lessing pour déceler un signe de vie. Derrière la vitre en losange sous les combles, je voyais une lumière là où Mrs. Lessing travaillait. Je l'imaginais assise sur une chaise, douce comme un nuage, les sourcils froncés parce qu'elle avait découvert un petit défaut dans quelque chose qu'elle avait fait, peut-être le bleu d'une aile qui était devenu trop opaque en séchant. Les tableaux étaient appuyés contre le mur, cachés sous des draps parce que Corrine Lessing ne voulait plus les voir. À l'époque où elle peignait encore, elle voulait faire partie du monde. Les journées défilaient les unes à la suite des autres. Les heures se dévidaient comme du ruban.

Je sortis le livre de mon sac et montai tout doucement les marches. Mes pieds firent craquer trop fort une frange de glace, et je dérapai. Je me redressai en agrippant la rambarde. Je repris mon souffle un instant. Une brise se leva. Mes cheveux me chatouillaient les joues et se prenaient dans ma bouche. Je les écartai d'un geste. J'allais les faire couper, dans un style à la mode où les mèches étaient retournées au niveau des épaules. C'était juste une question de temps.

J'ouvris la moustiquaire et me penchai pour poser le livre contre la porte, mais le bois céda sous ma main et le livre se mit à glisser. La porte s'ouvrit en grinçant sur ses gonds rouillés. Le livre tomba à plat sur le paillasson. Je retirai ma main. Mon cœur fit un bond. J'étais prise la main dans le sac. Mais en levant les yeux, je ne vis personne. La cuisine était plongée dans l'obscurité, et semblait déserte, comme si elle n'avait pas été utilisée depuis des années. Le verrou était peut-être cassé ; je n'en savais rien.

Un verre était renversé sur la table. Le pied était intact, mais la coupe s'était brisée et le vin s'était répandu comme une violente tache rouge. Je ramassai le livre et je pénétrai dans la pièce en refermant doucement la porte derrière moi. J'entendais les gouttes tomber par terre, et le bruit qu'elles faisaient en heurtant le carrelage froid me donnait envie de pleurer.

Je restai là un moment, indécise. Tout le reste paraissait en ordre, mais il y avait tout de même une impression de chaos. Et si je les découvrais morts ? Ce silence, ce calme, m'avertiraient que quelque chose n'allait pas. Et puis je m'avancerais à l'intérieur pour découvrir les horribles secrets qui étaient cachés là. Des pièces sens dessus dessous. Des draps froissés, des tables renversées, des stores déchirés. Des têtes tordues dans des positions impossibles. Des yeux ouverts qui ne voyaient rien. À quoi ça ressemblait de tomber sur quelqu'un et de savoir qu'il était trop tard ? Pendant qu'on tapait sur sa montre avec impatience, ou qu'on téléphonait, elle luttait pour sa vie. L'espoir revenait, puis se vidait comme un poumon blessé. Si on avait vraiment écouté sa voix au téléphone, ce qu'elle essayait de dire. *Une autre fois.* Ce n'était pas dans ses habitudes de dire des choses pareilles.

Je me mis en tête de chercher un chiffon pour éponger le vin. Qu'est-ce que je pouvais faire d'autre ? Mais soudain, je n'avais plus envie d'y toucher. Je ne voulais toucher à rien. Je n'avais rien à faire là. *Un grattement sur le toit.* Mon cœur se mit à cogner. *Une plaque de glace qui se détachait.* Je tendis l'oreille à l'affût du moindre mouvement, du moindre signe de vie, mais il n'y avait rien d'autre. La lumière se déversait par une fenêtre à l'autre bout du couloir, et je m'en approchai, comme sous l'effet d'un charme. Pendant un instant, le soleil réussit à pénétrer. Les ombres filèrent comme une nuée de petits poissons, puis s'effacèrent. Tout redevint gris.

Dans le salon, le sol était glissant ; il venait d'être ciré, et j'entendais le tic-tac de la pendule sur le manteau de la cheminée. La collection de cannes anciennes de Mr. Lessing était intacte, bien rangée dans son présentoir près de la cheminée.

« Ohé ? » dis-je, à voix si basse que personne ne pouvait m'entendre. Je ne voulais pas faire peur à quelqu'un. Ce n'était pas à moi de monter l'escalier ni de chercher à savoir si tout allait bien.

Comment allais-je expliquer tout ça ? Ça paraissait idiot d'être effrayée par un verre cassé et une porte ouverte. Et de toute façon, qu'est-ce que je pouvais faire ? Il y avait des explications : le vent, par exemple. Les zones de haute et de basse pression se pourchassaient pour former des tornades. La pesanteur empêchait les objets de s'envoler de la croûte terrestre. Il y avait un certain schéma, un code scientifique. Je repartis dans la cuisine. Le vin s'était accumulé dans les interstices des dalles comme de fines lignes sanglantes. Je chassai un frisson, ouvris la porte de derrière et la refermai en sortant.

J'avais oublié de respirer à l'intérieur de la maison, et j'avalai de grandes goulées d'air froid. Je m'adossai à la porte, le pouls encore battant à mes oreilles. L'air se réchauffait. Une brise murmurait dans les branches. *Il se prépare quelque chose*. La glace gémissait dans les gouttières : *elle va tomber*.

Un mouvement brusque attira mon regard. Il y avait quelqu'un près du tombeau. Un frisson courut le long de ma colonne vertébrale ; j'avais peut-être été observée. Pendant un instant, je crus que quelqu'un enterrait enfin le chat. Ou alors ce n'était peut-être pas quelqu'un du tout, mais quelque chose, qui avait glissé, là-bas au fond du jardin, et s'était raccroché à une branche d'arbre. Je n'arrivais pas à distinguer quoi. La lumière était opaque, rasante et grise, mélangeant toutes les formes indistinctement. Il ne restait plus de neige dans les arbres. Les branches étaient nues. Je fis un pas. J'aperçus quelque chose qui ressemblait à des ailes, un battement blanc et sombre en dessous. Un effet optique. Je m'immobilisai, la main sur la rambarde. J'entendis un bruit qui venait de loin, comme un murmure à peine audible. C'était un hoquet, un soupir, et je me demandai un instant s'il ne venait pas de moi. Les arbres eux-mêmes semblaient répondre. Je descendis du porche. C'est là que je l'aperçus, et le choc me fit trembler des pieds à la tête. Corrine Lessing était là-bas, accrochée à une branche. À bout de souffle, sans personne pour l'attraper. Il n'y avait que moi.

Ne réfléchis pas. Ne perds pas ton temps à te demander pourquoi. En avant dans la neige, les bras tendus devant moi. Les pieds qui glissent, les genoux qui cèdent. La neige devint plus blanche. Les formes devinrent plus sombres. Je ne touchais plus terre. Je gardais les yeux fixés sur elle. Je ne pensais à rien. *S'il vous plaît, s'il vous plaît, ne tombez pas.* Soudain, je me rendis compte que je parlais à voix haute. « S'il vous plaît, ne tombez pas. »

La distance paraissait impossible à franchir. Elle m'avait entendue. La tête de Corrine Lessing était tournée dans ma direction. Ses cheveux étaient défaits, plus longs que je n'aurais cru possible. Je n'arrivais pas à déchiffrer son expression. Tout devait être complètement gelé. Elle avait dû faire de grands efforts pour se retenir. Je ne savais pas quoi faire. Je n'arrivais pas à penser. Tout était blanc. Soudain, je me retrouvai juste au-dessous d'elle. Mon pied bouscula une bouteille au pied de l'arbre. Le vin se répandit. La neige se colora de rouge.

« Mrs. Lessing, lui dis-je. Je suis là. Je suis juste au-dessous de vous. »

J'avais l'impression que ma voix ne sortait pas de moi, mais qu'elle venait d'un endroit très haut, hors d'atteinte. Elle était si fluette. Je calculai la hauteur.

Trois mètres ? Si elle tombait, elle ne se casserait peut-être rien. Tout se passerait peut-être bien. J'entendais sa respiration, forte, haletante.

« Mrs. Lessing, lui dis-je. Je peux amortir votre chute.

— Je ne crois pas. Non. »

Sa voix était tellement calme.

« Mais si. »

Je tendis les bras. Puis je les laissai retomber.

« Qu'est-ce que je peux faire ?

— Ne t'inquiète pas.

— Je vais chercher de l'aide.

— Non.

— Il y a quelqu'un chez vous ? »

Le ton de ma voix était aigu, ridicule, désemparé.

« Je... vraiment... c'est idiot... »

Elle éclata d'un rire nerveux et reprit son souffle. Puis ses mains glissèrent. Tout son corps lâcha d'un coup et elle dégringola. Son manteau se gonfla dans le bruit lent de l'air et ses cheveux se déployèrent comme des ailes argentées. J'attendis, les bras tendus, me préparant à la douleur du choc.

Les minutes s'étaient arrêtées. Le temps s'était immobilisé, magnifique, déchiqueté. Tout se réduisit à un point. J'avais le pouvoir de m'écarter. Mais ce n'est pas ce que j'avais choisi. Elle tombait vers moi et je gardai les deux pieds bien plantés au sol, les bras tendus. Sa chute pouvait me rendre inconsciente. Mon nez pouvait être cassé. Rien de tout cela n'avait d'importance. Je voulais simplement la sauver.

Mes mains attrapèrent le manteau de Mrs. Lessing, qui m'entraîna et me fit perdre l'équilibre. Son corps heurta le sol. Elle ne cria pas. Je tombai à la renverse, la tête contre le tombeau. Tout était en apesanteur.

Les formes sombres des branches remuèrent au-dessus de moi. Quelques glaçons se détachèrent et tombèrent sur mon nez. Le froid me faisait mal au crâne. Tout était trop calme, tellement calme.

Mais quand je me relevai, Mrs. Lessing s'était déjà redressée sur le côté, au pied de l'arbre, appuyée sur son coude, les yeux fixés sur une tache de rouge dans la neige comme si elle provenait d'une partie de son corps. Pendant un instant, c'est ce que je crus aussi. Puis je me souvins de la bouteille. Je voulais lui dire que ce n'était que le vin, mais je restai muette. J'étais trop gênée. Une longueur de corde s'échappait de la poche de son manteau noir, et le bout effiloché traînait dans la neige. *Une pensée inachevée.* Je n'arrivais pas à détacher mon regard.

Elle leva les yeux en sursautant, comme si elle venait de se souvenir de ma présence, et vit la corde. Je sentis le rouge me monter au visage. Elle repoussa la corde dans sa poche et je détournai les yeux en faisant semblant de n'avoir rien remarqué.

« C'est tellement idiot… j'essayais… »

Elle ferma les yeux puis les rouvrit lentement, comme si elle s'éveillait d'un long sommeil. Elle lissa son manteau par-dessus son pantalon vert et le boutonna. Je voyais que ses mains tremblaient. Elle avait une vilaine égratignure sur le côté du visage.

Je me mis debout et m'approchai d'elle.

« Laissez-moi vous aider », lui dis-je, mais mon ton manquait de conviction.

Je tendis la main pour l'aider à se relever. La neige était toute tassée, plissée à l'endroit où elle était tombée. Je sentais sa respiration sèche, comme une haleine de malade.

« Susan ? » dit-elle, comme si elle n'était pas très sûre de mon prénom.

Je hochai la tête, et la pris par la taille pour l'aider à regagner la maison. Elle ne pouvait pas s'appuyer sur son pied droit – elle s'était foulé la cheville – mais elle avait le visage lisse, presque serein, sans le moindre signe de douleur, comme si son esprit s'était réfugié dans un endroit lointain.

Je l'aidai à franchir la porte de la cuisine et tirai une chaise pour qu'elle puisse s'asseoir.

« Je vais accrocher votre manteau, proposai-je.

— Non, dit-elle en plaquant la main sur la poche qui contenait la corde. J'ai froid. »

Comment avais-je pu être aussi bête ? Afin de cacher mon embarras, je remplis la bouilloire pour faire chauffer de l'eau. Je mis un sachet de thé dans une tasse. Tout me paraissait distant, comme dans un rêve. Si je n'avais pas été là, que serait-il arrivé ? Je refusais d'imaginer les différentes façons dont les choses auraient pu tourner, mais j'éprouvais aussi une certaine fierté. Je restai adossée contre la paillasse en attendant que l'eau se mette à bouillir. Je ne savais pas quoi faire de mes mains.

Mrs. Lessing effleura le vin renversé sur la table puis se frotta les doigts.

« C'est moi qui ai fait ça ?

— Je vais essuyer », lui dis-je.

Je ramassai les morceaux de verre pour les jeter à la poubelle. Je pris un chiffon à côté de l'évier et me mis à éponger.

Elle sourit, mais ce n'était pas un vrai sourire. C'était un sourire triste.

« Tu es gentille », dit-elle.

Je posai la tasse de thé devant elle et la regardai boire une gorgée. Je ne pouvais pas partir, pas avant le retour de Mr. Lessing.

« À quelle heure rentrent votre mari et vos enfants ? » demandai-je.

Elle haussa les épaules.

« Je peux rester », lui dis-je.

Mrs. Lessing se prit le front dans la main et poussa un soupir.

« Je suis juste fatiguée. J'ai besoin de dormir. Je vais aller me coucher. »

Mais je ne voulais pas prendre de risques. Je ne savais pas ce qui pourrait lui passer par la tête.

Mrs. Lessing repoussa sa chaise. Son regard était vide. Ses yeux étaient sombres, sans pupille, incrédules. Elle était belle, d'une beauté un peu fragile, comme une toile d'araignée, ou une jolie tasse fêlée. Elle se leva et dut s'appuyer à la table pour ne pas tomber. Je pris son bras pour l'aider à monter l'escalier.

La chambre des Lessing donnait sur la rue ; elle était claire et aérée, avec des rideaux tout blancs posés aux fenêtres. Il y avait un tableau accroché au-dessus du lit, une étendue d'herbe dorée et un minuscule peuplier au loin se détachait sur un ciel bleu pâle. La scène était si réaliste qu'on sentait presque l'herbe vous chatouiller les jambes. On pouvait s'allonger à l'ombre de l'arbre, et s'endormir au son des insectes battant leurs ailes en papier. Ce devait être agréable de fermer les yeux le soir en imaginant qu'on se trouvait dans un tableau où rien ne bougeait, où l'hiver était loin et la neige une illusion.

Mrs. Lessing s'assit au bord du lit et essaya de se pencher pour défaire ses chaussures, mais son dos lui faisait trop mal, alors je les enlevai à sa place. Sa cheville était enflée.

« C'est idiot, dit-elle. Je me sens gênée », mais c'est moi qui me sentais mal à l'aise. J'avais assisté à quelque chose que je n'aurais pas dû voir. J'en savais trop. Je ne savais pas quoi dire ni quoi faire.

Mrs. Lessing déboutonna son manteau et le posa à côté de ses chaussures, la poche contenant la corde contre le sol. Ce n'était pas la peine de prendre autant de précautions. J'avais déjà tout vu. Elle croisa les bras sur ses épaules étroites pour chasser un frisson. Je défis les couvertures et elle se glissa entre les draps.

Je ne savais pas comment me tenir. Je me cachai les mains derrière mon dos.

Elle ferma les yeux.

Je voulais rester auprès d'elle.

« C'est vous qui avez peint ça ? demandai-je.

— Je ne peins plus. Mais John aime bien celui-ci. Il ne veut pas que je l'enlève.

— Je le trouve magnifique, lui dis-je. Si c'était moi, je ne vous laisserais pas l'enlever non plus.

— C'est du côté d'Ogallala. C'est là qu'on s'est rencontrés.

— Comment vous êtes-vous rencontrés ? »

Elle joignit les mains au-dessus des couvertures.

« Il voulait chasser sur nos terres, mais mon père était absent, et c'est à moi qu'il a dû demander la permission. Il est arrivé à la porte avec de grosses bottes et des bretelles en souriant comme quelqu'un en qui on pouvait avoir confiance. Personne ne souriait beaucoup à la maison. »

Elle marqua un silence et ferma de nouveau les yeux, comme si elle essayait de se rappeler la façon dont les choses s'étaient passées précisément.

« Vous avez su tout de suite que vous l'épouse-riez ?

— Je ne savais pas grand-chose. Je ne connaissais que Rosario. J'ai simplement suivi cet inconnu pendant qu'il chassait. Depuis le matin jusqu'à la fin de l'après-midi. J'avais les pieds fatigués. Je l'ai vu tuer six faisans, mais le chien n'en a rapporté que cinq. J'ai trouvé le dernier accroché dans un buisson, la tête cachée sous l'aile comme s'il n'était pas encore tout à fait mort. »

Tous ces souvenirs ne semblaient pas la réconforter.

« Plus tard, il a dit que je lui avais porté chance. Qu'est-ce que tu dis de ça ? »

Elle referma les yeux et glissa les bras sous les couvertures.

« Ce n'est pas la peine de rester. »

Je jetai un coup d'œil dans la chambre pour vérifier qu'il n'y avait pas d'objets pointus ni de flacons de médicaments. Je ne vis rien.

« Je vais vous chercher votre thé », lui dis-je.

En remontant dans la chambre je vis que Mrs. Lessing avait toujours les yeux fermés. Je pensais qu'elle s'était endormie, alors je posai la tasse sur le chevet et m'assis sur la chaise près de la fenêtre en me demandant combien de temps je devais la laisser dormir. Je n'avais pas envie de devoir la réveiller. Le sommeil était peut-être le seul endroit où le passé se déroulait différemment. Est-ce qu'elle rêvait que les Bowman étaient de nouveau vivants ? À quoi ça ressemblait d'escalader un arbre en plein milieu de l'hiver avec une corde dans sa poche ? Mon cerveau échafaudait bien trop de scénarios horribles. Maintenant, je voulais juste quelque chose de bien, une histoire où Mrs. Lessing irait mieux.

Mrs. Lessing se tourna sur le côté et glissa ses mains sous sa joue. Ses yeux étaient ouverts, rouges et pleins de larmes, mais elle ne faisait aucun bruit.

« Est-ce que je peux faire quelque chose ? » demandai-je.

Elle ferma les yeux et cacha son visage dans ses mains.

« Dites-moi ce que je dois faire.

— Je suis prisonnière. Je ne peux pas m'échapper.

— De quoi voulez-vous vous échapper ? »

Elle ne répondit pas.

« Si vous disparaissiez, ils pourraient bien ne jamais s'en remettre, vous savez. Ils vous aiment. »

Apparemment, c'est ce qu'elle avait besoin d'entendre.

« Ça n'est jamais suffisant. C'est ma faute à moi. Personne ne peut porter le fardeau avec moi.

— Ma mère m'a abandonnée. Elle est partie depuis trois mois. Mon père est triste. Je ne suis pas très heureuse non plus. Parfois, j'ai peur de rentrer chez moi, je me sens tellement seule dans cette maison ! »

Je croisai les bras. Je ne savais pas du tout d'où m'était venue cette réflexion. Je ne savais pas quoi dire d'autre, alors je restai là, les yeux rivés sur le manteau.

« Parfois, on aimerait se débarrasser de sa peau, tellement on se sent mal. Mais tout ce qu'on peut faire, c'est cogner des poings.

— Ah ! » fis-je. Mais je ne comprenais pas vraiment ce qu'elle avait dit. *Je suis toujours toute seule. Je pensais que les choses seraient différentes*, avait dit ma mère à mon père la nuit où ils s'étaient violemment disputés au sujet de Lucille.

« C'est ce que vous vouliez faire ? demandai-je.

— Je ne sais pas. Je ne veux blesser personne. »

Elle prit une inspiration, ouvrit les yeux et me regarda. Je ne pouvais pas croiser son regard. Il me mettait trop mal à l'aise.

« Ne leur raconte pas ce que tu as vu, s'il te plaît. »

Mais s'il arrivait encore quelque chose ? Ce serait ma faute, cette fois.

« Je ne dirai rien. Mais il faut me promettre que vous tâcherez d'aller mieux.

— Merci. »

Mrs. Lessing se retourna, le nez contre le mur. Dehors, la lumière avait baissé. Rien ne bougeait. Le ciel s'apprêtait à basculer vers le crépuscule. J'avais l'impression d'avoir vécu une vie entière en un seul après-midi.

« J'avais seize ans, entendis-je Mrs. Lessing dire au papier peint. Je voulais m'enfuir avec Rosario. »

Ses épaules se soulevèrent plusieurs fois, puis sa respiration s'alourdit, et elle s'endormit.

La lumière tomba brusquement. Les ombres s'avancèrent dans la pièce. J'écoutais le bruit de sa respiration en me demandant à quoi elle rêvait. Au clair de lune, Corrine suivait le cours asséché d'une rivière jusqu'à la limite des terres. Elle poussa le cri convenu, une grue, le hululement d'une chouette. Un bruissement d'herbe, et Rosario apparut. Il était là depuis le crépuscule, il attendait depuis des heures.

J'étais assise près de la fenêtre, attendant Mr. Lessing. Qu'est-ce que j'allais bien pouvoir raconter pour expliquer ma présence ? À mon retour à la maison, mon père serait peut-être déjà là, et j'aurais encore des ennuis. Mais tout à coup, ça m'était égal. J'avais pris conscience d'une chose concernant ma mère : elle ne connaissait pas la vraie souffrance. Elle s'était toujours plainte d'être prisonnière à la maison, mais pour Mrs. Lessing, être prisonnière signifiait tout autre chose. Chaque fois qu'elle regardait par la fenêtre, elle se rappelait ce jour-là, les stores baissés, la voix tendue de Mrs. Bowman au téléphone. Elle aussi s'était insérée dans cette histoire. *C'était à moi de la sauver. À moi. À moi. À moi.* J'avais envie de pleurer. De petites larmes de sang. Je songeai au magnifique manteau rouge en me demandant si Cora avait la moindre idée des efforts déployés pour le choisir.

Des phares tournèrent dans l'allée. J'entendis une portière claquer. Cachée derrière la frange d'un rideau en voile, je les vis sortir un à un de la voiture. Mr. Lessing se dirigea vers l'arrière et ouvrit le coffre. Il sortit plusieurs sacs et les distribua à ses enfants. Toby dit quelque chose, et Cora le poussa gentiment. La laine rouge du manteau allait bien avec ses cheveux. Ils avaient l'air si heureux ; ils n'avaient pas la moindre idée de ce qui s'était passé depuis qu'ils étaient partis, pas la moindre idée de ce que j'avais vu. Je me demandais s'ils l'apprendraient un jour, si quelqu'un entendrait un jour parler de cette histoire. Je ramassai le manteau de Mrs. Lessing, me faufilai dans le couloir et descendis l'escalier. La pendule du salon sonna la demi-heure. J'entendis le bruit des clés dans la serrure. J'accrochai le manteau à la patère près de la porte de derrière. Je sortis à moitié la corde de la poche. Des bruits de bottes se firent entendre dans l'entrée.

« Ne dis pas de bêtises.

— C'est toi qui dis des bêtises.

— Ta mère travaille.

— Elle n'arrête jamais. »

Je sortis par la porte de derrière et la refermai doucement. J'entendis le verrou se mettre en place. Je descendis dans le jardin. C'était le moment de la soirée où le passé semble bien plus proche et où même les souvenirs heureux brisent le cœur. Rien ne bougeait ; tout était baigné d'une lueur violette, et la brise apporta l'odeur de feux de cheminée. Je fus prise d'un brusque frisson, alors que la température n'avait pas été aussi douce depuis des mois. La glace fondait, martelant la gouttière dans un bruit de pièces qui tombent. Je vis qu'on allumait dans la cuisine, et quelqu'un entra dans la pièce. C'était ma dernière chance de leur dire ce qui s'était passé. Mais j'espérais que la corde dépassant de la poche suffirait.

Je contournai la maison, en essayant de ne pas faire le moindre bruit. Mais à chacun de mes pas, ça craquait comme des dents s'enfonçant dans du coton. Je voulais disparaître, fondre dans la nuit, pour que personne n'apprenne jamais que je m'étais trouvée là. Je n'arrivais pas à comprendre pourquoi je me sentais si mal après avoir fait quelque chose de bien. J'avais sauvé Mrs. Lessing, non ? Mais je voulais échapper à toute cette tristesse. Les adultes étaient censés montrer du courage. Ils connaissaient le monde, et pourtant, ce savoir semblait les rendre plus vulnérables.

J'entendis un bruit. Un chuchotement. Je crus d'abord que c'était la neige glissant du toit et que mon oreille me jouait des tours. Mais il recommença.

« Hé ! »

Je m'immobilisai, le cœur battant, n'osant pas lever les yeux. Des ombres étranges dansaient dans l'obscurité. Tout bougeait trop vite à l'intérieur de moi.

Lowell Bowman se trouvait de l'autre côté de la palissade et me regardait. Je le voyais dans la lumière douce, la tête inclinée sur le côté, appuyé contre un arbre. Il avait les bras croisés sur la poitrine, et je voyais la lueur orange d'une cigarette briller à l'extrémité d'une de ses mains.

Il approcha dans la neige, posa les deux mains sur la palissade et resta là à me regarder. Il avala une bouffée de cigarette. J'avais l'impression que mes jambes étaient devenues fragiles et qu'elles allaient se briser.

« Viens par ici », dit-il.

Je dus me forcer à avancer. Je m'approchai de lui la tête baissée, craignant d'être incapable de dire quoi que ce soit. Et si je tombais ? Et s'il pouvait lire mes pensées, découvrir que je l'aimais, et trouver que c'était vraiment trop bizarre ? Mon cœur battait si fort que j'avais peur qu'il l'entende. J'étais si près que j'aurais pu le toucher. J'avais attendu tellement longtemps de l'autre côté de la fenêtre ; maintenant, je n'avais plus le courage. Je sentais l'odeur de la cigarette. Je gardai les yeux baissés.

« J'ai vu ce qui s'est passé », dit-il. J'aurais voulu que sa voix ressemble à de la musique. Mais son ton était accusateur, hostile. *Ce n'était pas ma faute*, avais-je envie de lui dire.

« Qu'est-ce qu'elle faisait dans cet arbre ? demanda-t-il.

— Oh ! » Je mis ma moufle devant ma bouche. Je levai les yeux et croisai son regard, en essayant de sourire comme si je n'avais pas peur. Il faisait si sombre que je distinguais à peine son visage. Je n'avais jamais pu voir son visage. Ça n'avait pas d'importance.

« Ils s'appellent comment, déjà ? Elle va bien ?

— Je ne peux pas en parler ici », lui dis-je en regardant la maison par-dessus mon épaule.

Il m'examina un moment, puis éteignit sa cigarette dans la neige.

« Passe de ce côté-ci, alors. Ou bien fais le tour, dit-il en esquissant un petit cercle du doigt. Comme tu préfères. »

Je tremblais des pieds à la tête, mais je parvins à passer une jambe par-dessus la palissade sans problème. En levant l'autre jambe, le bord de mon manteau se prit dans un des poteaux et me fit tomber.

Je me dépêchai de me relever avant qu'il puisse m'aider, et m'époussetai pour lui montrer que j'allais bien.

Il toussa pour étouffer un rire. Il remua les pieds. Des mocassins dans la neige. Ce qui voulait dire qu'il se fichait des choses ordinaires, comme d'abîmer de bonnes chaussures ou de déchirer des manteaux, des choses dont moi je devais me préoccuper maintenant.

« J'aurais dû te dire de faire le tour, dit-il.

— C'est juste parce qu'il fait nuit. »

On resta là en silence sous les branches du pin où je m'étais cachée pour l'observer à peine un mois plus tôt. Il n'y avait plus de vitre pour nous séparer. Maintenant, je me trouvais à côté de lui. Il attendait quelque chose de moi. J'étais la seule à savoir ce qui s'était passé. Il s'éclaircit la gorge.

« Tu marches sur les roses de ma mère. »

Je baissai les yeux et sentis venir les larmes.

« Je te fais marcher, dit-il au bout d'un moment. Les roses sont à l'autre bout. »

Mais il ne souriait pas. Je ne savais pas trop quoi faire pour lui plaire. Il posa la main sur mon épaule et me secoua gentiment pour bien montrer qu'il blaguait. J'aurais voulu qu'il laisse sa main là, mais il l'enleva et la mit dans sa poche.

Je n'arrivais pas à croire qu'il m'avait touchée. Après tout ce temps, il m'avait touchée sans que j'aie à le toucher d'abord.

Le Noël avant la mort de mon grand-père, tante Portia avait fait un gâteau au chocolat ; quand elle m'avait vue essayer de lécher le sucre glace sur le rebord du plat, elle m'avait donné un petit coup de spatule sur la main en disant : « Il faut savoir attendre ! » J'avais peut-être attendu suffisamment longtemps. J'allais peut-être avoir ma récompense.

« Viens, on rentre, dit-il. Tout le monde est parti. Ils sont à Palm Springs. »

Il donna un coup de pied dans un gros paquet de neige, qui éclata en petits morceaux. Je n'arrivais pas à croire qu'ils l'avaient laissé tout seul dans cette grande maison. Ce n'était pas juste. Ce n'était pas bien.

« Si tu veux, lui dis-je.

— Tu sais qui je suis ? »

Je secouai la tête pour dire non.

« Alors tu ferais peut-être mieux de ne pas venir.

— Pourquoi ?

— Tu ne sais pas qui je suis. »

C'était peut-être le style des étudiants. Ils faisaient de l'humour. Ils s'attendaient à ce qu'on réponde de la même façon.

« Tu devrais me dire qui tu es, alors.

— Je m'appelle Lowe. »

Il était obligé de pencher un peu la tête en avant pour me parler.

Je n'avais rien à répondre. Susan ne suffisait pas. Susan en disait trop. J'avais l'impression d'avoir la voix coincée. Il était grand, tout mince. Je sentais l'odeur de cigarette, et derrière, une vague odeur de bière, de quelque chose de plus expérimenté.

Je le suivis dans la neige jusqu'à la porte du patio. Il ne dit pas un mot. Il n'y avait que le bruit de ses pas et des miens juste derrière, comme le faible écho d'une plus grosse voix. Quelque part, j'avais toujours espéré le rencontrer, et pourtant je n'arrivais pas à croire ce qui se passait. Il ouvrit la porte du patio. Je retins mon souffle, fermai les yeux et pénétrai dans la maison où j'avais toujours rêvé de me trouver.

Le salon était plus grand qu'il ne paraissait de l'extérieur, et s'étendait sur toute la largeur de la maison. Il y avait le canapé où j'avais observé Lowell en train de lire, la table ronde en acajou où sa tante s'était assise pour emballer les cadeaux de Noël, et aussi tellement de belles choses que je n'avais pas réussi à voir : des fauteuils moelleux, de teinte vieux rose, et un piano à queue près d'une fenêtre donnant sur la rue, qui semblait faire partie d'un autre univers. Tout était bien réel. J'imaginais Starkweather faisant les cent pas devant la fenêtre, montant la garde tandis que Caril Ann dormait. Je pouvais presque sentir l'odeur sucrée et écœurante du parfum qu'elle avait répandu pour couvrir l'odeur de mort. L'impression que j'avais toujours eue : elle se cachait dans les rideaux, les tapis. Je la sentais dans l'air. Une tristesse lente et noire, une culpabilité collective. On a vu le pire. Ces rideaux portent le sang de la femme qui les a accrochés. On a toujours su. On marche au bord du précipice.

J'avais peur de regarder Lowell, alors je me suis mise à regarder tout le reste. J'étais là. Il était là. Ce serait tellement facile de faire une erreur, de tout gâcher en le regardant trop longtemps, en disant un mot de travers, comme je semblais en avoir l'habitude. Il fallait jouer un petit jeu, aurait dit ma mère. Il fallait faire semblant de ne pas être intéressée. Moins on avait envie de lui, plus il avait envie de vous. Je savais bien que je ne serais jamais bonne à ce jeu.

D'un seul regard, il verrait immédiatement tout ce que j'attendais de lui.

« Alors, qu'est-ce qu'elle faisait dans cet arbre ? » demanda Lowell en passant la main dans ses cheveux courts. Il y avait de l'intensité dans ses yeux bleus. J'imaginais les larmes accrochées au bord de ces cils noirs et tristes ; je m'imaginais les essuyant en disant : *Ce n'est pas ta faute, ce n'est pas ta faute, Lowe.*

Je me rendis compte tout d'un coup que je l'avais déjà rencontré. Je l'avais aperçu dans le hall du Country Club l'été précédent ; il ajustait nerveusement sa cravate dans la glace. Il y avait de la gaucherie dans ses gestes, dans la façon dont ses doigts s'empêtraient dans le nœud, comme si le monde entier était en train de l'observer. Mais il n'y avait que moi, un magazine sur les genoux, attendant que mon père termine sa partie de golf, et observant la scène.

« Est-ce que je pourrais avoir quelque chose à boire ? » demandai-je. Je sentais le rouge me monter aux joues. Je baissai les yeux et regardai mes pieds. C'était tellement dur de croiser son regard.

« Bien sûr. »

Je levai les yeux. Il souriait, mais je n'arrivais pas à lui rendre son sourire. J'étais trop nerveuse. Je le suivis dans le hall où Mr. Bowman avait été tué. J'avais le cœur qui battait fort. Je cherchai une tache de sang près de la porte, un signe quelconque. Rien. Il me semblait que quelqu'un aurait dû faire quelque chose pour nous rappeler tout ce que ces gens avaient subi, mais je savais que Lowell, lui, n'oublierait jamais.

Dans la cuisine, un sandwich entamé traînait sur une assiette près du grille-pain. Il y avait des pots de mayonnaise et de moutarde, les couteaux encore plantés dedans, et des bouteilles vides de Coca et de bière un peu partout sur la paillasse. Je me demandais depuis combien de temps Lowell était seul dans la maison. Un vase de fleurs violettes à demi fanées était posé sur une table en bois dans un coin. Les pétales commençaient à noircir sur les bords. Certains étaient tombés sur le napperon blanc comme les feuilles d'un arbre mourant.

Lowell ne s'excusa pas pour le désordre. Il tira une chaise pour me faire asseoir et se dirigea vers le frigo. Je caressai la surface en bois de la table. Starkweather s'était peut-être assis à la même place pour découper des photos de lui, écrire des messages pleins de fautes d'orthographe à la police, mais maintenant tout était en désordre, ordinaire, décevant.

« Qu'est-ce que tu prends ? demanda Lowell.

— Qu'est-ce que tu as ?

— Lait, jus d'orange, Coca, bière.

— Une bière, s'il te plaît. »

Lowell hésita devant le frigo. Il jeta un œil par-dessus son épaule.

« Quel âge as-tu, d'abord ?

— Je suis assez vieille pour boire de l'alcool, dis-je en faisant semblant d'examiner l'ongle de mon pouce. Mais d'habitude je préfère le vin. »

Il haussa les épaules et décapsula les bouteilles avec la pointe d'un tire-bouchon, ce qui me parut être un signe d'expérience. Les étudiants devaient sans doute montrer de l'assurance en tout, qu'ils fassent une passe au foot, ou bien dégagent les cheveux sur le cou d'une fille. Moi, j'arrivais à peine à traverser une pièce devant une personne que je voulais impressionner. Lowell s'assit en face de moi et but une gorgée de bière. J'observais sa pomme d'Adam monter et descendre dans un petit mouvement animal. Il m'avait paru si vulnérable au Country Club, debout devant le miroir, gauche, mal à l'aise, comme je l'étais en permanence. Il fallait que je m'en souvienne. Je pouvais me raccrocher à ça. Comment les choses avaient-elles pu s'enclencher ainsi alors que quelques instants auparavant tout semblait désespéré ?

« J'étais sur le point de tenter quelque chose, dit-il, et puis elle s'est laissée tomber, et je t'ai vue l'aider à se relever. » Il triturait l'étiquette de la bouteille.

On resta assis en silence.

« Alors, tu vas me dire ce qui s'est passé ? » demanda-t-il au bout d'un moment. Il essayait de prendre un ton désinvolte, mais je voyais bien que c'était important, qu'il avait besoin de savoir. Il posa le coude sur la table, appuya le menton dans le creux de sa main et me regarda droit dans les yeux. Il ne fallait pas que je parle de la corde.

« J'étais venue déposer quelque chose, et je l'ai vue au moment où elle allait tomber. »

Je repris une gorgée de bière pour cacher ma rougeur. Elle me donna chaud, me mit un peu plus à l'aise.

« Tu ne serais pas copine avec leur fille, la rousse, par hasard ?

— Non, répondis-je. Pas vraiment. Juste au lycée.

— Comment tu t'appelles ?

— Bouchon.

— Ton *vrai* nom ?

— C'est mon vrai nom », lui dis-je en lui montrant mon nez. Je n'avais pas eu l'intention de faire remarquer mon nez. J'étais gênée, mais celui de Lowell n'était pas parfait non plus. Certains auraient pu le trouver trop gros. Je voulais l'embrasser. Je me préparai à avaler une autre gorgée de bière.

« Alors, tu es arrivée un beau jour, et ils ont jeté un œil sur ton nez, et ils se sont dit : "Bon sang, mais c'est bien sûr !", dit-il en abattant bruyamment sa bouteille sur la table pour marquer le coup. On l'appellera Bouchon !

— Peut-être, rétorquai-je. On voit que tu ne connais pas ma mère. »

Je regrettais déjà d'avoir parlé d'elle.

Lowell se leva, s'approcha de la fenêtre, les yeux fixés sur l'obscurité au-dehors. Le ciel était bleu électrique, un peu plus pâle à l'horizon, comme si la lune se levait à l'endroit où le soleil s'était couché. Est-ce qu'il pouvait voir l'arbre sous cet angle ? Est-ce qu'il était en train de préparer son sandwich quand il l'avait vue tomber ? Combien de temps était-il resté là à se demander ce qu'il allait faire ?

« Qu'est-ce qu'elle fabriquait là-haut, d'abord ? dit-il en se tournant vers moi.

— Je ne sais pas.

— Qu'est-ce qui lui a pris d'escalader cet arbre ? »

Je haussai les épaules.

« Ils étaient tous absents », dis-je, comme si c'était une explication suffisante.

Il revint à la table et s'affala sur sa chaise, les bras croisés.

« Tu comprends, toi, pourquoi une femme adulte voudrait faire une chose pareille ? Un gamin ferait ça. »

Mais je ne pouvais pas le laisser deviner que je savais qui il était, que je savais que Mrs. Lessing se sentait responsable de ce qui était arrivé. Je ne pouvais pas lui parler de la corde. L'équilibre était délicat.

Je voulais faire traîner l'histoire. Je voulais conserver son attention. Je voulais dire ce qu'il fallait.

« Elle est un peu excentrique, lui dis-je. Je me suis approchée pour essayer de la rattraper, mais je n'ai pas servi à grand-chose.

— Elle a sauté ?

— Non. Elle est tombée.

— Elle s'est fait mal ?

— Pas vraiment », répondis-je en secouant la tête.

La bière me donnait chaud, les mots venaient plus facilement. Par moments, je me sentais presque jolie. J'avais toutes les réponses dont Lowell avait besoin, et il me garderait là aussi longtemps que je ne les lui donnerais pas toutes en même temps. Mais peut-être qu'il ne voulait pas être seul lui non plus.

« Alors tu l'as aidée à rentrer dans la maison ? Tu es restée un bon bout de temps », reprit-il.

La pensée que Lowell avait attendu que je ressorte fit courir des frissons le long de ma colonne vertébrale. Je sentais mon cœur tout léger, plein d'air, prêt à éclater.

« Je suis restée assise près de son lit en lui tenant la main, lui dis-je. Je lui ai raconté des histoires amusantes pour la réconforter. J'ai attendu que son mari et ses enfants reviennent.

— Quelles histoires ?

— Des histoires un peu gênantes. »

Je le regardai finir sa bière.

« Une fois, quand j'étais plus jeune, j'ai dû aller à ce cours de danse, mais je me suis retrouvée seule avec le prof, lui dis-je. Il avait au moins quarante ans. Il avait un poisson bleu appelé Fred Astaire. Il m'a appris la rumba. Tu sais danser la rumba ? »

Lowell secoua la tête. Il avait l'air de trouver ça drôle.

« Quand on a fait le cha-cha-cha, il m'a donné une fleur à mettre entre les dents, comme une danseuse espagnole. Je me suis laissé entraîner par la musique et je l'ai embrassé dans le cou. »

Lowell éclata de rire.

« C'est plutôt rigolo, comme tableau. Comment as-tu réussi à l'embrasser dans le cou si tu avais une fleur entre les dents ?

— Je l'ai laissée tomber par terre.

— Et après ?

— Je ne me souviens plus. Il a ramassé la fleur pour me la rendre. Et on a continué à danser comme si rien ne s'était passé.

— Je ne te crois pas. »

Je sentis le rouge me monter aux joues.

« Ça ne valait pas la peine de s'en souvenir. Je crois que je suis rentrée chez moi.

— Tu lui as raconté cette histoire ?

— Non, pas exactement. Mais c'est une artiste. Les artistes font tout le temps des choses bizarres.

— Tu es une artiste, toi ?

— Je ne sais pas encore.

— Ouais, tu es trop jeune pour savoir… Moi, je gribouille. J'aime bien collectionner des trucs.

— Quoi, par exemple ?

— Des objets, dit-il. Les Indiens faisaient du commerce depuis la Californie jusqu'en Floride. Quelqu'un a découvert une *kachina* des Indiens Pueblos dans les Everglades. Dans le Montana, il y a une falaise où les Nez-Percés chassaient le bison, et en bas, dans les herbes, il y a le squelette d'un torse où le vent siffle. Si on regarde bien, on peut encore trouver des lances, des perles, des pointes de flèches. »

Je l'imaginais à l'ombre d'une falaise sous le soleil brûlant, tamisant avec précaution la poussière entre ses doigts effilés. C'était ça, Lowell. Voilà ce qui l'intéressait. J'aurais voulu me glisser sous sa peau. J'aurais voulu tout savoir sur lui.

« Tu as beaucoup voyagé ? demandai-je.

— Non. »

Il recula sa chaise et se dirigea vers le frigo.

« Je peux avoir une autre bière ?

— Tu viens d'entrer au lycée, hein ?

— Et alors ?

— Alors tu n'es pas censée boire de l'alcool », dit-il avec un sourire sarcastique. Mais il apporta tout de même une autre bière et la posa devant moi.

« Ne finis pas la bouteille, c'est tout », dit-il.

Je bus une gorgée.

« Je la taquinais quand elle était petite.

— Qui ?

— La fille d'à côté. Je m'en veux maintenant. Je suis rentré tard du base-ball un soir, et elle dormait dans une sorte de chaise longue devant la maison ; il y avait une drôle de petite veilleuse bleue accrochée dessus. Je me rappelle son visage ; il était d'une couleur bleue bizarre et elle suçait son pouce. Je ne sais pas pourquoi, mais j'ai attrapé la chaise longue et je me suis mis à courir au milieu de la rue en la poussant devant moi. Elle s'est réveillée en hurlant et en pleurant. Je m'en suis voulu, et je l'ai ramenée chez elle. J'avais douze ans, et donc elle devait en avoir…

— Huit, lui dis-je.

— Quoi ? Comment tu le sais ?

— J'ai deviné.

— Ma mère m'a juste dit de ne pas recommencer. »

Il se leva et se dirigea vers l'évier.

« On m'a toujours laissé faire tout ce que je voulais, je ne sais pas pourquoi. »

Je levai les yeux vers lui, mais il regardait par la fenêtre. La lumière au-dessus de la paillasse jetait une lueur chaude sur ses épaules. Il passa la main dans ses cheveux. Je voyais qu'il réfléchissait.

« Je n'ai rien de spécial, reprit-il. Je ne retourne pas à l'université.

— Comment ça se fait ?

— Tout le monde… En fait, je ne suis pas… laisse tomber, dit-il en secouant la tête.

— Tu vas rester ici ?

— Ils croient que je suis déjà reparti à la fac.

— Où iras-tu ?

— En Égypte, peut-être. Les pyramides. La Vallée des Rois. J'ai envie de traverser le désert en chameau. »

Il revint à la table et resta debout près de moi à me regarder.

« Hé, viens avec moi. Je vais te faire visiter le reste de la maison. »

Il prit ma main. J'eus comme un étourdissement en me levant. J'avais la tête vide. Tout était brillant, net, une tranche de lumière dans un jour sans soleil. Je laissai la bière à moitié bue sur la table et le suivis dans la salle à manger. Le lustre en cristal me fit un clin d'œil. On passa dans le hall.

« Tu sais ce qui est arrivé ? demanda-t-il.

— Non. Qu'est-ce qui est arrivé ?

— Laisse tomber », dit-il en m'entraînant dans l'escalier.

C'était une chambre de petit garçon. Rien n'avait changé. La plaque en laiton de la porte s'était ternie, mais j'arrivais encore à lire son nom. Je pris le petit marteau entre le pouce et l'index et frappai une fois, deux fois, trois fois. Lowell colla l'oreille contre la porte.

« Il y a quelqu'un ? » dit-il.

Puis il me poussa à l'intérieur.

La chambre donnait sur la rue ; de la fenêtre, Caril Ann avait vu la Packard de Mr. Bowman s'engager dans l'allée. Qu'est-ce qu'elle avait ressenti, accroupie là dans le noir à attendre ? De la peur ? Était-ce la même angoisse, le même besoin ? Est-ce que j'étais si différente d'elle ? Les mêmes soldats de plomb avaient observé la scène depuis la vitrine. Le même trophée – Jeunes golfeurs, 1955 – se trouvait sur l'étagère au moment où des gens perdaient la vie.

Lowell s'assit sur le lit et se pencha en avant, les coudes sur les genoux. Je m'assis moi aussi. Il y avait un grand espace entre nous. On resta silencieux un moment. On regardait tous les deux par terre. Le tapis était vert foncé. Je regrettais de n'avoir pas emporté ma bière, pour m'occuper la bouche, les mains. Tout mon corps réclamait quelque chose de plus.

« J'ai cru un instant que tu voulais m'emmener en Égypte.

— C'est ta faute, dit-il en bâillant. Tu n'as pas pris ton passeport.

— Ah ! »

Il pencha la tête en arrière, les yeux fixés au plafond.

« Voilà ma chambre, dit-il. L'endroit précis où je m'allonge pour échafauder mes brillantes pensées philosophiques.

— Lesquelles ?

— Je ne peux pas t'expliquer. Ce serait du chinois pour toi, Porcinette.

— Arrête, dis-je en pouffant de rire.

« — J'aimerais bien me gâcher la vie dans une fumerie d'opium. J'aimerais bien écrire une lettre à ma tante sur un canapé en velours et la signer d'une bouffée de fumée. »

Il tendit les lèvres comme pour faire des ronds de fumée et appuya la tête contre le mur.

« Je ne veux plus jamais aller à la messe. Je veux devenir gros, mais je n'arrive pas à grossir. J'ai essayé. J'ai mangé neuf morceaux de poulet frit en une seule fois. Ça ne marche pas.

— Tu aimes les grosses ?

— Non.

— Alors qu'est-ce qui te fait croire que tu plairais aux filles si tu étais gros ?

— Je ne leur plais pas de toute façon. On s'en fout. »

J'avais envie de lui dire : *Tu me plais, à moi.* Pourquoi ne s'en rendait-il pas compte ? Peut-être qu'il s'en fichait.

« Ton lit est tout petit. Comment tu tiens dedans ? demandai-je.

— J'ai dit que je voulais grossir, pas que j'étais gros », dit-il en me donnant une petite tape sur l'épaule.

Il se leva pour aller à la fenêtre, puis se mit à faire les cent pas.

« Il faut que je bouge, dit-il.

— Pourquoi ?

— Je ne sais pas. J'ai une sensation bizarre dans les jambes. »

Je le suivis dans le couloir où sa mère avait essayé de se défendre. Mon cœur s'accéléra. Mes pensées se bousculèrent. Starkweather avait dit qu'elle avait tiré une balle, mais personne n'avait réussi à découvrir l'impact. *Est-ce que c'était ici ? Ou bien là ? Personne*

ne connaissait les réponses. Personne n'en savait rien.
La vérité était ensevelie sous plusieurs couches de terre.

Il m'entraîna dans la chambre de ses parents. La porte entrouverte laissait passer la lumière, et j'aperçus une tête de lit dorée, une table de chevet, une lampe. Et des petites taches rouges miroitant dans l'air.

Mes mains frissonnèrent. La lumière se mit à trembler. Bleue, comme le flash d'un appareil photo. Une ampoule grillée. L'obscurité dessinait des motifs. Il essaya une autre lampe, et tout prit forme brusquement.

Dans le coin, près d'une penderie, la robe était tendue sur un mannequin, avec un ruban marqué REINE DU ROTARY en travers de la poitrine. On l'avait vue à la jumelle, Cora et moi, mais elle était encore plus belle de près. Les paillettes étaient rouges, orange. Une seule personne aurait pu passer une vie entière à les coudre sur le tissu. C'est la robe d'une femme qui monte sur scène et chante d'une voix sensuelle, me dis-je. Pour un homme, ce serait irrésistible. Il apparaîtrait derrière un rideau pour embrasser son épaule dénudée.

Lowell s'affala sur le lit, les bras repliés derrière la tête, et croisa les jambes.

« C'est la robe de bal de ma tante ; son costume de reine du Rotary Club. Elle ne veut laisser personne oublier. Elle ne veut laisser personne oublier quoi que ce soit. Mais en même temps, elle fait semblant de ne rien voir.

— Qu'est-ce que tu veux dire ? »

Il inspira profondément, puis expira lentement. Il semblait sur le point de me répondre.

Je ne savais pas si j'aurais dû lui demander de m'en dire plus. Je ne savais pas non plus si je devais aller m'allonger à côté de lui, lui prendre la main et lui dire que j'étais prête à l'écouter, quelle que soit son histoire. Je n'étais pas très sûre de vouloir qu'il me raconte tout, là, tout de suite, qu'il me parle de ce que je connaissais déjà trop. Comment aurais-je pu feindre la surprise ?

« Je ne me plains pas », dit-il en haussant les épaules.

Je n'étais pas le genre de personne capable de le consoler, de lui parler du hasard, de la façon dont l'univers pouvait s'écrouler. Mais je ressentais la même chose que lui. Simplement, mes raisons n'étaient pas aussi fortes que les siennes. Les gens avaient choisi de ne pas m'aimer. Pour Lowell, ce n'était pas une question de choix.

Je me sentais prête à éclater d'un rire nerveux. Ma tête tournait. Je m'approchai et baissai une bretelle de la robe sur l'épaule du mannequin. Les paillettes étaient fraîches au toucher, comme des petits morceaux de lumière brillants.

« Très joli », dit-il.

Je pouffai de rire.

« Tu peux l'essayer. »

Je me retournai pour le regarder.

Il sourit, hocha la tête.

« Elle n'irait pas. Je suis trop…

— Mais non, dit-il.

— Je suis trop petite.

— Et alors ? »

Il se redressa et me fit un grand sourire. L'idée semblait lui plaire.

« Je crois que tu devrais l'essayer. »

Il sauta du lit, défit la fermeture Éclair et ôta la robe du mannequin. *Un corps en mouvement entouré de perles. Un rideau gitan.*

« Tiens, dit-il en me tendant la robe. Ouvre la porte de la penderie et cache-toi derrière. Je ne regarderai pas, je te promets. Enlève juste ce foutu ruban. »

Il s'était pris au jeu. Il était très excité.

J'étais excitée, moi aussi, mais si la robe n'allait pas ? Aucun garçon n'avait jamais vu mes épaules, sauf à la piscine, mais là-bas, personne ne faisait attention. Et si mes épaules n'étaient pas jolies ? Et si mon ventre ressortait ?

« J'attends », dit-il en se rallongeant sur le lit.

J'ouvris la penderie et me glissai derrière la porte. Il y avait un grand miroir de l'autre côté. Je n'étais pas complètement cachée.

« Ferme les yeux.

— O.K. », dit Lowell en obéissant.

Je déboutonnai gauchement mon chemisier et laissai tomber le coton froid par terre. J'étais debout devant le miroir, en soutien-gorge, avec ma jupe, mes collants, mes bottes. Il n'y avait presque rien entre nous, une moitié de porte, pas de murs ni de fenêtres. Ma poitrine semblait prise dans un étau. De quoi avais-je tellement peur ? C'est ce que j'avais toujours voulu, non ? Me retrouver seule avec lui dans cette chambre, être l'objet de toute l'attention dont il était capable. C'était à moi de décider.

En me penchant pour enlever mes bottes, je jetai un coup d'œil derrière la porte. Son regard croisa le mien un bref instant.

« Ne regarde pas, lui dis-je.

— Je ne regarde pas », répondit-il en refermant les yeux.

Je défis mon soutien-gorge et le laissai tomber par terre. L'air froid me chatouilla la peau. J'eus la chair de poule. J'avais une sensation étrange au bout des seins, comme s'ils étaient vivants, presque douloureux.

J'enlevai mes collants en trébuchant. J'avais les pieds humides et je les frottai sur le tapis. Je laissai tomber ma jupe en tas et restai là un instant en petite culotte, la peau hérissée de froid. Ma culotte était blanche, informe et laide, mais j'avais l'impression que mes hanches avaient changé, qu'elles s'étaient arrondies, en s'affinant doucement vers la taille. J'avais une taille, des seins, une jolie courbe d'épaule. Mais malgré tout, la robe n'irait pas. Mes cuisses étaient trop grosses. Mon ventre n'était pas assez plat. Toute cette couleur sur cette peau blanchâtre. Mais quelle idée ! Le sang se mit à battre dans mes oreilles. Je ne vérifiai pas qu'il continuait à fermer les yeux. Je ne voulais pas voir sa déception. Mes doigts tremblaient. Mes jambes allaient se dérober sous moi. Je n'étais pas prête. Pendant un instant, je fermai les yeux en souhaitant me retrouver ailleurs, n'importe où.

« Tu en mets du temps ! » dit-il.

Je ne répondis pas. Je pris la robe et l'enfilai. Le tissu glissa le long de mes jambes, de mes hanches. Les paillettes scintillaient comme un millier d'allumettes enflammées, me chatouillaient comme un millier de doigts. Je passai les bras dans les bretelles. Le tissu était froid contre ma peau. Je remontai la fermeture Éclair dans le dos. La robe m'allait comme une seconde peau toute fraîche. Mon corps prit forme, et je devins un mystère. J'avais une voix sensuelle. Oui, les bretelles étaient trop lâches. Des centimètres de tissu à paillettes me tombaient sur les pieds. Mais jamais mon corps n'avait eu autant d'assurance. Je relevai mes cheveux et me tournai pour faire face au miroir. Je jetai un œil par-dessus mon épaule. Le dos était très échancré. À gauche de ma colonne vertébrale, il y avait un grain de beauté que je n'avais jamais remarqué.

« Montre-moi, dit Lowell.

— Elle est trop longue. Il me faudrait des chaussures. »

Je me mis à fouiller sur le sol de la penderie. Dans une boîte à chaussures blanche, je découvris une paire d'escarpins en satin rouge et les enfilai. Elles battaient un peu au talon, mais elles étaient presque à ma taille. Les bouts étaient pointus, comme de petites truelles. J'arrivais à marcher.

« Reviens par ici, dit-il.

— Cache-toi les yeux. »

Je soulevai la robe trop longue et sortis de derrière la porte en m'avançant lentement vers lui. Les paillettes faisaient du bruit contre ma jambe, comme la pluie qui tombe. Lowell avait les mains sur les yeux.

« Bon, tu peux regarder », lui dis-je.

Il écarta les doigts pour jeter un coup d'œil, puis enleva lentement sa main comme s'il dévoilait un trésor magnifique. Il se redressa en levant les sourcils et hocha la tête.

« Elle te va plutôt bien. »

Mais je sentais bien qu'il voulait en dire plus. Quelque chose avait changé dans son visage. Il me découvrait sous un nouvel angle, sous un angle que personne n'avait jamais vu. Personne ne m'avait jamais vue comme ça.

« Vraiment, tu trouves ? » demandai-je. La bretelle avait glissé de mon épaule.

« Vraiment. »

Je rajustai la bretelle.

J'avais le tournis. La lumière était douce. Magnifique et indécise. Quand j'avais observé la pièce, accroupie à la fenêtre de Cora, j'avais eu l'impression d'un écrin, dans lequel la robe était soigneusement rangée comme un bijou. C'était un rêve que je ne parviendrais jamais à atteindre. Les belles robes n'iraient pas. On ne courait pas assez vite. On se trompait complètement. Mais maintenant, je me trouvais à l'intérieur. Je tenais le bijou dans mes mains. Tout ce que j'avais désiré se précipitait vers moi. Ma vie entière me propulsait en avant. Je voyais sur des kilomètres. Je voyais sur des années. J'allais devenir une femme. Il aurait toujours envie de moi.

« Tu es jolie. »

Il s'adossa à la tête de lit dorée pour m'examiner.

« Et tu ne le sais même pas. »

Je l'imaginais en veste d'intérieur, avec des pantoufles en velours. Le prince d'un royaume déchu.

Je ne pus m'empêcher de lui faire un large sourire.

« C'est la robe. Je viens de devenir jolie.

— Je sais. Comme une fleur, dit-il en fronçant les sourcils. Je t'ai vue pousser.

— Pourquoi fronces-tu les sourcils ? demandai-je avec insistance.

— Les choses qui poussent ne durent pas », dit-il en souriant.

J'allai à la fenêtre et m'appuyai sur le rebord pour regarder la nuit. Cora avait allumé sa lampe-tortue, mais je ne la voyais nulle part. J'étais un carré de lumière suspendu dans l'obscurité. *Est-ce que tu es en train de me regarder ?* Je posai les lèvres sur la fenêtre pour embrasser la vitre. *Est-ce que tu me vois ?* Sur la margelle du bassin en pierre dans le jardin, l'ange soufflait dans sa trompette. Les tueurs prirent la fuite. Sous la surface gelée, je voyais s'agiter les reflets brillants des poissons rouges. Je les devinais, rapides et lisses. Des décharges dans la nuit. Comme moi.

Lowell arriva derrière moi, me prit la main et m'écarta de la fenêtre. Mon cœur bondit.

« Dansons, dit-il.

— Il n'y a pas de musique.

— Et alors ? »

Il me fit tourner dans un petit cercle. Je me pris les pieds dans l'ourlet de la robe, mon pied se déchaussa, et je m'affalai à la renverse contre le lit.

Il mit un genou à terre, passa la main sous le lit et se redressa, tenant la chaussure. Je la pris et la serrai contre ma poitrine.

« Je crois que tu ne sais pas danser le cha-cha-cha. »

J'éclatai de rire et jetai la chaussure à travers la pièce. Elle alla heurter la porte de la penderie et tomba par terre. J'avais l'impression que mon corps était raide, bizarre. Maladroit. J'étais allongée sur le lit et Lowell s'allongea à côté de moi. La lampe jetait une flaque douce au plafond. L'abat-jour était énorme, une ombre obscure, une aile de chauve-souris. J'entendais Lowell respirer.

Il me prit par l'épaule et me força à me tourner sur le côté. Les paillettes s'accrochèrent dans le couvre-lit, tirant des fils, puis elles se défirent, et s'éparpillèrent comme de petites gouttes de sang.

« Regarde ! lui dis-je.

— On s'en fiche. »

J'étais allongée là à le regarder, n'osant pas respirer. Ses yeux scintillaient, mais son visage était grave.

« Je l'ai déjà vue escalader l'arbre.

— Quoi ?

— Mrs. Lessing, dit-il en posant son doigt sur le bout de mon nez. Toi, tu sais. Dis-moi pourquoi. Qu'est-ce qu'elle faisait ? »

Je ne savais pas quoi dire. J'avais l'impression que ma voix était coincée. Mon cœur cognait contre mes os.

Il me prit par la taille et me souleva contre lui. Une rangée de paillettes scintillait à l'endroit où je m'étais allongée. Il y en avait une dans le pli de son col, un petit secret, mon petit secret. Un endroit que j'avais touché. Je sentais une odeur d'amidon, de bière, un souffle de cigarette. Quelque chose d'autre, comme le soleil tombant sur la peau, une douce transpiration. Il rassembla mes cheveux et les rejeta par-dessus mon épaule.

Je pris la résolution de ne jamais les couper.

« Raconte-moi », dit-il.

Quelque chose de magique, une bouffée de fumée, et je sentais toutes les parties de son corps venir à ma rencontre.

Je me penchai pour m'approcher de son oreille. Je remuai mon corps contre le sien.

« Elle avait une corde dans la poche, lui dis-je à voix basse. Elle avait une *corde*. »

Il frissonna. Je sentais la moindre parcelle de son corps contre le mien, sa colonne vertébrale, son cœur. Il agita le bout des doigts. Sa pomme d'Adam montait et descendait dans un mouvement désespéré. Il passa ses bras autour de moi et me serra contre sa poitrine. J'entendais le sang battre dans des veines trop étroites.

« Elle voulait s'en servir ? demanda-t-il.

— Je ne sais pas. »

Il plongea le nez dans mes cheveux et respira rapidement.

« Ah ! »

Il se radossa contre les oreillers. Ses yeux étaient fermés. Il semblait être parti très loin. Je posai la joue contre sa poitrine.

« J'entends ton cœur, lui dis-je. Tu entends le mien ? »

Il ouvrit les yeux et me regarda.

« Non. Qu'est-ce qu'il raconte ? »

Je l'embrassai sur l'oreille. Il bougea sous moi. Il glissa sa langue le long de mon cou, et ma peau se réveilla. Son souffle était court et chaud. Je sentis mon corps s'ouvrir. Les paillettes scintillaient. Des poings écrasaient le tissu. Je regardai à l'intérieur de moi, et je le vis. Dans cet univers gigantesque, on avait réussi je ne sais comment à nous retrouver l'un dans l'autre, et pourtant, ce n'était pas assez.

Il se souleva, s'écarta et s'allongea à côté de moi.

« Je ne ferai rien si tu ne veux pas que je le fasse », dit-il.

Je ne savais pas ce que je voulais qu'il fasse. Il y avait des paillettes rouges éparpillées partout comme les perles d'un collier cassé. Tout s'était défait. Je jetai un coup d'œil sur la robe. Elle était intacte. Je rajustai les bretelles sur mes épaules. Lowell soupira et se retourna.

« Je ne veux pas que tu t'en ailles, dit-il. Mais on va rester allongés là. Je suis fatigué.

— C'est ce que je veux, lui dis-je. Juste rester allongée. »

Il me caressa l'épaule du bout du doigt et ferma les yeux.

Je regardais sa poitrine se soulever. Je touchai ses cheveux. Il ne bougea pas.

« Lowe », murmurai-je en remuant à peine les lèvres. Il ne m'entendit pas.

« J'ai toujours su que ça arriverait. J'ai attendu toute ma vie. »

Je vis les traits anguleux de son visage laisser place à quelque chose de plus doux. Je ne songeais pas à Mrs. Lessing ni à mon père, seul, arpentant les couloirs de la maison de son père en tapotant sa montre, attendant que sa famille revienne, prenant son propre reflet pour celui de la femme qu'il aimait. Je n'imaginais pas tout ce qu'il aurait à dire. Je ne voulais pas rentrer. Je voulais rester ici pour toujours. Les paupières de Lowell remuèrent. Il rêvait de moi, de toutes les choses qui restaient à faire. La nuit s'assombrit, devint plus profonde, et je restai allongée là en me demandant s'il m'avait entendue.

Chapitre 22

1976

J'ai appris que l'amour ne dure pas, mais que ce qu'on fait pendant qu'il est là ne s'efface jamais. Comme un bébé qu'on n'a jamais voulu avoir, comme celui que Leerae allait avoir dans le Secteur A. Son homme avait filé en apprenant qu'elle était enceinte, la forçant à devenir une voleuse. Tout comme Charlie m'avait forcée à faire tout ce qu'on avait fait. Il m'avait emmenée manger un steak dans sa vieille Ford cabossée, et je n'étais jamais revenue. Année après année, je me repasse ces images : la Chevrolet avec le livre de maths de cette fille laissé ouvert sur le siège arrière, comme une grande promesse. La belle Packard. Les lumières des voitures de police éclairant par intermittence tous les visages. Le sang noir de ma mère, Betty Sue, la photo de ce garçon que la dame m'avait montrée en pleurant. Je revois encore tout, même si ce n'est plus aussi clair. Même les choses importantes qui vous transforment disparaissent avec le temps. Comment expliquer ce qui m'était arrivé ? J'étais une gamine. Il a commencé à tirer.

Charlie a été condamné à mort, ce qui n'était pas une surprise, mais moi j'ai eu la perpétuité, alors que j'aurais dû être acquittée. Je n'étais sans doute pas un modèle de fille. Je ne suivais peut-être pas toujours les consignes. Je n'aurais sans doute jamais dû laisser Charlie entrer par la fenêtre de ma chambre cette nuit-là, mais on ne met pas les gens en prison pour ça. Après l'arrivée du shérif, on nous a mis dans le même sac, Charlie et moi. On a passé la nuit dans deux prisons différentes à Valentine, et je n'arrivais pas à dormir en me disant que c'était bien triste de se retrouver coincée dans un endroit appelé comme ça. J'ai dessiné un cœur sur le mur froid de la cellule, en pensant à la Saint-Valentin qui n'était pas si loin, et au fait que personne ne m'avait jamais envoyé de carte. Depuis non plus, d'ailleurs. Les gens me détestaient. Ils croyaient que c'était moi qui avais poussé Charlie. J'ai dit que non, tellement de fois que j'ai fini par laisser tomber.

Au lever du soleil, on nous a emmenés dans des voitures séparées, ce qui m'allait très bien. Je ne voulais plus jamais revoir Charlie. En fait, je ne voulais plus voir grand-chose. La police nous a ramenés à Lincoln. Le shérif Meek a dit que le monde entier attendait que justice soit faite. Mais je savais bien qu'il ne parlait pas de me rendre justice à moi. Ils m'avaient enlevé les menottes et avaient installé une vieille peau grisonnante près de moi sur le siège arrière avec son tricot. Au bout d'un moment, elle l'avait mis de côté et m'avait demandé si je voulais lui raconter ce qui était arrivé.

« Je veux raconter à ma mère ce qui est arrivé », lui ai-je dit. Je ne sais pas pourquoi ; je suppose que je pensais vraiment qu'il y avait une petite chance que j'aie tout imaginé.

« Je regrette, mais c'est impossible, a dit la vieille dame, plutôt gentiment.

— Pourquoi ça ? Elle n'est pas au courant ? »

La dame m'a jeté un drôle de regard et a remonté ses lunettes sur son nez.

« Tu ne sais pas que ta mère est morte, Caril ? a-t-elle dit.

— Comment ça, morte ?

— Elle a été tuée.

— Elle a été tuée ? »

Je sentais que j'allais me mettre à pleurer.

« Qui l'a tuée ?

— Tu le sais bien, Caril, n'est-ce pas ? Tu étais là, non ? »

J'ai secoué la tête et j'ai mis mes mains sur mon visage pour cacher mes larmes en laissant échapper un gros sanglot.

« Où est Nig ?

— Qui est Nig ?

— Nig… »

Je n'avais pas rêvé. Je n'avais pas rêvé et on ne pouvait pas revenir en arrière.

« Je ne sais pas, je ne sais pas. J'ai été kidnappée. »

J'ai répété la phrase tellement de fois que c'est devenu vrai.

La dame m'a tendu une boîte de Kleenex. Un peu plus tard, je me suis mise à faire des petites poupées avec les mouchoirs en papier pour passer le temps. Au bout d'un moment, la voiture où était Charlie est arrivée à notre hauteur pour que les policiers puissent discuter, et Charlie était là, sur le siège arrière, le regard méchant. Ses cheveux étaient n'importe comment, et il avait une tache sur la joue. Il essayait de me crier quelque chose à travers la vitre, et je lui ai montré une de mes petites poupées. Je l'ai prise entre le pouce et le doigt du milieu et je l'ai secouée devant Charlie. Puis je lui ai tordu le cou pour que Charlie comprenne que ça ne me ferait rien de le perdre.

Mais la vieille peau a dit au tribunal que ce que j'avais fait de la poupée « trahissait un naturel violent ». Elle a dit que selon elle, il était impossible que je ne sache pas que ma mère avait été tuée. Soit je simulais, soit j'étais sous le choc. *Oui, j'étais sous le choc. J'étais sous le choc. En permanence.*

Mr. Scheele était assis sur une chaise en plastique, ses lunettes glissant sur son nez, tâchant de reconstituer les événements. Il ne voulait pas me laisser oublier, alors que je lui avais dit que je n'avais rien à voir avec tout ça. « Êtes-vous sûre que les choses se sont déroulées de cette façon, miss Fugate ? » Au début, j'avais l'impression d'être quelqu'un d'important, en entendant un homme adulte m'appeler par mon nom de famille, comme si quelqu'un allait enfin écouter ma version des choses. Mais au bout d'un moment, j'ai compris qu'il n'était pas de mon côté. Il espérait que si je répétais l'histoire plusieurs fois, je me couperais et finirais par dire que tout était de ma faute. Je craquerais et je me mettrais à hurler : *Oui, je vous ai dit un million de fois comment ça s'est passé !* Et lui, il dirait : *Et voilà ! C'est bien ce que je pensais. Un naturel violent.*

Il me semble que vous avez eu ample occasion de faire un choix, miss Fugate. Vous avez passé une journée entière chez vous en compagnie de Charles avant que la police n'arrive, et vous dites qu'il s'est rendu plus d'une fois à l'épicerie pour acheter des provisions – des chips. Pourquoi n'avez-vous pas prévenu la police à ce moment-là, puisque vous aviez tellement envie de vous échapper ?

J'avais trop peur de sa réaction.

Et lorsque vous êtes entrée par effraction dans la cuisine de Mr. Lancaster peu après minuit la nuit de votre arrestation, pourquoi ne lui avez-vous pas dit qui vous étiez en lui demandant d'appeler immédiatement la police ?

Je croyais qu'il saurait qui j'étais. Je lui parlais avec mes yeux.

Que voulez-vous dire ?

Mais il n'y avait aucun moyen de lui montrer, parce que je ne pouvais pas lever les yeux du sol. Je ne lui ai rien dit de plus. Ce n'est pas le genre de chose qu'on peut expliquer, comment on peut aimer et aimer jusqu'à ce qu'on se retrouve enfermés dans la même peau et qu'on soit forcé d'avaler la même chose et de respirer le même air glacial, parce qu'il vous a choisie, et que vous l'avez choisi. Et petit à petit, ses choix à lui vous empêchent de choisir, vous, jusqu'à ce qu'on se retrouve embarquée avant même de comprendre qu'on aurait pu faire un choix.

C'est la gardienne Carmichael qui a fait mon admission. Elle avait la taille d'un camion.
Les nouvelles détenues sont autorisées à conserver les objets suivants :
Une alliance. Ça c'est sûr, j'en avais pas.
Une montre. Non, pas la peine de savoir l'heure

Une médaille religieuse du commerce. Je ne savais pas ce que c'était, mais j'étais bien sûre de ne pas en avoir.

Une bible. Non.

Des lettres. Personne ne m'avait jamais écrit quoi que ce soit. Qui m'aurait écrit ?

Deux photos.

J'avais donné les photos de moi et Charlie, et j'avais en tête la photo que la dame m'avait montrée dans la chambre, celle de son fils et du chien et de son mari. Tout était tellement parfait, tout le monde souriait sur la photo, et un moment après, tout était fichu, gâché, la dame tuée, le cou du chien cassé, le mari descendu près de la porte en appelant sa femme, et je ne savais pas du tout ce qui était arrivé au fils. Elle m'avait dit qu'il avait mon âge. Peut-être qu'il n'était pas si différent de moi, maintenant qu'il n'avait plus personne et plus rien, même pas le chien.

Pendant un an, je suis restée à l'isolement. C'était une petite pièce aux murs gris où d'autres filles avaient laissé des graffitis. Il y avait une grosse porte avec une fenêtre en losange juste assez grande pour un visage, et un trou pour glisser mon repas, comme si on m'avait enfermée dans une boîte aux lettres. J'avais ma propre fenêtre avec des barreaux, pour regarder la pelouse et le grillage avec les fils électriques au-dessus. Ils me laissaient garder la fenêtre ouverte, ce qui me plaisait bien. Je ne savais jamais quelle heure il était, mais je pouvais estimer d'après la lumière du soleil et la cloche qui disait aux détenues qui avaient des choix ce qu'elles devaient faire. Il y avait le petit déjeuner, le déjeuner et le dîner. La nuit, j'étais allongée et je me demandais ce que ça faisait d'être dehors. Mais je n'arrivais pas à me rappeler la fille que j'étais avant Charlie. Je restais là, allongée, en imaginant comment les choses auraient pu tourner autrement, jusqu'à ce que je devienne folle. J'entendais les criquets dans l'herbe de la plaine et je regardais la lune par la fenêtre ; j'avais l'impression qu'elle éclairait toutes les empreintes qu'on avait laissées, Charlie et moi. Je voyais des avenirs qui n'existaient plus.

Tu vois ce garçon qui fait cette passe ? Ç'aurait pu être mon fils !

Tu vois ma petite-fille qui tient une chips et qui fait ses premiers pas dans la cuisine ? Il n'y en aura pas d'autres !

Betty Sue, qui n'en fait qu'à sa tête, fréquentant des voyous au champ de courses.

Je dessinais la robe de mariée dans mon cahier au lieu d'écouter, mais qu'est-ce que j'avais à faire de la géométrie puisque j'allais épouser Bob ?

Croyez-vous que mon mari savait que j'étais déjà morte quand il a prononcé mon nom ? Est-ce qu'il avait encore un espoir ?

Et j'avais envie de dire : Ce n'est pas à moi qu'il faut demander, madame. Je ne l'ai pas tué. J'essayais de réparer le cou du chien pour que votre fils n'ait pas tout perdu. Mais je n'arrivais pas à parler. Ma gorge était rouge et s'était refermée à force d'avoir voulu expliquer.

Le seul qui pouvait expliquer comme il faut, c'était Charlie, et il était sur le point de se faire électrocuter. Il ne parlerait pas. J'avais supplié qu'on me laisse le voir une dernière fois, alors que j'avais cru que je ne voudrais plus jamais le revoir. Je me disais que s'il me voyait, il aurait peut-être des regrets et dirait que rien n'était de ma faute. Mais Charlie ne voulait pas me voir, et le président Eisenhower s'en fichait. Peut-être qu'il n'avait même pas lu la lettre que je lui avais envoyée. Ou peut-être qu'elle n'était jamais partie. Ou peut-être qu'elle était pleine de fautes d'orthographe et qu'il ne comprenait rien, et que personne ne s'était donné la peine de me le dire.

J'ai attendu toute la journée que Charlie obtienne un report d'exécution. Mais ce n'était pas seulement à cause de ses aveux. Je pensais à ses mains qui me touchaient partout, à ses doigts, au visage que j'avais toujours connu. Je ne pouvais même pas dessiner, ni manger mon repas, ni fermer les yeux, tellement je jouais gros.

Après l'extinction des feux, j'étais allongée dans le noir, attendant que quelqu'un vienne me dire que Charlie avait parlé. Ce n'était pas impossible. Des gens disaient qu'il aimait Dieu, maintenant, et autrefois, il avait juré qu'il m'aimait aussi.

Et puis tout d'un coup, comme une réponse, quelqu'un est arrivé. Une clé a tourné dans la serrure, la porte s'est ouverte en grinçant et a cogné contre le mur dans un grand bruit. Mon cœur s'est resserré comme un petit poing. Je me suis assise dans le lit en essayant de voir qui c'était. Il y avait des clés pendues à une ceinture, et une grosse silhouette noire qui me disait que c'était la gardienne Carmichael. Elle respirait fort, et je savais que si elle s'approchait, je sentirais son haleine. Elle n'a pas fait un geste pour allumer.

« C'est fini. Il y a environ vingt minutes, dit-elle. Charles Starkweather est mort. »

Elle avait presque l'air de trouver ça formidable, comme si le monde était en guerre, et que son camp était en train de gagner. Une rafale de vent a emporté le petit cœur qui me restait.

« Ils lui ont rasé toute cette masse de cheveux roux et ils ont passé l'éponge, a-t-elle dit. Et puis ils ont mis les électrodes, deux sur la tête, une sur le mollet, et ils ont branché le courant. »

Je n'avais pas envie d'en savoir plus.

Elle a dit que la première décharge l'avait assommé, et que la deuxième lui avait grillé la cervelle. De la fumée était sortie de ses oreilles et ses intestins avaient lâché. La troisième décharge avait arrêté son cœur.

« Mais est-ce qu'il leur a dit ?

— Oh oui, il leur a dit !

— Qu'est-ce qu'il a dit ?

— Il aurait voulu que tu sois là à côté de lui.

— Vous voulez dire pour pouvoir me parler ? ai-je demandé, parce que j'avais tellement d'espoir.

— Il aurait voulu que la chaise soit à deux places, ma mignonne, a répondu la gardienne Carmichael en soufflant à travers ses grosses joues. Et il n'était pas le seul à dire ça. Ne t'attends pas à un traitement de faveur par ici. »

Mais je n'avais jamais eu de traitement de faveur. Toute ma vie s'est refermée brutalement. J'ai pensé à l'éclair de lumière traversant le cerveau de Charlie en me demandant s'il s'était souvenu des façons dont on s'était aimés.

Longtemps après, on m'a fait sortir de l'isolement. La gardienne Carmichael est partie et Jackie est arrivée. Elle était toute mince avec des cheveux plutôt jolis, et elle ne nous demandait pas qu'on l'appelle Gardienne. Il y a eu quelques petits changements, mais rien de bien important. J'avais quelques privilèges, c'est vrai, mais ça n'avait rien à voir avec la liberté. Le mercredi, la camionnette m'emmenait à l'hospice, qui ne me semblait pas bien différent de la prison. Après l'extinction des feux, ils me laissaient quelquefois continuer à dessiner à l'étude, même si j'avais épuisé les sujets de dessin depuis longtemps. Quelquefois, je restais sous le petit cône de lumière une heure de plus, en faisant semblant de réfléchir à un dessin, mais en fait je me demandais à quoi ressemblerait le monde si jamais on me laissait sortir. « Il ne faut pas dire si, Caril, mais quand », répétait toujours Jackie, parce qu'elle avait confiance en nous, les détenues. Jackie était convaincue qu'une femme pouvait changer. Elle avait mis en route le programme de couture, et la lecture, et les rêves d'avenir. D'une manière générale, l'endroit s'était franchement amélioré. Mais je ne voyais pas à quoi ça pouvait servir de rêver de l'avenir, puisque tous mes rêves avec Charlie m'avaient fait atterrir là.

Je regardais arriver les nouvelles filles, qui pleuraient de se retrouver là, et les cinglées qui partaient en pleurant parce qu'elles s'en allaient. L'herbe desséchée devenait verte au printemps. Il y avait de la neige en hiver et des orages en été, mais je n'étais jamais consciente de rien. Lorsqu'une tornade arrivait, ils nous faisaient marcher en file indienne pour aller s'entasser au sous-sol, et on n'a jamais entendu le moindre hurlement de vent. Seulement des portes qui claquent et des clés dans les serrures, et les blagues sur le fait qu'on serait peut-être emportées par un coup de vent pour se retrouver dans un endroit bien mieux, comme cette fille avec ses chaussures rouges qu'une tornade avait emportée dans le Kansas. Moi, je n'ai jamais trouvé ça drôle, parce que je savais bien que je ne sortirais jamais de là. J'étais déjà passée en conditionnelle deux fois, pour bonne conduite, mais on m'avait dit deux fois que je ne pouvais pas partir. Il y aurait bientôt une troisième occasion, mais j'avais cessé de m'en soucier. J'avais cessé de ressentir quoi que ce soit, jusqu'à ce que Leerae se jette dans l'escalier comme dans une rivière et se casse le cou en essayant à tout prix de se débarrasser de son bébé.

Leerae était arrivée juste la semaine précédente. Quelqu'un m'avait parlé de vol et de drogues, les mauvaises, celles qu'on s'injecte dans le bras, et d'un bébé encore dans son ventre, à trois mois de l'accouchement. On connaissait toujours les histoires des nouvelles, je ne sais pas comment. Mais Lecrae n'était pas vraiment une femme, c'était plutôt une gamine ; dix-huit ans, à peine trois ans de plus que moi au moment de ma condamnation.

On avait été autorisées à se promener en cercle sur la pelouse piétinée. Il y avait du givre, et l'hiver arrivait, mais Leerae n'avait pas l'air d'avoir froid. Elle marchait à grands pas le long du grillage, avec son ventre qui se soulevait, comme si elle essayait de se défaire du bébé en marchant. Il y avait quelque chose de féroce dans sa façon de se déplacer, mais ça ne me faisait rien, parce que je n'avais connu que ça. Elle était tellement mince, et à part le bébé, elle ressemblait à un mannequin.

En plus, elle était habillée comme un mannequin, avec un manteau en peau de mouton de la même couleur que ses cheveux, et un pantalon rouge foncé élargi dans le bas comme un verre chic à l'envers. Ils lui avaient laissé ses vêtements, ce qui voulait dire qu'elle n'avait pas fait quelque chose de bien terrible. Elle retrouverait bientôt le monde extérieur. Et puis elle avait arrêté de faire ses grands pas pour se mettre sur la pointe de ses petits pieds en essayant de toucher les fils électriques. Tu parles ! Elle était grande, mais il aurait fallu qu'elle soit géante. Je voulais l'aider. « Arrête ! lui avais-je crié, en me disant qu'on avait oublié de la prévenir. Il y a du courant, là-haut. »

Elle s'est retournée d'un seul coup et m'a jeté un regard méchant pour me dire de lui ficher la paix. Elle avait un joli visage, mais couvert de boutons.

« Tu as d'autres idées ? Un cintre ? »

Je ne voyais pas du tout pourquoi elle avait besoin d'un cintre, puisque personne n'avait de manteau qui méritait d'être bien rangé. Et puis, vu de près, le sien n'était pas aussi beau que j'avais cru ; il était sale et usé, comme une vieille chèvre balancée dans un coin de grange.

« Personne n'a de cintre, lui ai-je dit. C'est la consigne.

— Ben moi, j'obéis pas aux consignes. »

Leerae a donné un coup de pied dans un caillou et l'a balancé contre le grillage qui a fait un petit *ping*. Elle avait une façon étrange de se comporter qui me rappelait Charlie, et en pensant à lui, enterré depuis toutes ces années, j'ai senti un frisson. Un oiseau blanc avec de grandes ailes s'est envolé vers la route, et on est restées toutes les deux à le regarder. Je n'avais jamais vu un oiseau pareil.

« Tu es là pour quoi ? » lui ai-je demandé, alors que j'aurais dû réfléchir à deux fois avant de poser la question, vu que je ne n'avais aucune envie de lui parler de toutes les horreurs que j'avais faites, selon eux.

« Je me suis retrouvée avec la mauvaise bande et je n'ai pas pu rentrer chez moi. »

Elle m'a raconté que Jim l'avait abandonnée à Rapid City, enceinte, sans argent pour payer le loyer, et qu'elle avait dû se mettre à voler. Elle avait fait deux ou trois passes, et elle s'était fait prendre. Elle racontait ça d'une manière étrange, détachée, comme si ça ne l'intéressait plus. Elle était le genre de fille que l'aumônier allait tâcher de ramener à Dieu.

« Et d'après moi, si t'avais l'habitude de suivre les consignes, tu serais pas ici depuis si longtemps, a-t-elle dit.

— Comment sais-tu depuis combien de temps je suis là ?

— Oh, je sais ! Tout le monde sait. Tu es exactement comme sur les photos, comme si le temps s'était arrêté, comme si tu étais une sorte de zombie. »

Ça ne me plaisait pas qu'elle me traite de zombie. Et le temps ne s'était pas arrêté. La preuve, j'avais des rides autour des yeux. J'avais senti tous les jours passer.

« Ils en parlent encore, à l'extérieur, dit-elle. On t'appelle la môme-fiancée. »

Elle avait de grands cernes sous ses jolis yeux, et sa mâchoire avait un aspect dur.

Je n'étais certainement plus une môme. J'avais passé une bonne moitié de ma vie à York. Je voulais lui dire de bien réfléchir à toutes les choses qu'on fait quand on est gamins, et s'il ne fallait pas pardonner et oublier, comme Jackie m'avait dit. Après tout, je n'étais pas bien différente d'elle ; moi aussi *je m'étais retrouvée avec la mauvaise bande*. Et ça ne m'était jamais venu à l'idée de faire des passes.

Ça me soulevait le cœur de penser qu'on parlait encore de nous, Charlie et moi, tous les soirs à table dans tout l'État, parce qu'on racontait sans doute toujours la même chose : que j'étais mêlée à l'assassinat de la dame, parce que je l'avais volée. Mais ne pas sauver quelqu'un, ce n'est pas la même chose que tuer, quoi qu'on dise.

« Les histoires qu'on raconte ne sont pas toujours vraies, lui ai-je dit.

— Ouais », a répondu Leerae en éclatant d'un drôle de rire. Elle regardait une camionnette de détenues descendre trop vite Recharge Road. Pour autant que je pouvais voir, rien d'autre ne bougeait, il n'y avait aucune limite entre les plaines et le ciel. Elle s'est retournée et j'ai vu de l'humidité dans ses yeux, comme des larmes.

Il me semblait qu'il n'y avait plus grand-chose à dire, alors j'allais partir, mais elle m'a arrêtée :

« Beaucoup d'entre nous auraient mieux fait de ne pas naître », a-t-elle dit en tapant du poing sur le bébé comme un point d'exclamation. Je savais ce qu'elle ressentait. Il n'y avait pas toujours des raisons à tout.

« Mais tu ne feras pas de mal à ton bébé », lui ai-je dit, vu que je savais ce que c'était de faire du mal à un bébé, même si ce n'était pas moi qui avais planté le couteau.

« Peu importe, maintenant, a dit Leerae en parlant du bébé. On lui a déjà fait assez de mal. »

Elle est restée immobile un moment, comme une statue de sel, et puis j'ai vu une drôle d'expression passer au coin de son visage, et sa peau est devenue toute pâle derrière les taches rouges. Du sang s'était mis à couler de son nez et toute sa méchanceté s'en allait avec. Il glissait en deux traînées rouges qui passaient entre ses doigts, le long de son poignet, jusque dans la manche de son manteau. Le rouge faisait des dessins dans l'herbe, comme des pétales arrachés à une fleur, et elle est tombée à genoux en tendant les mains comme si elle voulait les ramasser. Je me demandais pourquoi le sang continuait à me poursui-vre. Je me suis agenouillée sur le sol froid à côté d'elle. J'ai tendu le bras et j'ai penché sa tête en arrière comme j'avais vu l'aide-soignant faire à l'hospice.

« Ne me touche pas », a-t-elle dit, mais je n'ai pas fait attention. On est restées agenouillées là un moment, et puis le saignement a fini par s'arrêter.

Leerae n'avait aucune intention d'être sauvée. Les filles qui avaient tout vu disaient qu'on ne pouvait absolument pas prévoir. Arrivée en haut de l'escalier, elle avait plaqué ses bras contre son corps et s'était jetée dans le vide sans hésiter, comme un boulet de canon, comme si quelqu'un allait la rattraper. Mais il n'y avait personne pour la rattraper. La gardienne s'était précipitée, mais n'avait pas réussi à la retenir, et Leerae avait atterri au pied de l'escalier, la tête contre le mur et le cou tout tordu, et on voyait bien à ses yeux qu'elle était déjà morte. Je ne voulais pas en savoir plus, mais tout le monde chuchotait. *Des yeux comme le ciel bleu tout plein de nuages. Même une jolie fille comme elle n'était pas heureuse.*

Je me demandais si le bébé était mort en même temps qu'elle, ou bien s'il avait lutté un moment, en essayant de comprendre dans le noir tranquille. J'ai pensé à tous les gens que j'avais vus avant qu'ils soient tués, et comment ils avaient essayé de comprendre, eux aussi.

Je ne voulais plus quitter ma cellule. Je refusais d'aller à l'hospice. Je restais allongée sur mon lit, et je dessinais dans ma tête à partir de la lumière qui jetait des ombres différentes sur le mur. Tous les fantômes étaient là, mais ils n'avaient plus de voix pour dire ce qui s'était vraiment passé, juste des lèvres qui remuaient sans faire un bruit. Jeanette, avait-il dit, parce qu'il l'aimait. Elle m'avait donné une chance. Elle m'avait dit qu'on avait toujours le choix. Mais à ce moment-là, j'avais l'impression qu'on n'avait *jamais* le choix.

Des années plus tard, quand la commission m'a accordé la conditionnelle et que Jackie m'a annoncé que j'étais libre, ça m'était complètement égal. « C'est formidable, non, Caril ? » avait-elle dit. Mais ça ne me paraissait pas formidable du tout. Je regardais le terrain plat de l'autre côté du grillage. Il s'étendait à perpétuité, et dans mon cas, la perpétuité n'était pas une très bonne chose. Il faudrait que je vive à perpétuité avec ça : ce que j'avais fait ou ce que je n'avais pas fait, selon la façon dont on voyait les choses.

« Tu sais, a dit Jackie en passant son bras autour de mes épaules, ce n'est pas à moi de décider si tu es coupable ou non, mais c'est mon rôle de te dire quand tu es prête à la réinsertion.

— C'est le cas ?

— En ce qui me concerne, il n'y a aucun doute. »

Mais je ne me sentais pas du tout prête à la réinsertion.

« On propose certains programmes qui pourraient t'aider à redémarrer.

— Je n'ai pas besoin de programme.

— J'aimerais que tu y réfléchisses, Caril. Ces programmes sont faits pour te protéger. »

Mais je n'avais pas envie d'être protégée.

Jackie m'a emmenée dans son bureau pour me donner le carton qui contenait les affaires que j'avais en arrivant. Avant d'ouvrir le carton, j'ai jeté un coup d'œil sur les vêtements que je portais ; ils n'étaient pas si différents de ceux que j'avais à l'époque. J'étais un zombie. Je n'avais pas besoin des vieux trucs du carton, mais je l'ai ouvert quand même, parce que c'était ce qu'on attendait de moi. Mais il y avait des vêtements neufs à l'intérieur, à ma taille, vu que Jackie me connaissait mieux que n'importe qui. Elle était allée à Grand Island et m'avait acheté un pantalon vert évasé, et un manteau qui avait l'air d'être en cuir blanc avec une petite frange de fourrure autour du col.

« Jackie. »

Je ne pouvais rien dire d'autre, à cause de sa gentillesse.

« Du cuir ?

— Ce n'est pas vraiment du cuir. C'est du faux. »

Pour moi, ça ressemblait suffisamment à du cuir. Je l'ai enfilé en le serrant contre moi.

« Merci », lui ai-je dit.

Elle a hoché la tête en me disant que j'étais vraiment belle, et je me suis demandé si quelqu'un d'autre penserait un jour la même chose.

J'ai fait un tour sur moi-même parce qu'elle voulait me voir heureuse.

« Ta sœur va venir te chercher à York ? »

J'ai hoché la tête.

« Pourquoi pas ici ? »

Je ne lui ai pas dit que ma sœur n'allait pas venir, que je ne l'avais même pas appelée. Je n'avais pas vu Barbara depuis mon arrivée ici, et j'étais plutôt sûre qu'elle ne voudrait surtout pas me voir maintenant.

« J'ai envie de marcher, lui ai-je dit. Je n'ai pas eu l'occasion de marcher depuis longtemps. »

Jackie m'a accompagnée dans le couloir et a tenu la porte ouverte, et un courant d'air froid est venu à ma rencontre. Je savais que toutes les filles seraient à la fenêtre, prêtes à me faire un signe, et peut-être que ça leur donnerait un peu d'espoir de me voir partir. Mais tout d'un coup, j'étais paralysée. J'avais l'impression d'avoir les pieds coincés.

« Vas-y. Tu as toute une vie devant toi », a dit Jackie.

Mais j'avais déjà passé une moitié de ma vie en prison.

« Qu'est-ce qu'ils vont dire, Jackie ?

— Qu'est-ce que ça peut faire ? Tu peux changer de nom, et ils finiront par oublier. »

Mais à mon avis, personne n'oublierait jamais.

« Tu sais, Caril, le monde finit par pardonner », m'a-t-elle dit en me touchant le bras, comme cette dame de Lincoln. Je n'étais pas convaincue de ça non plus. Comment des parents pouvaient-ils pardonner pour des enfants qui avaient été tués ? Et comment le garçon pourrait-il me pardonner la façon dont j'avais laissé assassiner son père et sa mère ? Elle m'avait dit son nom. Et je connaissais son âge, vu que c'était le même que le mien. Quelquefois, je me demandais où il était, mais je ne voulais pas en savoir plus, jamais. J'avais trop peur qu'il ait mal tourné. Peut-être qu'il était devenu comme moi.

Le ciel était gris et la route était grise, pas très différents des murs que je laissais derrière moi. J'ai marché sur le bas-côté pendant un moment, écrasant la neige avec mes bottes, laissant mes empreintes. J'aurais voulu les effacer. Je pensais à tous les endroits différents que j'avais vus sur les cartes, et je me demandais s'il y en avait un où personne ne connaîtrait mon histoire. Il y avait huit kilomètres jusqu'à la ville de York. En arrivant, je prendrais un bus vers l'ouest et je chercherais un lac, parce que je n'en avais jamais vu. Je savais qu'il y avait un lac de sel dans l'Utah, et qu'il avait donné son nom à Salt Lake City. J'avais entendu dire qu'il y avait tellement de sel qu'il était rejeté sur la rive, et qu'il s'accumulait comme quelque chose que l'océan aurait recraché. Je partirais dans cette direction parce que c'était quelque chose, et je n'avais rien d'autre qu'un lac salé pour me dire où aller.

Chapitre 23

1991

À Noël 1957, je revins passer les vacances à la maison, après mon premier semestre en pension. Au lieu de me laisser regarder les programmes pour enfants à la télé, ou m'occuper de ma collection de pointes de flèches indiennes, ma mère voulut absolument me faire prendre une leçon de piano avec miss Voight. « Je ne veux pas que tu oublies tout ce que tu as appris, dit-elle. Si tu ne t'exerces pas, tu perdras tous tes acquis. » Sauf que je n'avais aucun acquis. « Tu ne t'exerces pas assez, disait-elle, comme si elle n'avait pas entendu mes protestations. Tu as les doigts qu'il faut. Miss Voight dit que tes doigts sont faits pour le piano.

— Mes doigts sont faits pour le football », répliquai-je, car je ne voulais pas passer pour une tapette.

Ma mère s'efforçait de jouer du piano depuis des années, et secouait la tête d'un air exaspéré chaque fois que ses lourdes bagues dérapaient sur les touches blanches. Ses doigts frappaient des notes discordantes dans l'air tandis que je l'observais, debout sur la marche du salon, fasciné par son fiasco. Moira était la seule à qualifier de musique ce que jouait ma mère.

Elle époussetait le piano pendant que ma mère s'entraînait, mais Moira était presque totalement sourde, et elle aimait surtout sentir les vibrations des marteaux sous le couvercle. « Jeanette, je sens de la belle musique », disait-elle d'une voix hachée, et moi je m'efforçais de ne pas éclater de rire.

Ma mère finit par abandonner le piano, et se mit à fréquenter régulièrement les concerts de l'orchestre symphonique de Lincoln. Elle s'enticha d'une cantatrice noire du nom de Barbara, parce que, disait-elle, le son de sa voix la réconciliait avec elle-même. « Je vis par procuration », soupirait ma mère. Elle suivait Barbara dans tous ses spectacles : Chicago, Minneapolis, et même New York. Elle allait lui porter des fleurs en coulisses et rentrait le lendemain à la maison au bord des larmes. « Barbara a eu une vie tellement difficile ; ça me brise le cœur, avait-elle déclaré une fois, parce qu'une représentation d'opéra n'avait pas rencontré son public. Pour quelqu'un comme miss Voight, qui est une jeune femme comblée et séduisante, le succès vient facilement. Ce n'est pas juste.

— Miss Voight ne va pas jusqu'à New York pour jouer du piano, Jeanette, avait dit mon père d'une voix tendue. Elle donne des leçons à Lincoln.

— Oh, elle ira ! Elle est encore si jeune ! Et elle ne voudra plus donner de leçons à Lowell. Elle l'oubliera complètement. Attendez de voir », avait dit ma mère en serrant les lèvres.

Alors j'avais attendu. J'avais attendu deux ans que miss Voight m'oublie et me laisse tranquille, mais voilà, à quatorze ans, j'étais là à répondre au coup de sonnette pour accueillir miss Voight debout dans la neige sur le perron, coiffée de son chapeau violet, son énorme sac débordant de partitions à l'épaule. Quand j'ouvris la porte dans l'air glacé pour la faire entrer rapidement, miss Voight me prit dans ses bras avec fougue, et je sentis quelque chose de différent. Je sentais son corps ferme et lisse sous le tissu de son manteau informe. « Lowell ! » s'écria-t-elle en m'écrasant le nez contre sa clavicule, dans l'odeur légère du parfum qui se dissimulait là. Je lui rendis un peu brusquement son étreinte, puis rabattis les bras derrière mon dos.

Mon professeur de piano me dit que je lui avais manqué et me demanda si je m'étais exercé.

Je voulais lui dire oui, mais j'étais pétrifié.

« Non, il ne s'est pas exercé, répondit ma mère qui descendait l'escalier les bras chargés de quelque chose de brillant destiné au réveillon du Nouvel An. Il passe son temps à regarder notre télévision toute neuve depuis qu'il est rentré.

— J'ai joué au football, lui dis-je.

— Ce n'est pas vrai, dit ma mère. Ce n'est pas vrai. Il ne joue même pas au football ! Il a les yeux comme des soucoupes. Regardez-moi ça ! »

J'avais les joues en feu. À l'époque, j'avais l'impression que ma mère faisait tout pour m'humilier, qu'elle essayait de faire de moi son caniche savant, pour mieux se moquer de moi devant les gens. C'était insupportable. Je baissai les bras, les yeux rivés sur le tapis. Miss Voight avait des talons si hauts ! En la suivant dans le salon, observant ses chevilles perchées sur des talons aiguilles rouges, je me demandais comment les femmes arrivaient à marcher avec ce genre de chaussures. Mon père disait toujours que la future beauté des femmes se devine à leurs chevilles. Si une femme avait les chevilles épaisses, elle vieillirait mal. Si elles étaient fines, elle ne ferait qu'embellir au fil des années. Miss Voight avait des chevilles fines comme un cheval de course. Je m'imaginais saisissant son tendon d'Achille entre le pouce et l'index en y passant la langue tandis qu'elle jouait du pied sur les pédales.

Je m'assis près d'elle sur la banquette, et ouvris trop brutalement le piano. Je me sentais très mal j'avais peur qu'elle ne lise mes pensées et découvre le fil invisible qui nous joignait tous deux à mi-corps dans ma tête. Miss Voight avait fait quelque chose à ses cheveux, qui avaient un reflet acajou. J'avais envie d'appuyer sur ses boucles pour les sentir rebondir sous mes doigts de pianiste. Miss Voight sortit une partition de son sac. Pendant un moment, mes mains refusèrent de se lever, et quand je réussis enfin à poser les doigts sur les touches, ils étaient plus maladroits que jamais. Chaque fois que je jouais mal, miss Voight me prenait par l'épaule, ce qui ne faisait qu'empirer les choses.

« Tu es simplement un peu rouillé, dit-elle.

— Il est tout bonnement mauvais », répliqua mon père.

Il se tenait dans l'embrasure de la porte, en manteau et cravate, de retour pour le déjeuner. Il posa son attaché-case par terre et s'approcha derrière nous.

« En fait, il s'en désintéresse et n'a aucun sens du piano.

— C'est peut-être ma faute, dit miss Voight. J'enseigne très peu. »

Mon professeur de piano me tourna le dos pour regarder mon père comme s'il était l'étoile accrochée en haut du sapin.

« Je prépare un concert à Chicago.

— Woah ! C'est formidable, s'exclama mon père en se balançant sur ses talons. C'est génial ! Il faudra qu'on aille vous voir, n'est-ce pas, Lowe ? »

Il n'avait jamais accompagné ma mère nulle part pour voir Barbara, alors qu'elle le lui avait demandé à plusieurs reprises.

« Mais non, ne prenez pas cette peine », dit miss Voight en rougissant.

Mon père répliqua qu'il en serait ravi. Puis il l'invita à notre réveillon et lui demanda de jouer un chant de Noël.

« J'ai toujours été déçue par le réveillon. » Miss Voight plissait des yeux en parlant, comme si elle avait le soleil dans la figure. « Je n'ai jamais personne à embrasser.

— Eh bien, nos réveillons à nous n'ont jamais été décevants », dit mon père en me lançant un clin d'œil.

Je détournai le regard vers la partition posée devant moi en fronçant les sourcils. J'avais toujours trouvé les soirées de mes parents décevantes ; chacun à son tour, les adultes venaient me dire quelques mots maladroits. Et puis un jour, j'ai découvert le plaisir de vider leurs fonds de verre. Après ça, tout me paraissait amusant. J'échangeais des compliments exagérés avec des ménagères contre de petits secrets. J'avais changé tous les disques et mis les miens à la place, les Platters, les Skyliners, afin de pouvoir danser avec les dames sur des chansons d'amour, la joue posée sur les plus beaux décolletés du Nebraska.

Miss Voight avait une façon bien à elle d'incliner la tête en se mordant la lèvre, et je l'imaginais prenant cette expression habituelle tandis que mon père se baissait pour brancher la guirlande de l'arbre de Noël. Une fois mon père sorti, miss Voight cessa de remarquer mes erreurs. Elle regardait les flocons tournoyer dans la rue ; le clignotement des ampoules de l'arbre se reflétait dans la vitre, transformant son visage en magnifique ange bleu. Manifestement, ma piètre performance au clavier ne la troublait plus.

J'ai prié pour que miss Voight assiste au réveillon de mes parents. Je n'ai pensé qu'à ça des jours durant. J'avais chaud à l'intérieur du corps, je me sentais bizarre, désespéré, exaspéré. Je donnais des coups de pied à la chienne, qui finit par me mordre. Je n'arrêtais pas de prendre différentes expressions devant la glace en essayant de trouver un moyen de paraître plus vieux et bien plus expérimenté qu'un garçon de mon âge. Je me demandais si j'arriverais à lui offrir un jour quoi que ce soit.

Chaque année, à l'occasion de leur anniversaire de mariage, qui tombait juste avant les vacances, mon père disait à ma mère qu'il l'aimait en lui offrant un bijou où était invariablement gravée la date de leur mariage : *10 décembre 1937*. Pour leur dix-neuvième anniversaire, il lui avait offert un bracelet en platine orné de diamants et d'émeraudes qu'il avait acheté à Marshall Field's. Cette année, pour leur vingtième anniversaire, elle avait reçu le collier assorti. Ma mère avait offert à mon père une montre de gousset en or accrochée au bout d'une chaîne, avec une photo de nous trois et de la chienne, Queenie. Cet échange annuel de cadeaux était pour moi la preuve que mes parents s'aimaient, qu'il y avait entre eux quelque chose de profond que je ne pourrais jamais atteindre.

Ma mère n'était plus une jolie femme. Elle ne l'avait peut-être jamais vraiment été. Mais lorsqu'elle mit autour du cou son nouveau collier tout scintillant, et le bracelet assorti de l'année précédente, et qu'elle descendit l'escalier dans sa nouvelle robe verte de réveillon, je compris pourquoi mon père lui avait offert des pierres aussi précieuses. Ses yeux semblaient élargis, pleins d'émotion, et ses joues étaient rougies par la chaleur de la cuisine où elle surveillait les préparatifs. Je me souviens qu'elle m'avait dit « Fais-la sortir d'ici » en poussant la chienne vers moi, pressant le collier contre son cou pour s'assurer qu'il était toujours en place. « Emmène-la à l'étage et enferme-la dans ma chambre. Sinon, elle va se faire piétiner. »

Je pris Queenie dans mes bras et montai dans la chambre de ma mère. Je lâchai la chienne sur le tapis rose, et elle disparut sous le lit, ne pointant que le bout de son museau sous le couvre-lit. Je vis qu'elle avait laissé des traces boueuses sur ma chemise ; elle avait marché dans quelque chose d'humide. Je fis de mon mieux pour m'arranger en face du grand miroir accroché à la porte de la penderie, repoussant mes cheveux en arrière en essayant de les faire gonfler, comme Frankie Avalon. Mais j'avais beau les mouiller, ils ne restaient pas en place, et retombaient, tout plats. Jamais aucune fille ne m'avait pris au sérieux. Pendant les séances de danse de salon au Country Club, les belles me parlaient doucement à l'oreille des garçons avec qui elles avaient vraiment envie de danser, et détournaient le regard quand je m'immisçais pendant le quadrille. J'étais ce genre de garçon.

Je me redressai devant le miroir en me balançant sur les talons comme le faisait mon père quand il éclatait de rire, de cette manière libre et décontractée que les femmes adoraient, une main accrochée à la boucle de sa ceinture, l'autre posée sur son poignet. Par la fenêtre de la chambre de mes parents, je voyais la nuit bleue atténuée par les flocons. On avait eu un Noël blanc, cette année-là. La neige continuait à tomber. J'entendais les voitures s'approcher de la maison, je voyais la lumière des phares trembler et rebondir sur les talus de neige. Je me dirigeai vers la commode de ma mère et ouvris sa boîte à bijoux. Je me mis à fouiller parmi l'or et l'argent, les boucles d'oreilles, les broches et les rangs de perles, à la recherche de quelque chose qui plairait à miss Voight, un bijou dont ma mère ne remarquerait pas la disparition. Je découvris un bracelet en or, simple et élégant avec une touche d'exotisme, orné de pierres ou de cabochons colorés, et je me dis qu'il ferait parfaitement l'affaire.

Je m'imaginais attirant miss Voight à l'écart pour lui glisser le bracelet dans la main en lui disant : « Joyeux Noël, mon amour. » Son visage s'éclairerait et elle me prendrait dans ses bras ; non, elle poserait ses lèvres rouges sur les miennes. J'entendis le bruit de la sonnette. Je caressai le bracelet, le fourrai dans ma poche et descendis au rez-de-chaussée.

J'attendis une bonne heure et demie que mon professeur de piano arrive, le bracelet volé à ma mère brûlant un trou au fond de ma poche, la poitrine gonflée de cet important secret. Miss Voight se présenta enfin enfin, seule ; elle était magnifique dans sa robe noire, avec ses talons rouges et ses ongles rouges, et ses cheveux relevés en chignon. Par un coup de chance, c'est moi qui lui ouvris la porte. C'était mon rôle, et je le remplis de manière très stylée, du moins c'est ce que j'espérais.

Mais avant que j'aie le temps de dire quoi que ce soit, mon père arriva derrière moi, un verre de champagne à la main.

« Ah, vous voilà ! dit-il à miss Voight. Méfiez-vous de celui-ci, prévint-il en me passant la main dans les cheveux avec un large sourire. L'année dernière, je l'ai surpris en train de vider les verres de tous les invités ! »

Mon père éclata de rire. Il aida miss Voight à enlever son manteau et le jeta dans mes bras comme si j'étais une patère. Puis il saisit un verre de champagne sur un plateau qu'on apportait et le lui tendit. Elle ne m'adressa même pas un regard.

Ils disparurent tous les deux dans la foule. Je me souviens des chandelles qui se consumaient lentement, des guirlandes du sapin qui lançaient des éclairs bleus, comme à chaque Noël de mon enfance, du tintement des verres, de l'odeur des gougères au fromage mélangée au parfum. Je me souviens de la façon dont les gens n'arrêtaient pas de toucher le collier de ma mère, pleins d'admiration. Je les voyais se pencher pour examiner les diamants et les émeraudes à la lueur des chandelles tandis que ma mère avançait le cou dans l'encolure de sa robe verte afin qu'ils puissent constater à quel point mon père l'aimait.

J'allai accrocher avec beaucoup de soin le manteau de miss Voight dans le petit salon, ôtant un cheveu roux de sa manche et l'enroulant autour de mon doigt pour le conserver. J'enfonçai mon visage dans le tissu de laine et le pris dans mes bras comme si c'était mon professeur de piano.

Il était près de minuit, et j'étais chargé de servir le champagne dans les verres alignés près du bar. Les gens surveillaient la pendule. Mon père sortait sa montre à chaque instant et annonçait l'heure. Miss Voight s'assit au piano et les gens se regroupèrent autour d'elle. Je me frayai un chemin pour mieux la voir, en espérant qu'elle me regarderait ou qu'elle me dirait quelque chose qui pourrait justifier mon cadeau, ou l'excuser, peut-être. J'avais envie de dire à tout le monde qu'elle était là à cause de moi. Je trouvais sa robe noire splendide à côté du bois laqué du piano, et les poinsettias rouges faisaient magnifiquement ressortir ses cheveux. C'est alors que mon père se pencha en avant, et posa une main sur le couvercle du piano, et l'autre sous les épaules étroites et bien droites de miss Voight. Puis il traça un cercle minuscule sur le tissu de sa robe noire, un geste presque invisible qui se déroula comme une chaîne de l'extrémité des doigts de mon père jusqu'à ma poitrine, en passant par les mains de miss Voight. Pendant un moment, je crus que j'avais mal vu.

Mon professeur de piano se mit à jouer et mon père recula ; je me faufilai parmi les gens. J'avais chaud, je me sentais mal, j'étais hébété, et le poids mort du bracelet tirait le fond de ma poche. Tous mes efforts paraissaient futiles. Je ne voyais ma mère nulle part. J'observai les visages en me demandant si quelqu'un d'autre avait remarqué mon père et miss Voight. Mais l'expression des gens était brouillée par l'alcool et la bonne humeur, et tout le monde paraissait soudain plus vieux, défraîchi, le teint rougeaud, comme si les amis de mes parents étaient en train de vieillir, de disparaître, de se rapprocher de la mort, là, dans le salon. Je ne me souviens pas de l'air que jouait mon professeur de piano. Je ne suis même pas sûr d'avoir fait attention. Je me frayai un chemin à travers les épaules, les bras et les poitrines flasques ; j'étais envahi d'une sensation déchirante, de quelque chose qui approchait de l'excitation et me brouillait les yeux, me picotait le corps.

J'ouvris la porte de la cave, occultant la lumière du cellier, et m'enfonçai dans la lueur violette du sous-sol pour essayer de recouvrer mes esprits. J'entendais le fracas des réjouissances au-dessus de ma tête. Je n'avais plus peur des meubles recouverts de housses ni des vieilles lampes qui se dressaient comme des statues dans un musée de cires. Quelque chose en moi avait changé. La crainte avait cédé la place à la frustration, au désir, peut-être. Mais alors que je tournais le coin de l'escalier, j'aperçus ma mère assise sur une caisse de champagne. Elle avait le visage dans ses mains, sa robe enveloppait la caisse comme une cloche. Elle leva les yeux sur moi dans la pénombre, et mon cœur fit un bond. Elle avait pleuré ; je voyais les larmes briller à la lueur qui descendait de la porte entrouverte, et son collier de diamants scintillait. J'entendais de la musique et des rires, et au loin, les aboiements futiles de Queenie accentuaient encore l'impression de calme et d'immobilité de la cave, l'atmosphère fantomatique d'un univers à part. Ma mère me tendit la main. Je ne pouvais me résoudre à la prendre, de crainte qu'elle ne découvre ce que j'avais voulu faire de son bracelet. Je restai là, les yeux rivés sur elle. On aurait dit qu'elle avait délaissé son allure digne, comme une tenue de soirée rapidement enlevée.

« Lowe, dit-elle. Viens ici. »

Je m'approchai d'elle. J'étais debout à ses côtés, mais je ne savais pas ce qu'elle voulait. Elle tendit la main et me tapota la jambe.

« Je suis si contente que tu sois un garçon », dit-elle en serrant les bras autour d'elle, les mains agrippées aux épaules pour chasser le froid. Elle toucha le collier posé contre sa peau. Il devait être glacé.

« Lorsque les femmes vieillissent, ils ont beau dire le contraire, les hommes cessent de les aimer. Ils sont comme des pies attirées par les objets brillants. C'est comme ça, Lowe. Souviens-t'en quand tu seras adulte. »

Je ne savais pas ce qu'elle attendait que je dise, alors je restai silencieux. Je ne tendis même pas la main pour la toucher, je ne tentai même pas de la réconforter un peu. Je restais là, incapable de bouger, les yeux rivés sur le sommet de son crâne, jurant intérieurement de remettre le bracelet là où je l'avais trouvé. Tout à coup, on entendit le bruit des mirlitons, des sons de trompette, et la voix de ma mère se perdit dans le vacarme. La nouvelle année était arrivée, avec sa magie, l'espoir du futur, et son innocence. Je me demandais si miss Voight avait trouvé quelqu'un à embrasser.

Trois semaines plus tard, lorsque le pasteur vint me chercher en cours d'histoire et me fit asseoir sur le canapé dans le bureau du proviseur pour me dire que mes parents avaient été assassinés, que mon père avait été tué d'une balle puis poussé dans l'escalier de la cave, que ma mère avait été poignardée, que seul un cœur de chrétien pouvait espérer vaincre le mal qui existait dans ce monde, je fus incapable de pleurer. J'étais incapable de sentir quoi que ce soit. De croire. Lorsqu'il m'accompagna à l'aéroport, je ne pouvais rien faire d'autre qu'appuyer le front contre le hublot glacé et regarder en bas à travers les nuages les lacs gelés et les plaines interminables, et la neige tombant sur cette terre qui avait été mon foyer. Je songeai au collier que mon père avait offert à ma mère, et à la dernière fois que je l'avais vu, miroitant dans la pénombre de la cave comme un millier de clins d'œil

Je soulevai le couvercle fragile du carton, certain désormais de ce que j'allais y trouver. Le collier et le bracelet en diamant de ma mère étaient nichés tout au fond, scintillant dans un écrin de papier de soie. Je tendis le collier vers la lumière, et il se mit à chatoyer avec le même optimisme que la première fois qu'elle l'avait porté. À côté, il y avait la montre de gousset en or de mon père, leurs alliances, et le bracelet que j'avais failli donner à miss Voight. Je soupesai la montre, laissant glisser la chaîne entre mes doigts, en me rappelant la façon dont mon père avait montré avec fierté la photo de nous trois insérée dans le boîtier à tous ceux qui voulaient bien se donner la peine de jeter un coup d'œil. Et tout le monde l'avait fait. Il était le genre d'homme qui peut rassembler les foules. Je caressai du pouce la courbe lisse des alliances de mes parents ; je compris alors que j'étais heureux d'avoir ces petits souvenirs, et tant pis si leur amour n'avait pas été parfait.

Je ne sais pas combien de temps je suis resté là, avant qu'un bruit de pneus sur le gravier interrompe brutalement ma rêverie. Je ne pouvais pas voir l'allée depuis la fenêtre du salon, mais j'étais sûr qu'une voiture venait d'arriver. Je crus entendre le toussotement d'un moteur, et puis un silence impénétrable. Je remballai le collier de ma mère dans le papier de soie, et me relevai. Je me disais bien sûr que Susan était arrivée, qu'elle faisait son apparition comme à son habitude.

Mais ce n'était pas Susan. Debout près de la fenêtre, je vis deux silhouettes sombres remonter l'allée vers la maison. J'avais l'impression qu'elles ne voulaient pas être vues. C'étaient peut-être des cambrioleurs qui venaient ici régulièrement. Une maison de vacances abandonnée. Rien de plus facile. Ils avaient presque l'air de gamins. L'un avait passé le bras autour des épaules de l'autre, et je crus entendre un rire.

Les inconnus escaladèrent le perron, hors de ma vue. Dans mon coin sombre, je les entendis essayer d'ouvrir la porte, que je n'avais pas fermée à clé.

« C'est bizarre, dit l'un d'eux à voix basse, tandis qu'ils se glissaient à l'intérieur.

— Il y a quelqu'un ? » demanda une autre voix, plus fort cette fois-ci.

Je pris ma respiration et sortis de l'ombre à leur rencontre.

« Ah ça oui, il y a quelqu'un ! » dis-je d'une voix ferme.

La fille eut un hoquet, et le garçon s'avança devant elle. Je cherchai à tâtons l'interrupteur. La lumière s'alluma, et je vis le garçon qui me regardait, la tête couverte de la capuche de sa parka, les yeux écarquillés dans son visage étroit. Il posa lentement par terre ses deux sacs de voyage, et la fille apparut derrière son dos. C'était Mary.

« Papa, dit-elle. Qu'est-ce que tu fais ici ? »

J'avais presque envie de rire, mais il y avait autre chose que du soulagement. Malgré mon irritation, malgré son culot, j'avais envie de la prendre dans mes bras. En même temps, j'étais gêné d'avoir été découvert.

« Nom de Dieu, Mary, tu ne crois pas que je devrais te poser la même question ? Et celui-là, qui est-ce ?

— Jack Hinmann, monsieur. »

Le garçon me tendit la main, mais je ne fis aucun geste. Son visage s'empourpra et il laissa retomber le bras. Dans des circonstances différentes, j'aurais sans doute apprécié la tentative.

« Première nouvelle, lui dis-je. Je ne me souviens pas d'avoir jamais entendu parler de vous.

— C'est tout nouveau », expliqua ma fille en se mordant la lèvre et en agrippant soudain le bout de son épaisse tresse noire. Elle avait trop de rouge à lèvres. Qu'est-ce que ma fille et ce garçon étaient venus faire ici ? Se droguer ? Avait-il l'intention de faire boire ma petite fille pour abuser d'elle dans la chambre bleue avec des nuages au plafond ?

« Enlevez vos manteaux. Restez là un moment. C'est apparemment ce que vous aviez projeté de faire, de toute façon, leur dis-je. J'aimerais avoir une explication. »

Ils défirent leurs parkas sans les enlever, et restèrent debout à côté du paillasson, mal à l'aise. Ma fille gardait les yeux baissés.

« C'est ma faute, commença ce type, Jack. Je voulais prendre l'air, et je me suis dit qu'on pourrait venir ici. Mary m'a dit que c'était votre vraie maison. J'allais préparer le dîner. Rien de plus. »

Il était plus âgé que Mary, mais sans doute pas de beaucoup. Il avait ce même air gêné que moi quand j'étais jeune, pendant l'été où j'avais grandi tellement vite que je n'avais pas eu le temps de m'habituer à mon corps. Mais son visage était bien plus séduisant que le mien ne l'avait jamais été. Il avait cette mâchoire carrée qui montrait qu'il obtiendrait ce qu'il voulait.

« Pourquoi devrais-je vous croire ? demandai-je.

— Parce que c'est la vérité », répondit Mary.

Le garçon abaissa sa capuche, révélant un petit anneau d'argent accroché à son oreille. J'étais bien certain de ne pas apprécier le symbole, quel qu'il soit.

« Il faut que vous sachiez que je respecte votre fille, dit-il. Je la trouve formidable. »

Le visage de Mary s'éclaira un bref instant, malgré la colère et la gêne qu'elle devait ressentir, et je voyais que la réflexion de Jack était inattendue et qu'elle lui faisait plaisir. Elle me faisait plaisir à moi aussi, pour une raison qu'il n'aurait jamais pu deviner. J'étais heureux de savoir que ma fille avait sa place quelque part.

« Je suppose que ta mère n'est pas au courant, dis-je à Mary. Elle te croit où ?

— Et toi, elle te croit où ?

— Il me semble que nous devrions en discuter en privé, lui dis-je.

— Et Jack ?

— Jack patientera. »

Mary regarda le garçon, et il hocha la tête énergiquement. Elle serra les mâchoires et me suivit dans le couloir.

Dans le salon, on resta là à se regarder, ma fille et moi, dans la lumière douce de la lampe.

« Ta mère te croit où ? demandai-je.

— Chez Neeley.

— Ta mère a déjà rencontré Jack ?

— Il lui plaît », dit Mary en hochant la tête.

Je m'assis sur le canapé en me massant le front.

« Alors, qu'est-ce que tu comptes faire ? finit-elle par demander.

— Ce comportement est inacceptable, dis-je en secouant la tête.

— Pourquoi ? Parce qu'on avait envie de prendre l'air et de se soûler, comme tout le monde ? dit-elle en regardant avec insistance mon verre de scotch.

— Oui, c'est de l'alcool, lui dis-je. C'est un verre de scotch. Mais je suis ton père, et j'estime que ce n'est pas à moi de fournir des explications.

— Tu parles !

— Je te demande pardon ?

— Tu ne fournis jamais d'explications, papa.

— Écoute, ce n'est pas…

— Je sais », dit doucement ma fille, ce à quoi je ne m'attendais pas. Elle s'avança dans la pièce, enleva sa parka et la posa sur la banquette du piano. Son chemisier était trop serré, presque comme un justaucorps, et collait à sa poitrine, à ses côtes délicates. Elle se retourna pour examiner le vieux piano. Un bref instant, sa silhouette s'y refléta en passant devant. Elle était si petite, si frêle ! Elle ne mangeait pas assez. L'année précédente, l'entraîneur de son équipe de football nous avait appelés pour nous dire que Mary passerait le plus clair de son temps sur le banc de touche si elle ne grossissait pas un peu, et ma fille avait effectivement pris du poids, mais elle semblait l'avoir perdu depuis.

« Hé, tu t'es remis à jouer ! s'exclama-t-elle soudain en caressant les touches.

— Pas vraiment. Je pianotais. »

Elle se retourna pour me faire face et je vis que son visage avait pris une expression déterminée, qu'il irradiait de manière inexplicable, et je fus frappé de la beauté insolite de ma fille. Elle ressemblait bien plus à la mère de Susan qu'à l'un de nous deux, et pourtant elle était d'un tempérament plus sérieux et plus réservé qu'elle, d'après la description qu'en avait faite ma femme.

« Je suis sûr que ce garçon est très sympathique, lui dis-je. Et il a l'air de beaucoup t'apprécier, mais je n'aime pas beaucoup que tu sois venue ici avec lui. Tu es trop jeune pour te retrouver seule avec lui de cette façon.

— Moi, je ne pense pas que je sois trop jeune. Je ne vois pas du tout les choses comme ça.

— Non, j'imagine que non. Et pourquoi devrais-tu écouter ce que je dis ? »

Mary s'assit, et par son silence approuva ce que je venais de dire. Mais l'expression de son visage me montrait qu'elle ne me jugeait peut-être pas aussi durement que je l'avais cru.

« Tu vas en parler à maman ? » demanda-t-elle.

Je ne savais pas quoi répondre.

« Je crois que non », ajouta-t-elle pleine d'espoir.

Je ne voulais pas la décevoir. Quelque chose avait changé entre nous. Nous partagions un secret. Elle avait les yeux qui brillaient, comme ceux de sa mère le jour où elle était apparue derrière la porte de ma penderie vêtue de la robe de bal scintillante de tante Clara, tant d'années auparavant. Je me souvenais d'avoir vu la même expression cinq ans plus tard, lorsqu'en descendant les marches de la bibliothèque de l'université, Susan m'avait aperçu, appuyé contre le porte-vélos, les mains dans les poches. Elle s'était brusquement arrêtée, jetant la cigarette qu'elle avait toujours aux lèvres, son regard s'éclairant : « Encore toi ? » avait-elle dit.

« Jack te plaira », dit-elle, ses cheveux luisant dans la lumière tamisée. Sans réfléchir, je tendis le bras et posai ma main sur le haut de sa tête. En échange, elle me fit un drôle de demi-sourire, puis aperçut la boîte à chaussures. Elle se pencha au-dessus de la table de salon pour regarder à l'intérieur.

« Qu'est-ce que c'est ? » demanda-t-elle en déballant le collier et en le levant vers la lumière comme un serpent chatoyant.

« C'était le collier de ta grand-mère.

— Qu'est-ce qu'il est joli ! dit-elle en le retournant pour lire l'inscription. Le 10 décembre ?

— Leur anniversaire de mariage. »

J'étalai les bijoux de mes parents sur la table pour qu'elle puisse les examiner. Elle toucha le bracelet assorti au collier, les alliances, caressa du bout des doigts les pierres du bracelet en or que j'avais voulu donner à mon professeur de piano. Elle ouvrit le boîtier de la montre de mon père, et contempla le cadran comme si elle cherchait avidement quelque chose, comme si elle avait pu déchiffrer un fragment d'information à partir de l'heure à laquelle les aiguilles s'étaient arrêtées. Elle examina la photo ovale sur laquelle nous étions, moi, ma mère, mon père et Queenie, glissée à l'intérieur du boîtier, avant de refermer la montre dans un claquement et de la reposer sur la table. Elle se radossa à sa chaise et baissa les yeux sur ses mains.

« C'est le collier qu'elle a pris. Et le bracelet, déclara-t-elle en montrant du doigt celui que j'avais failli donner à mon professeur de piano.

— Qui ?

— Caril Ann Fugate. »

J'eus brusquement l'impression qu'un minuscule caillou pointu m'égratignait l'intérieur du cœur.

« Ils ont trouvé le bracelet par terre dans une grange, dit-elle.

— Je ne savais pas. Qui t'a dit ça ?

— Hank s'est procuré un petit livre et on l'a lu tous les deux. Tu es en colère ? demanda-t-elle.

— Vous avez trouvé ce que vous cherchiez ? »

Elle secoua la tête.

« On n'a rien appris de ce qu'on voulait savoir.

— C'est-à-dire ?

— Comment ils étaient.

— Pourquoi vouliez-vous savoir comment ils étaient ? Ils étaient inhumains.

— Pas eux. Tes parents. »

Quelquefois, j'avais moi-même du mal à me rappeler mes parents. Je les avais cachés. Leurs visages s'étaient presque effacés dans mon souvenir, et pourtant certaines scènes étaient restées très présentes. Quelquefois, le son de leurs voix me revenait, me tirant presque des larmes aux moments les plus inattendus.

Et pourtant, je parvenais à peine à me souvenir de l'enterrement, pendant cette journée neigeuse où l'univers semblait s'être arrêté. Qu'est-ce que mes enfants pourraient bien raconter un jour sur moi ? *Il est toujours resté un mystère. On n'a jamais vraiment réussi à le connaître. Il a juste fait ses valises et il est parti.* J'avais joué un rôle négligeable dans leur éducation. C'est Susan qui s'était accroupie par terre avec eux. Elle leur avait acheté des couleurs, avait accroché leurs dessins dans la maison, les avait réconfortés en pleine nuit, avait relu leurs dossiers d'admission avant de les envoyer. Moi, j'avais trop peur de m'attacher à quelque chose qui ne durerait pas.

J'avais envie de dire quelque chose à Mary, juste à son intention, quelque chose à quoi elle pourrait se raccrocher dans l'avenir.

« Mon père avait un manteau d'hiver en tweed qu'il mettait toujours pour sortir avec ma mère. Il sentait l'eau de toilette et la cigarette », lui dis-je.

Mary fit un sourire.

« Il prenait des céréales tous les matins, alors que Moira était là pour faire la cuisine. C'était le genre d'homme que tout le monde avait envie de connaître. Il était président de banque, excellent homme d'affaires, mais il s'intéressait aussi à d'autres choses. Il m'emmenait partout. Ils voulaient me montrer tous les deux que le monde ne se réduisait pas à Lincoln. »

Je lui parlai d'une petite collection d'objets précolombiens que possédait mon père, et qui avait été léguée à un musée après sa mort ; c'est lui qui m'avait donné l'envie de monter ma propre collection dans le sous-sol de la maison. Un soir, alors que mon père et moi revenions d'une chasse aux pierres semi-précieuses, ma mère nous attendait près de la porte en se mordant la lèvre. Elle n'avait jamais semblé s'intéresser à nos trouvailles, mais lorsqu'elle vit les agates et les pierres de lignite que nous avions déballées et étalées sur la table pour les lui montrer, elle prit les pierres et les examina de près à la lumière en s'extasiant sur leur perfection.

« Pourquoi ne vas-tu pas les ajouter à ta collection, Lowe ? dit-elle.

— Maintenant ? Avant le dîner ?

— Oui, dit-elle, tout de suite. Immédiatement. »

Nous étions descendus tous les trois à toute vitesse au sous-sol. Sous un drap, elle avait dissimulé une polisseuse, pour transformer nos découvertes en bijoux. Elle était si contente !

« Où as-tu trouvé ça, Jeanette ? avait demandé mon père sur un ton pressant.

— Oh, je sais m'y prendre ! » avait-elle répondu.

Mon père l'avait prise dans ses bras et l'avait embrassée sur la joue.

Je racontai à ma fille comment nous faisions ensemble des bijoux. Coincé entre les genoux de ma mère, je tenais la pierre et ma mère posait sa main sur la mienne pour la guider sur la polisseuse. On n'a jamais pu obtenir le résultat voulu, mais on était chaque fois très excité par la possibilité de réussir.

Ma fille semblait captivée par ma petite histoire. Elle m'écoutait avec ses yeux noirs comme si elle était en train de lire au lieu d'entendre, retournant mes souvenirs dans sa tête, savourant chaque mot.

« Est-ce qu'ils étaient heureux ? » demanda Mary avec insistance.

Je réfléchis un instant, en me demandant ce qu'il fallait dire.

« Le plus souvent, mais j'imagine qu'ils ne l'étaient pas toujours. »

Mary baissa les yeux sur ses mains.

« Tu es là parce que maman t'a mis à la porte ? »

L'hypothèse était raisonnable ; Susan aurait dû me mettre à la porte depuis longtemps. Mais je ne m'y attendais pas, et j'eus presque un coup au cœur. Il ne m'était jamais venu à l'idée que Susan pourrait en avoir assez, au point de *vouloir* que je parte.

« Non, je ne crois pas, répondis-je.

— Pourquoi es-tu là, alors ?

— Je suis venu chercher les bijoux, lui dis-je, et réfléchir un peu.

— Vous allez divorcer ? »

Elle avait l'air de penser que la décision était prise des deux côtés.

« C'est plus compliqué que ça, mon cœur. »

Bizarrement, j'avais tout à coup l'impression d'avoir largué les amarres et d'être à la dérive. Je n'étais plus très sûr de vouloir finir de cette façon.

Mary semblait préoccupée, et je voulais la rassurer.

« Tout ira bien, lui dis-je. Ne t'inquiète pas. »

Je la laissai seule avec Jack et sortis de la maison en emportant mon verre de scotch et la boîte à chaussures, laissant la moustiquaire se refermer doucement derrière moi. La pluie avait cessé, mais il y avait encore d'épais nuages qui cachaient la lune. L'air était plein de l'odeur des feuilles mouillées et on sentait approcher les premiers froids de l'automne. Je restai un moment dans l'ombre de la maison, regardant ma fille et ce garçon marcher dans la cuisine éclairée, préparant le dîner. Elle était debout devant l'évier, en train de nettoyer une casserole ; il approcha, posa ses mains sur les épaules de Mary et l'embrassa sur le front. Elle essaya de lui donner un coup de torchon.

À travers les arbres, je voyais la silhouette sombre et douce de Jane passer devant la fenêtre allumée à l'étage. Elle était peut-être en train de défaire sa valise, d'accrocher les tableaux de son mari, de s'installer dans son existence solitaire. Je sentis passer un frisson étrange, une incertitude sombre. Je traversai la pelouse et descendis pour aller m'asseoir sur le rebord en ciment qui marquait la limite de notre terrain, les pieds dans le vide au-dessus de l'Hudson, mon verre à la main, tandis que le ciel s'obscurcissait encore davantage. J'avais la boîte ouverte à côté de moi, l'existence de mes parents soigneusement rangée.

Je me demandais à quoi pensait Susan, sans trouver de réponse. Je n'en avais pas la moindre idée. Elle était forte, indépendante. Pourquoi voudrait-elle que je revienne ? Je l'imaginais à la maison, dans notre appartement poussiéreux, errant à travers les pièces vides, persuadée désormais que tout le monde l'avait abandonnée. Elle passe la main sur le lit intact et enlève son alliance comme j'ai enlevé la mienne.

Une brise apporta l'odeur de la pluie, et les feuilles se mirent à murmurer leurs histoires du passé. Un animal remua dans les roseaux. La lumière du phare tournait. De l'endroit où j'étais assis, je ne pouvais pas voir le bâtiment au-delà du coude du fleuve, mais ses rayons soulevaient les vagues du courant comme autant de bijoux. J'étais du moins sûr de quelque chose.

Je laissai Mary et Jack à Port Saugus et pris l'autoroute vers le sud, en direction de New York. Le tableau de bord jetait une lueur fantomatique sur mes mains. J'étais agrippé au volant, j'avais peur de le lâcher. Il était très tard, et je filais le long de cette route mouillée et déserte, les bijoux de mes parents à côté de moi – la montre de mon père, le collier et les bracelets de ma mère, leurs alliances – et je songeais que ces trésors avaient failli perdre toute signification. Je dépassai New Paltz et Plattekill. Mais à Newburg, je me surpris à m'arrêter à une station-service, empoisonné par l'indécision. Je me sentais brusquement nerveux, ne sachant pas si je réussirais à fournir ce que l'on attendait de moi. Debout sur le parking, alors que j'essayais de retrouver des forces en avalant une demi-douzaine de mini-paquets de chips, j'aperçus une femme vêtue d'un sweat-shirt sale de couleur rose, un morceau de papier collé à ses après-skis. Elle ouvrit la porte d'un minivan cabossé, inclina le siège et s'installa pour la nuit. Je songeai à notre appartement, au corps tiède de Susan, que je n'avais pas touché depuis si longtemps. Elle ne méritait pas de vivre en solitaire, et même si l'on ne pouvait jurer de rien en ce bas monde, j'étais tout à fait sûr de ne pas vouloir la perdre.

Je me remis en route, dépassant Vails Gate et un couple de camions voyageant ensemble. À la lumière des phares, j'aperçus le panneau fluorescent de la colonie d'artistes de Storm King. À l'approche de New York, je réglai le péage et filai en direction des gratte-ciel scintillants, changeant de file pour doubler les bus et les taxis en fin de service. Chaque lumière dans chaque bâtiment me criait quelque chose de différent, et quelque part au milieu de cette agitation perpétuelle, ma femme m'attendait.

Je garai la voiture et fis un salut de la tête à Eddy lorsqu'il m'ouvrit la porte de l'immeuble. Je ne fournis aucune explication. Je montai dans l'ascenseur au moment où les cloches de Saint-Thomas sonnaient minuit, et je regardai les étages défiler un à un devant mes yeux, le voyant ovale sautant d'un numéro à l'autre.

L'appartement était silencieux, bleu et sombre, immobile et envahi par les ombres, comme si le temps s'était arrêté. On n'entendait pas un bruit de la rue en contrebas. Je posai ma valise dans le hall et sortis le collier de ma mère de la boîte, sentant son poids contre mes doigts, le fermoir en argent enroulé contre mon poignet. Je m'approchai de la porte close de la chambre de ma femme. Je posai la main sur le bouton en laiton, le tournai et m'arrêtai sur le seuil de la pièce plongée dans le noir. Mes yeux mirent un moment à se faire à l'obscurité, et je ne la voyais nulle part. Je sentis la panique m'envahir. Quelle ironie si je découvrais qu'elle était partie ! Mais elle était là, tout emmêlée dans le couvre-lit, profondément endormie dans la lueur qui tombait de la fenêtre, son masque sur les yeux, les genoux remontés contre son ventre. Elle rêvait tranquillement, et je n'osais pas deviner à quoi.

Je m'avançai dans la pièce sur la pointe des pieds. Je m'assis avec précaution sur le bord du lit, en essayant de retenir ma respiration. C'est alors seulement que je vis qu'elle s'était coupé les cheveux. Des mèches dorées poivrées de gris effleuraient le bord de la couverture. Dans la journée, elle avait à un moment ou un autre décidé de s'en débarrasser, et ses cheveux étaient maintenant coupés court, juste au-dessus de sa mâchoire. Je balançai les jambes sur le lit en serrant contre moi l'épaisseur de son corps tiède de sommeil. Je pliai les genoux pour épouser son mouvement, glissai le bras sous les couvertures et pris ma femme par la taille. Elle remua et murmura d'une voix ensommeillée dans l'oreiller.

« Tu es rentré.

— Oui, lui dis-je. Chut ! »

Je saisis le collier en diamant de ma mère à deux mains, pris appui sur mon coude, et le glissai avec précaution autour du cou de ma femme.

« Qu'est-ce que tu fais ? » murmura-t-elle.

Je posai le doigt sur ses lèvres, et restai allongé dans la pénombre, contemplant les pierres qui scintillaient.

REMERCIEMENTS

J'aimerais exprimer ici ma gratitude à Bud et Ann Sidles, de ma famille du Nebraska, qui ont approuvé et encouragé mon projet ; à ma mère, Stark Ward, qui m'a fait partager ses récits et qui a lu les miens ; à mon père, Michael Ward, qui m'a laissé toute liberté de me plonger dans ce sujet sensible. Mes remerciements vont aussi à Kevin Canty, Brettne Bloom et Sims McCormick qui ont soigneusement relu le manuscrit et offert de précieux conseils ; à tous les étudiants et professeurs du programme d'études artistiques de l'université du Montana, qui ont eu la pénible tâche de lire les premiers jets de ce livre ; à Will McCormick, pour ses judicieux conseils de lecteur, sa franchise, son soutien et son enthousiasme ;

à ceux qui m'ont aidée dans mes recherches : Chad Wall, de la Société historique du Nebraska, Mark Napelio et Ann Sidles, qui se sont mis à ma disposition à chacun de mes appels ;

à Barbara Ganley, de Middlebury College, qui la première m'a encouragée à écrire ;

à Michael Curtis, qui a découvert mes récits et leur a donné de l'éclat ; au regretté Michael Kelly, dont la présence était une véritable inspiration, et qui a pris la peine de m'offrir ses encouragements au moment où j'en avais le plus besoin ;

à mon agent, Rob McQuilkin, qui est allé bien au-delà de ce que j'attendais de lui, et qui a cru en moi dès le début.

Enfin, j'adresse toute ma gratitude à George Hodgman, des éditions Henry Holt, qui a compris ce que je voulais faire, et dont le travail exemplaire et l'infatigable dévouement ont permis que ce livre voie le jour.

Cet ouvrage a été imprimé en France par

C P I
Bussière

à Saint-Amand-Montrond (Cher)
pour le compte des Éditions 10/18
en avril 2009

Dépôt légal : août 2008.
N° d'édition : 4083. — N° d'impression : 091043/1.
Nouveau tirage : avril 2009.